De René &
Viviane
pour mon anniversaire.
5/11/96
Claude

# LA MAMELOUKA

## Du même auteur

AUX MÊMES ÉDITIONS

Le Tarbouche
*roman, 1992*
*Prix Méditerranée*
*et « Points », nº P 117*

Le Sémaphore d'Alexandrie
*roman, 1994*
*et « Points », nº P 236*

*ROBERT SOLÉ*

# LA MAMELOUKA

roman

*ÉDITIONS DU SEUIL*
*27, rue Jacob, Paris VI^e^*

ISBN 2-02-023901-9

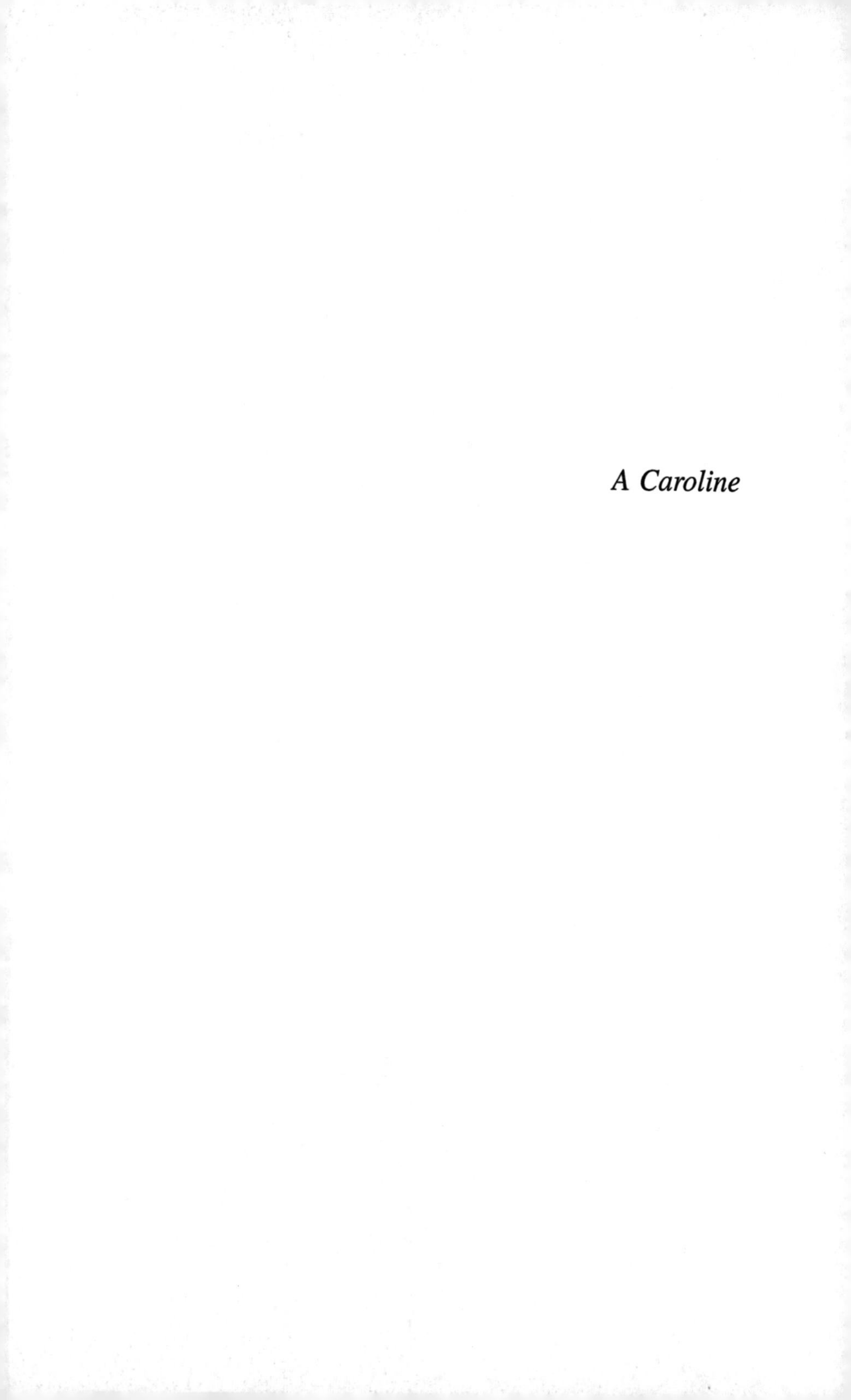

*A Caroline*

# 1

– Milo ! Milo !

La fillette dévala les marches de la villa et courut vers la plage. L'entendant crier, des enfants s'arrachèrent à leurs châteaux de sable pour lui emboîter le pas. Ils étaient dix ou douze à galoper ventre à terre, à la rencontre du jeune homme en costume blanc de *sportsman*.

– Milo ! Milo !

Chaque matin, l'arrivée d'Émile Touta provoquait les mêmes cris de joie. On l'entourait. Il riait. D'une main familière, il flattait la joue de l'un, ébouriffait la tête d'un autre, faisait mine de donner des coups de poing. Puis, à pleine voix, il entonnait *La Traviata* ou *Rigoletto*, pour saluer la journée qui commençait. Sans doute chantait-il un peu faux, mais cela n'avait aucune importance : tout ce qui venait de Milo ravissait ses neveux, les cousins de ses neveux et tous les autres enfants de Fleming. Dans l'univers des grandes personnes, il était le seul à s'intéresser à leurs jeux, le seul à tolérer leurs imprudences et même à les encourager.

Grand, les traits harmonieux, Milo séduisait au premier coup d'œil. Les femmes étaient sensibles à son bagout et au regard amusé qu'il posait sur les choses et sur les gens. Ce garçon de vingt-cinq ans, au charme un peu hâbleur, avait toujours mille histoires à raconter – des histoires incroyables, ne figurant jamais dans les journaux. Il savait les mettre en scène et les applaudir lui-même, riant le premier si elles étaient drôles et s'exclamant plus fort que son auditoire car elles appelaient toutes des exclamations.

Sur cette plage de Fleming, près d'Alexandrie, fréquentée par sa famille depuis des années, Milo pouvait mettre un nom sur chaque visage. C'est dire s'il fut intrigué, ce matin de juillet 1891, par une jeune fille inconnue, en robe blanche, assise à l'écart devant son chevalet.

– Elle est là depuis une heure, lui dirent les enfants. Elle n'a pas peint grand-chose.

Tandis qu'ils reprenaient leurs jeux, Milo s'approcha d'un pas nonchalant. Elle s'était installée au bout de la plage, à quelques mètres de l'eau, protégée du soleil par un grand chapeau en paille de riz. On n'entendait que le clapotis de toutes petites vagues qui venaient mourir sur le rivage. Un léger parfum d'algues s'exhalait des rochers voisins.

La regardant taquiner du bout du pinceau différents tons de bleu, Milo lui lança d'un air amusé :

– Vous réinventez la mer, mademoiselle. Moi, je la reproduis exactement.

La jeune fille se retourna, levant un œil vers ce malotru. Il souriait, ravi de son effet :

– Émile Touta, photographe.

– Félicitations.

Pris de court par cette réplique, il resta un instant silencieux, regardant la main de la jeune fille. Une main longue et fine dont les doigts tendus sur le pinceau formaient un angle droit avec la paume. Une main superbe, souveraine.

Puis il aperçut les bottines, posées près du chevalet. Elle avait les pieds nus sous sa robe ! Milo imagina sa peau caressant le sable tiède.

– A qui ai-je l'honneur ? demanda-t-il un peu troublé.

Elle planta ses yeux noirs dans les siens :

– Sarah Bernhardt, peintre amateur.

Il éclata de rire.

L'impertinente s'était remise à sa palette. Milo faillit la relancer, puis se ravisa :

– Je ne veux pas vous déranger plus longtemps, fit-il grand seigneur. Mais nous aurions certainement des choses à nous dire sur la peinture et la photographie. Un autre jour, peut-être…

Elle évita de répondre. Cela lui parut de bon augure. Il s'éloigna, le cœur joyeux, respirant l'air marin à pleins poumons.

Émile Touta avait choisi le métier de photographe comme il aurait choisi celui d'avocat, d'épicier ou de baryton : avec la même désinvolture et le même enthousiasme, persuadé qu'il y ferait des étincelles. De ses exploits à venir, il parlait avec une telle conviction qu'on était tenté de l'en féliciter sur-le-champ. Il avait loué un magasin modeste mais bien situé sur la place de l'Ezbékieh, au Caire, près des plus grands : il était juste en face de Maloumian, qui avait le titre de « photographe de l'armée britannique d'occupation », et à cent mètres de Jacquemart, médaillé de l'Exposition universelle de 1878, qui passait pour le photographe de la famille khédiviale. Pour faire bonne figure, Milo s'était inventé une fonction aussi clinquante qu'invérifiable : « fournisseur des consulats ».

En réalité, son seul client régulier était le collège des jésuites du Caire. Les Pères l'autorisaient à photographier les petites classes, chaque année, moyennant le versement d'une certaine somme. Le fournisseur des consulats se rattrapait en taxant les parents, selon un barème très personnel. Pour les élèves debout, la photographie de groupe revenait à 10 piastres. Pour ceux, assis, qui encadraient les professeurs, elle en coûtait 20. Et la somme doublait encore pour les quelques privilégiés aux trois quarts allongés sur le tapis, au premier plan.

Émile Touta avait renoncé à faire de la carte postale, les magasins des grands hôtels étant déjà encombrés de sphinx, de pyramides et de felouques en tous genres. Il lui était arrivé, en revanche, de rendre au tourisme d'autres services, plus clandestins : à trois ou quatre reprises, il avait introduit dans son atelier des femmes de petite vertu, ramassées au jardin de l'Ezbékieh par un chasseur du New Hotel. Sans grâce, elles dénudaient leur poitrine devant l'objectif ou poussaient plus loin la pose moyennant quelques shillings supplémentaires.

L'une d'elles, fleurant la fève cuite, avait même cru devoir rejoindre le photographe sous son voile noir... Avec les commissions des uns et des autres, ces photos un peu lestes ne rapportaient pas grand-chose. Milo sentait que sa vocation n'était pas là. Et, d'ailleurs, il aimait trop les femmes pour en vendre d'aussi grotesques sur papier gélatiné.

En été, il fermait son magasin pour plusieurs semaines et suivait les estivants sur la côte. Hébergé à Fleming par l'un de ses frères, il faisait des photos de plage aux abords de l'Hôtel-Casino San Stefano. Le concours annuel de bicyclettes fleuries lui valait plusieurs commandes.

De retour près des parasols, il fallut trois minutes à Milo pour apprendre que la jeune fille s'appelait Doris Sawaya, qu'elle était âgée de dix-neuf ans et qu'elle était arrivée la veille chez son amie Lita Tiomji, nouvellement mariée. Il se fit préciser la profession du père, un courtier en biens immobiliers au Caire, et le nom de jeune fille de la mère, une lointaine cousine des Falaki. Il se garda bien cependant de s'approcher à nouveau de Doris, se contentant de la dévorer des yeux lorsqu'elle plia son chevalet et rejoignit l'une des villas.

La jeune fille, mince et élancée, portait une robe de mousseline légère, au corsage ourlé de gaze blanche. Sa démarche régulière, à peine affectée par le chargement qu'elle tenait sous son bras, lui donnait un air d'équilibre et de force. Elle avait des yeux aussi noirs que les boucles qui dépassaient de son chapeau. Mais c'était sa bouche qui frappait au premier abord : une bouche de corail, dont les lèvres épaisses contrastaient avec la finesse du visage. Milo la trouva follement séduisante.

Le lendemain matin, il vint sur la plage un peu plus tôt que d'habitude et se posta à quelques mètres de l'endroit où Doris peignait la veille. Plusieurs enfants l'entouraient déjà quand elle arriva.

– On ne vous dérange pas, j'espère ? demanda-t-il.

Elle le fixa d'un œil narquois.

– Permettez-moi de venir admirer votre toile tout à l'heure.

Et, sans lui laisser le temps de répondre :

– Les enfants, éloignons-nous ! Mlle Bernhardt veut travailler. Moi, je vais aller faire un plongeon.

Suivi de sa petite cour, il se dirigea vers l'une des cabines de toile pour se déshabiller.

Une demi-heure plus tard, les cheveux encore humides, il s'approchait de Doris dans un costume de bain à fines rayures, dont l'absence de manches mettait en valeur ses épaules musclées :

– Votre tableau est très réussi, mademoiselle. Mais j'aurais fait la mer moins foncée, avec des reflets verts peut-être.

– Pourtant la photographie ne vous permet pas de reproduire les couleurs, répondit-elle avec une pointe d'ironie.

– La photographie a d'autres qualités ! Savez-vous que beaucoup de peintres s'en servent pour composer leurs toiles ?

Le bas de sa robe, un peu déplacé, laissait entrevoir ses pieds, à moitié recouverts de sable. Milo se lança d'une voix distraite dans une tirade sans queue ni tête sur les peintres-photographes.

Doris égoutta son pinceau au-dessus du sable, par de petits gestes secs, comme si elle agitait une sonnette pour faire évacuer un importun.

## 2

Chaque année au mois d'août, Milo photographiait tout le clan Touta, élargi à quelques membres de familles alliées. Une soixantaine de personnes de tous âges se postaient sur le perron de l'une des villas pour ce cliché rituel.

– Nous allons avancer la date de la photo, dit-il cette fois. L'éclairage est meilleur en juillet. On pourrait la faire demain sur la plage, pour changer.

Quelques protestations fusèrent, aussitôt couvertes par les cris de joie des enfants : abandonner le perron pour la plage rendrait l'opération encore plus excitante. La préparation de la photo annuelle était l'un des grands plaisirs de l'été.

Milo arriva dès neuf heures du matin en veste et cravate blanches. La photographie de famille était un moment solennel qui exigeait de l'officiant une toilette adéquate. Nul ne l'aurait imaginé en tenue débraillée, encore moins en costume de bain ! Le fournisseur des consulats retira sa veste, dénoua sa cravate, et les enfants l'aidèrent à transporter son matériel. Il choisit, comme par hasard, l'endroit où Doris Sawaya peignait les jours précédents. Quand elle arriva, un quart d'heure plus tard, une grande bâche était déjà étalée sur le sol pour protéger du sable les appareils.

Sans un mot, sans même un regard, Doris alla s'installer un peu plus loin.

– Attention, les enfants, cria Milo, on commence par fixer le trépied solidement par terre. Voilà. On serre toutes les vis pour empêcher les vibrations. Oui, il ne faut surtout pas que la chambre bouge. Le plus petit mouvement, et c'est fichu. La photographie est un travail de précision, qui ne supporte pas l'à-peu-près… Bon, qui va me passer la chambre noire ? Doucement, doucement, la chambre ! C'est fragile, cette chose-là, qu'est-ce que tu crois ? J'installe la chambre sur la tête du pied… Oui, vous pouvez rire, imbéciles ! Ça se dit comme ça, sur la tête du pied.

Doris fut prise à ce moment-là d'un petit rire qu'elle masqua d'un geste de la main.

– Bon, attention, j'installe la chambre noire. Je visse à fond le boulon. Et qu'est-ce que je fais maintenant ? Parole d'honneur, je ne sais plus ce que je fais… Vous me troublez, les enfants, avec vos questions. Je ne peux pas, à la fois, répondre et travailler. Bon, attention, je dégrafe les crochets pour faire glisser la chambre sur la planchette. Ça, c'est la partie qui porte la glace dépolie… Non, j'expliquerai plus tard la glace dépolie. Où sont les boutonnières du chariot ? Fixe-moi la chambre à la deuxième boutonnière. A la deuxième, j'ai dit ! Bon, maintenant, reculez-vous, pour la première mise au point. Non, non, j'expliquerai plus tard la mise au point…

Incapable de peindre, Doris regardait d'un œil amusé le perturbateur. Milo en profita pour lui adresser de la main un signe embarrassé, comme s'il s'excusait de ne pouvoir quitter ce chantier, avec tous les enfants autour.

La famille commença à arriver dans une aimable pagaille. On avait apporté des fauteuils en nombre insuffisant pour les plus âgés. Les dames faisaient des manières avant d'occuper leur place.

– Et moi, *ya Milo,* où je me mets ? Ah non, je t'en prie, pas au premier rang ! Je suis si vilaine sur les clichés…

Le fournisseur des consulats, qui avait remis sa veste et ajusté sa cravate, orchestrait la cérémonie. Il se rendit compte, un peu tard, qu'il serait privé des escaliers de la villa et ne pourrait, comme chaque année, disposer l'assistance à la manière des photos de classe : ceux du dernier rang risquaient de ne pas être vus. Il revint plusieurs fois vers le groupe des enfants pour faire asseoir certains d'entre eux, en agenouiller d'autres, resserrer les rangs… Privées d'ombrelles et d'éventails, les dames commençaient à se plaindre de la chaleur. Les plus petits s'agitaient. Une gifle, trop vite partie, fit pleurer l'une des fillettes. Mais l'opérateur la consola et tout finit par rentrer dans l'ordre.

Regagnant sa place près du trépied, Milo s'appliqua pendant de longues minutes à sa mise au point. De temps en temps, il ressortait la tête de sous le voile noir et criait des instructions. Finalement, il prit la poire de la main droite, soutint le voile de l'autre au-dessus de l'objectif et lança :

– Attention ! Ne bougeons plus !

Peu après, alors que les adultes s'étaient dispersés et que les enfants engageaient une partie de balle au camp, il s'approcha de Doris :

– Je crains que nous vous ayons dérangée…

– Pensez-vous ! fit-elle d'une voix malicieuse.

– Mais je constate, mademoiselle, que vous peignez des nuages alors que le ciel est désespérément bleu !

– Serait-ce interdit ? Un simple pinceau permet d'en faire davantage que tous vos procédés mécaniques et chimiques.

– Détrompez-vous. Je pourrais, par une retouche, ajouter des nuages à la photo de famille prise tout à l'heure. La photographie aussi peut mentir ! La photographie aussi est un art, mademoiselle !

– Je ne savais pas que l'art se définissait par le mensonge, répliqua-t-elle avec un sourire.

Il accusa le coup en s'inclinant galamment.

Quelques instants plus tard, le cri strident de la petite Yolande leur fit tourner la tête. La fillette, agenouillée sur le sable, avait reçu le ballon en plein front. Milo courut aussitôt vers elle, se pencha et la prit doucement dans ses bras. Doris vit le visage en pleurs disparaître dans le creux de son épaule. Entourant Yolande de ses grandes mains, Milo la cajolait avec des gestes maternels. Il lui chuchota quelque chose à l'oreille. Bientôt elle se mit à rire au milieu de ses larmes.

Songeuse, Doris mouilla son pinceau et reprit ses mélanges sur la palette.

# 3

Tous les matins désormais, Émile Touta s'approchait de moi et demandait aux enfants de ne pas le suivre : « Ça la dérange, c'est normal : elle a besoin de concentration. »

Je ne dirais pas qu'il avait changé. Pouvait-il changer ? Mais on le sentait un peu moins expansif que d'habitude, un peu plus sur ses gardes. Comme s'il se surveillait. J'avais les yeux fixés sur mon tableau ou sur la mer devant moi. De temps en temps, je me tournais vers lui et j'éclatais de rire. Les enfants étaient jaloux.

Dire que je peignais serait excessif. Cette mer aux reflets changeants s'ingéniait à m'échapper. Aucun bleu, mêlé de vert ou de blanc, ne faisait l'affaire. Peut-être aurais-je dû cesser de la scruter, renoncer à mes laborieux mélanges et peindre des vagues imaginaires. La présence de ce garçon me désorientait. Son rire, sa voix…

Émile Touta restait une dizaine de minutes près du chevalet, avant d'aller plonger dans les vagues. Il ne pouvait prolonger ces tête-à-tête avec moi sans me compromettre. Ses visites se confondaient heureusement avec celles de quelques curieux qui ne se privaient pas de venir jeter un regard sur le tableau.

Dans ces bouts de conversation, où il était question de peinture et de photographie, de tout et de rien, Milo parlait de manière désopilante de la famille Touta, que j'avais aperçue le jour du cliché sur la plage. Dans sa bouche, chacun de ces personnages trouvait une existence et un visage. Je croyais presque les connaître. La grosse tante Angéline, par exemple, marieuse invétérée, qui avait réussi à caser ses trois filles dans les bras des trois frères Dabbour, employés dans la fonction publique. Ou le cousin Lolo, un esprit simple qui, lui, épousait son temps : on l'avait vu se déguiser successivement en ingénieur français pendant le percement du canal de Suez, en avocat des tribunaux mixtes lors de la réforme judiciaire, puis en touriste anglais au début de l'occupation britannique. Depuis la découverte des momies royales de Deir el-Bahari par Maspéro, il posait à l'égyptologue, avec un grand casque colonial, un pince-nez et des bandes molletières...

Un matin, quand j'eus fini de peindre, Milo prit mon chevalet sous son bras. Les enfants accoururent. Et ce fut une quasi-procession jusqu'à la villa des Tiomji.

Je portais mes bottines à la main, indifférente au sable chaud et au qu'en-dira-t-on. Au milieu de la plage, je m'assis sur le pliant pour me chausser. Les enfants faisaient cercle autour de moi. Le regard insistant de Milo me troubla.

« A cet après-midi, alors ! » lança-t-il quelques minutes plus tard devant la villa. Je répondis par un sourire évasif.

« Pourquoi cet après-midi, oncle Milo ? » ne put s'empêcher de demander la petite Yolande. Il fit chut du doigt, comme pour un secret : « Cet après-midi, il y a un thé dansant au San Stefano. Je vous aurais bien emmenés mais vous savez bien qu'on ne laisse pas entrer les enfants. »

Quand Lita, mariée depuis six mois à peine, m'avait invitée à venir passer des vacances à Fleming, j'avais hésité : je ne me sentais pas très à l'aise avec Richard Tiomji ; je me demandais comment mon amie d'enfance, mince poupée de porcelaine, pouvait vivre avec cet homme vulgaire, à la silhouette épaisse, poilu comme un singe. Mais Lita avait insisté, et je n'étais pas mécontente de pouvoir m'éloigner de ma famille pendant quelques semaines.

De sa voix sonore, en détachant les syllabes, Richard prononçait à tout bout de champ des phrases péremptoires sur des sujets mineurs. On n'entendait que lui. Sa réussite en affaires accentuait cette assurance. Il fallait le voir parler de son élevage d'autruches, à Matarieh, près du Caire !

Le mari de Lita n'était peut-être pas très raffiné, mais il avait du nez. Dès 1885, l'année de la chute de Khartoum, il avait su tirer parti de l'arrêt du commerce entre l'Égypte et le Soudan : les plumes d'autruche n'étant plus livrées par les caravanes, il décida de se lancer dans un élevage. Malgré quelques déboires, car il ne connaissait rien à ces étranges bêtes, Richard réussit très vite à rendre prospère son entreprise, et même à transformer une partie de sa production dans un atelier du Mouski. C'est en tant que fabricant d'éventails qu'il obtint la main de la délicate Lita au début de cette même année 1891.

Je m'étais habituée peu à peu à Richard Tiomji, n'attachant plus d'importance à ses sorties grandiloquentes. Je le trouvais rassurant, d'une certaine façon, et comique malgré son manque d'humour. De manière générale, j'appréciais de plus en plus ce séjour à Fleming.

Richard ne jugeait pas convenable de laisser une jeune fille peindre toute seule au bout de la plage. Il s'était exprimé en ce sens dès la première semaine, mais par un regard, je l'avais aussitôt remis à sa place. Il se rattrapait en rabrouant sa femme, avec des airs de propriétaire. « As-tu vu ce jeune homme qui bavardait avec ton amie ? » lui lança-t-il un soir. « C'est un Touta… » répondit-elle. « Je sais bien que c'est un Touta ! Mais il y a Touta et Touta. Celui-là ne vaut pas une piastre. C'est un petit photographe à l'Ezbékieh. »

Lita ne me rapporta cette remarque que des mois plus tard.

# 4

L'orchestre de l'Hôtel-Casino San Stefano avait de la distinction, comme tout ce qui relevait de cet établissement luxueux inauguré quelques années plus tôt et devenu un haut lieu de l'été alexandrin. Le soir, on le voyait de très loin, grâce à la lumière électrique qui éclairait toutes ses pièces.

Les musiciens, en habit noir, n'avaient pas encore commencé à jouer. Ils accordaient leurs instruments, tandis qu'un bourdonnement mondain s'élevait des tables aux nappes brodées sur lesquelles les serveurs déposaient des théières en argent.

Milo s'approcha, très élégant en veston crème et pantalon à rayures :

– Pardon, vous êtes bien Richard Tiomji, le propriétaire de l'élevage de Matarieh ?

Le mari de Lita tendit l'oreille, un peu étonné.

– Oui, pourquoi ?

– Il faut que je vous parle des autruches, dit Milo d'un air mystérieux, après s'être incliné devant les deux jeunes femmes.

Et il s'assit.

Doris fut prise d'un début de fou rire. Lita s'en aperçut et, à son tour, se sentit faiblir. Elle réussit quand même à lancer :

– Viens, chérie. Je vais te montrer les nouveaux tapis du grand salon.

Quand elles revinrent au bout d'un quart d'heure, il n'était plus question d'autruches. Richard Tiomji, les yeux écarquillés, écoutait des révélations étonnantes sur les projets secrets des Britanniques pour prolonger leur occupation de l'Égypte.

– Ça alors ! s'exclama-t-il à plusieurs reprises.

– Je ne vous ai pas tout dit, glissa Milo. Mais place à la danse ! Me permettez-vous d'offrir cette valse à Mme Tiomji ?

Richard détestait la valse. Il se sentit quand même obligé de tendre une main velue à Doris pour les rejoindre sur la piste.

L'orchestre tournait le dos à la mer que l'on apercevait, derrière l'estrade, à travers une grande baie vitrée. Le soleil couchant virait de l'orange au violet.

A la danse suivante, Milo se tourna vers Doris.

– Allez-y, fit l'éleveur d'autruches. Nous, nous allons nous asseoir. Lita est fatiguée.

Les violonistes s'étaient levés pour jouer *Le Beau Danube bleu.* Ils furent salués par des applaudissements.

Milo venait de quitter une partenaire fluette, à la main molle, qui se laissait entraîner avec une soumission polie. Par contraste, Doris lui parut extraordinairement présente. Attentive à la musique, c'était tout juste si elle ne conduisait pas elle-même la valse.

Ils évoluaient en cadence, dans un accord parfait. Jamais Milo n'avait dansé aussi bien. De temps en temps, il cherchait le regard de la jeune fille, comme pour s'assurer que son plaisir était partagé. Elle avait les yeux mi-clos et un léger sourire sur les lèvres. Quand la musique s'arrêta, ils eurent du mal à se détacher l'un de l'autre, mais l'orchestre enchaînait déjà sur une mazurka, et ils se laissèrent emporter.

A partir de minuit et demi, la villa des Tiomji était bercée par les ronflements de Richard. Des ronflements puissants, à plusieurs temps, que Doris entendait de sa chambre.

Elle ouvrit discrètement la porte, de crainte d'alerter Lita, puis avança avec précaution dans le couloir éclairé par la petite veilleuse à huile. La serrure de l'entrée, heureusement, ne grinçait pas. Dehors, il faisait très doux.

Milo attendait, comme convenu, près du petit muret, à vingt mètres de là. En le voyant, elle fut saisie d'une intense émotion.

Elle s'avança vers lui, l'estomac noué, dans une sorte de vertige. Le sable glissait sous ses pas.

Il lui prit les mains, se pencha pour les effleurer de ses lèvres. Elle frissonna. Quand il la serra contre lui, l'enveloppant de ses bras, ses dernières défenses tombèrent. Elle sentit les larmes l'envahir.

Ils marchaient le long du muret, main dans la main, soudés l'un à l'autre, s'arrêtant tous les quelques pas pour s'embrasser fébrilement.

– Je dois rentrer, murmurait Doris, sans y croire.

– Oui, oui, il faut rentrer, répondait Milo en écho, la serrant encore plus fort contre lui.

Il la raccompagna jusqu'à l'escalier de la villa. Des ronflements formidables leur arrachèrent un rire étouffé. Ils s'embrassèrent une dernière fois, et une autre encore. Leurs mains n'en finissaient pas de se quitter et de se retrouver.

# 5

Les fiançailles d'Émile Touta et de Doris Sawaya furent annoncées à la mi-septembre.

– Il m'a conquise dès le premier jour, avoua la jeune fille à son amie. Quand je l'ai revu le lendemain, j'étais amoureuse. Cette voix, ce sourire… Et sa douceur.

– Sa douceur ? s'étonna Lita, qui trouvait Milo bruyant, sinon braillard, et capable de brusques éclats.

– Oui, sa douceur… Et cette manière qu'il a de prendre les devants, de franchir les portes sans les forcer. Et puis, il est si drôle ! Je sens qu'avec lui je ne m'ennuierai jamais.

Les enfants Touta étaient consternés. Ils avaient le sentiment de perdre brusquement un être irremplaçable. Qui d'autre que Milo pourrait les autoriser à pêcher des crabes à mains nues, dessaisir le cocher de ses rênes en pleine course ou avaler deux cornets de glace d'affilée ? « Un jour, parole d'honneur, j'en ai mangé trois ! » leur lançait-il la bouche pleine, les lèvres barbouillées de crème.

Marié, Milo cesserait de les comprendre. Il ne ferait plus partie de leur monde.

– Tout ça, pour un tableau ! dit la petite Yolande d'un air dégoûté. Et d'ailleurs que peignait-elle exactement ?

Léon Sawaya n'était qu'à moitié convaincu par le brillant exposé du postulant sur la photographie en général et son avenir de photographe en particulier. Mais ce jeune homme lui semblait sympathique, et il avait l'avantage d'appartenir à la famille Touta, qui passait pour l'une des plus honorables de la communauté grecque-catholique. Si le père de Milo, décédé dix ans plus tôt, n'avait laissé aucun souvenir marquant, d'autres membres de cette famille, originaire de Syrie comme les Sawaya mais implantée en Égypte depuis plus d'un siècle et demi, tenaient le haut du pavé. L'un des oncles de Milo, le vieux docteur Touta, était unanimement estimé. On parlait encore, près de trente ans après, de son attitude héroïque pendant l'épidémie de choléra de 1863. Les deux fils du médecin, Maxime et Alexandre, avaient réussi, chacun dans sa partie, le premier comme rédacteur en chef du *Sémaphore d'Alexandrie*, le second dans le négoce du bois. Mais le plus admiré, celui que l'on citait en exemple aux enfants était Rizkallah bey Touta, le fondateur des grands magasins *Touta et fils* : sa réussite financière éclatante, quoique d'origine douteuse, forçait le respect.

Au cours du dîner de mariage, au Caire, Milo, rayonnant, amusa beaucoup l'assistance en racontant les coulisses du pouvoir. Il avait des provisions d'anecdotes sur le brave khédive Tewfik, considéré comme une potiche et dont la seule fonction reconnue était de donner à l'occupation anglaise un semblant de légalité. A l'en croire, le souverain n'était même pas en mesure d'embaucher un jardinier sans l'aval du consul britannique.

Doris n'arrêtait pas de rire. Elle avait choqué ses belles-sœurs en se débarrassant de son voile de tulle dès la sortie de l'église, pour se contenter d'une aigrette de plumes dans les cheveux. Aux toilettes empesées des dames présentes, elle opposait une simple robe de satin blanc, sans brocarts ni dentelles.

– Tu as l'air toute nue, lui avait chuchoté Milo, admiratif, au début du repas.

Doris, étourdie par ces voix, ces rires, ces visages qu'elle confondait, le parfum des dames, la lueur des chandeliers, se sentait sur un nuage.

Milo raconta les aventures de son unique employé, un jeune homme simplet, prénommé Bolbol, qui avait l'étrange manie d'éclater de rire quand on s'adressait à lui. Le fournisseur des consulats n'y faisait plus attention, mais cela posait quelques problèmes avec les nouveaux clients.

« C'est pour un portrait », annonçaient-ils généralement en entrant dans le magasin. Bolbol les dévisageait un instant, puis s'esclaffait…

Vers le milieu du dîner, dans la bonne humeur générale, alors que les vapeurs d'arak détendaient les visages les plus guindés, Lita Tiomji évoqua une histoire de pensionnat :

– Un après-midi, avec Doris et d'autres camarades, nous nous étions cachées au fond du jardin, pour fumer une cigarette. Brusquement, nous entendîmes du bruit : une religieuse avançait dans notre direction, faisant tinter son trousseau de clés. « Sauvez-vous ! nous souffla Doris. Suivez-moi ! » Mais nous restâmes sur place, pétrifiées. Doris, elle, s'était élancée vers le petit mur et l'avait escaladé avec agilité au risque de déchirer sa robe. Elle n'était plus là quand Mère Marie des Anges apparut avec son gros nez, reniflant l'odeur de tabac… Nous, les sottes qui n'avions pas su fuir, nous fûmes mises au pain sec et à l'eau pendant quarante-huit heures. N'est-ce pas, chérie ?

Des exclamations saluèrent l'épisode.

– Vous avez fait comme le mamelouk, dit en souriant le vieux docteur Touta.

– Quel mamelouk ? demanda Doris.

– Je veux parler de la fameuse histoire de la Citadelle… Cette histoire est survenue en 1811, l'année de ma naissance. Ne calculez pas, ça fait quatre-vingts ans tout rond.

L'oncle de Milo se fit un plaisir de rappeler cette page d'histoire, avec son souci habituel de la précision :

– Mohammed Ali ne supportait plus les mamelouks et avait décidé de s'en débarrasser. Un jour, il invita tous ces princes turbulents à la Citadelle du Caire pour l'investiture de son fils Toussoun pacha comme généralissime des troupes d'Arabie. Le vice-roi les reçut très cordialement, avant de leur faire servir les narguilehs et le café. Puis il les invita à rejoindre le cortège, précédés d'une musique militaire. Les princes s'engagèrent dans le vieux chemin, taillé dans le rocher, qui descend vers la ville. A un signal donné, des soldats postés sur les murailles tirèrent dans le tas. Plusieurs mamelouks parvinrent à fuir jusqu'au palais. Mais là, ils furent pris et décapités. Un seul d'entre eux, bondissant sur son cheval, réussit à passer par-dessus les créneaux. On ne l'a jamais revu... Vous avez fait comme le mamelouk, ma chère Doris. En mieux, après tout, puisque vous êtes aujourd'hui des nôtres.

Les convives applaudirent, puis l'on trinqua à la santé de la jeune mariée.

Au cours des jours suivants, l'histoire du pensionnat fit le tour des enfants.

– C'est pas mal, murmura Yolande, rêveuse. On devrait l'appeler la Mamelouka.

# 6

– Voici la maîtresse de maison, dit Milo à son employé.

Bolbol regarda Doris dans les yeux et éclata de rire.

Elle fut déçue par le magasin. Son fiancé lui en avait fait une telle description… Le hall d'entrée, garni d'un comptoir grisâtre et d'une demi-douzaine de sièges fatigués, était aussi accueillant qu'un parloir de prison. Sur les murs, quelques clichés jaunis et craquelés semblaient avoir été oubliés dans leurs cadres depuis l'invention de la photographie. Le client qui poussait la porte du « Studio Émile Touta, fournisseur des consulats » était salué par un bruit de casseroles, avec l'impression désagréable que toute la quincaillerie accrochée au battant allait s'effondrer sur lui.

L'atelier de pose se trouvait au fond du hall, sur la gauche. C'était une pièce de couleur gris fer, éclairée par un plafond à demi vitré. Il y flottait comme un parfum de théâtre, mélange de cuir, de velours et de bois verni. L'appareil trônait massivement, sur un pied volumineux en noyer, équipé d'une manivelle et d'un volant d'inclinaison. Avec sa chambre noire à soufflet, ses cuivres étincelants et ses gros verres bombés, cet engin comptait déjà des états de service honorables : l'Italien qui avait cédé le magasin à Milo trois ans plus tôt se l'était lui-même procuré en 1875 chez un fabricant viennois.

– Si Madame veut bien prendre place, dit cérémonieusement le fournisseur des consulats en désignant à Doris un fauteuil au dossier décoré d'arabesques.

Certains clients préféraient poser sur une ottomane à deux

places, tendue de soie verte. Ils pouvaient choisir leur décor dans une gamme d'accessoires hétéroclites : un bout de colonne romaine en plâtre moulé, un faux escalier à quatre marches, des armures, des peaux de bête et même un crocodile empaillé... Dans le fond, divers panneaux peints en trompe l'œil, coulissant sur des rails, proposaient un désert, une forêt de sapins, des rochers ou une mer déchaînée.

L'atelier de pose communiquait avec le cabinet noir par une petite porte à capitons.

– Attention, dit Milo, il y a ici des produits dangereux.

Une odeur d'acétone et d'éther piqua les narines de la jeune femme. Les tables étaient encombrées de flacons, d'éprouvettes, d'entonnoirs et de cuvettes de toutes tailles. Le laboratoire n'ayant pas l'eau courante, Bolbol y transportait régulièrement des seaux, alignés le long des murs peints en noir. Milo développait d'habitude ses clichés à la nuit tombée, mais il lui arrivait de le faire en plein jour. Pour montrer à Doris comment il opérait, il tira un rideau de moleskine devant chacune des deux fenêtres, après avoir allumé une lampe-bougie au verre rouge.

– Les plaques sensibles ne supportent que le rouge, expliqua-t-il. C'est le contraire des taureaux.

Près du cabinet noir, se trouvait un cagibi, meublé d'un pupitre, pour les retouches. Cette pièce minuscule donnait sur une cour ensoleillée où Bolbol entreposait les seaux vides, à côté d'un réservoir d'eau. Du linge séchait sur une corde. Par moments, un coq se faisait entendre d'une terrasse voisine. On oubliait qu'on était en plein cœur du Caire, tout près de l'Opéra.

Le magasin communiquait à l'étage par un escalier intérieur en colimaçon. Doris eut un choc en découvrant l'antre aux murs caca d'oie de son fiancé. Fauteuils, meubles et bibelots, posés au hasard, étaient d'un mauvais goût effarant.

– Ça, c'est ton étage, déclara Milo, magnanime. Tu en fais ce que tu veux.

Il n'allait pas reconnaître son appartement... Dans les semaines qui suivirent, des couleurs chaudes et quelques objets nouveaux transformèrent complètement les lieux. Doris se meublait comme elle s'habillait : avec une simplicité déroutante, qui n'excluait pas, ici ou là, une fantaisie sur laquelle convergeaient tous les regards. Ainsi, dans un coin du salon, elle décida d'installer une plante monumentale, aux feuilles épaisses, que Bolbol eut un mal fou à faire monter par l'escalier en colimaçon.

– A quoi ça sert ? demandait Milo, perplexe.

– A rien, justement.

Dans la foulée, la jeune femme s'employa à donner un air plus engageant au hall d'entrée du magasin. Elle y disposa une table basse et trois petits fauteuils crapauds, fit repeindre les murs et remplaça les cadres par des aquarelles.

– Des aquarelles, dans un studio de photographie ! s'étonna Milo.

– C'est moins lourd. Un banquier n'affiche pas des billets de banque sur ses murs. As-tu vu un dentiste exposer des mâchoires dans son cabinet ?

Il riait, puis la couvrait de baisers. Doris dut cependant limiter ses ambitions décoratives car la plus grande partie de la dot était déjà dépensée.

Au cours de ces premières semaines de mariage, elle éprouva un grisant sentiment de liberté. Elle en avait fini avec les sermons de son père, les angoisses de sa mère, les agaceries quotidiennes de ses cinq jeunes frères et sœurs. La bohème de Milo lui donnait l'impression de vivre une fête permanente. Elle se réveillait chaque matin le cœur ardent, encore vibrante des caresses de la nuit, sans savoir de quelle surprise, de quel fou rire serait marquée sa journée.

Les comptes du magasin n'étaient guère brillants, mais Milo occultait ce genre de soucis par une gaieté communicative et une confiance à toute épreuve.

– Quand j'aurai reçu mon obturateur à double guillotine, disait-il, je ferai des merveilles ! Maloumian sera enfoncé. Même Jacquemart devra bien se tenir !

Il traitait volontiers le photographe français de médiocre, ayant l'habitude de dénigrer les personnages arrivés, ce qui ne manquait pas de surprendre et parfois d'impressionner. A l'en croire, Jacquemart ne devait son succès qu'à sa nationalité française :

– Parole d'honneur, si j'étais français moi aussi... Nous, les Syriens, nous sommes doublement pénalisés : les Européens nous méprisent et les indigènes nous jalousent.

Dans ses rêves, Milo se voyait déjà photographe du khédive. Il raconta à Doris comment Napoléon III, partant pour la bataille de Solférino au printemps 1859, s'était arrêté au studio parisien du célèbre Disdéri pour s'y faire tirer le portrait :

– Toute l'armée française attendait sur le trottoir, l'arme au pied. Tu te rends compte ! Ce n'est pas chez un peintre que l'empereur aurait pu faire une halte rapide...

Ils se chamaillèrent, une fois de plus, sur les mérites respectifs de la peinture et de la photographie.

– Un portrait au pinceau réclame de longues séances de pose, disait Milo, alors que le cliché est expédié en une demi-heure et peut être développé dans la journée. La photographie a un autre avantage : elle permet un nombre infini de reproductions. Sais-tu que Disdéri employait quatre-vingt-dix personnes ? Devine combien d'épreuves il réalisait chaque jour. Dis un chiffre... Deux mille ! Deux mille épreuves par jour ! C'était devenu une véritable usine à portraits.

– Je te laisse l'usine, répliquait-elle. Je préfère mon chevalet. D'ailleurs, un seul tableau de maître a plus de valeur que deux mille épreuves photographiques.

N'ayant plus grand-chose à faire dans l'appartement et n'étant pas du genre à courir les vitrines ou à papoter des après-midi entiers devant une tasse de thé, Doris passait une grande partie de ses journées au magasin. Cette présence ne manqua pas d'être remarquée. A la place de Bolbol, relégué le plus souvent à des tâches ménagères, les clients étaient accueillis par une jeune femme élégante, que l'on imaginait en relation avec les consulats. Plusieurs messieurs, séduits, en parlèrent autour d'eux, et cela amena des commandes supplémentaires.

Nul n'entrait dans l'atelier de pose sans une légère appréhension. Certains clients ne venaient qu'accompagnés d'une personne de confiance. Milo les installait sur le siège à arabesques, puis leur emboîtait la nuque dans la pince du fixe-tête qui devait les maintenir immobiles. Il les laissait ainsi, le corps raide, pendant toute la mise au point, ne s'attirant que quelques gémissements d'approbation à la fin de ses longues tirades.

– Attention, ne bougeons plus !

Le patient se crispait un peu plus, retenant son souffle. Il semblait avoir avalé un bâton.

– Souriez ! ordonnait alors l'opérateur.

Une grimace se dessinait sur le visage pétrifié. Et Milo appuyait sur la poire.

– Vous avez bougé ! disait-il parfois. Nous allons recommencer.

C'était pire. Le yeux écarquillés, l'air hagard, le malheureux avait l'air d'un cadavre…

Doris découvrit que son mari était un spécialiste du portrait flatté : il retouchait tous ses clichés, sans lésiner sur les coups de crayon, de grattoir ou de pinceau. Ce n'était pas seulement pour effacer la tige métallique du fixe-tête qui parfois apparaissait malencontreusement sur la photo : les rides étaient dissipées, les cicatrices comblées, les joues rabotées. Il n'y avait plus ni sillons autour de la bouche ni pattes-d'oie au coin des yeux. En sortant du studio Touta, la grand-mère la plus défraîchie avait l'air d'une jeune fille.

Cet embellissement à outrance ne plaisait pas toujours aux clients. L'un d'eux, doté par la nature d'un nez crochu, vint se plaindre du profil de statue grecque qu'on lui avait fait. Il s'entendit répondre avec hauteur :

– Si vous vouliez un portrait ressemblant, monsieur, il aurait fallu le préciser !

Doris, qui se tenait dans un coin du hall, eut beaucoup de mal à garder son sérieux.

# 7

C'est par le biais de la photographie que la Mamelouka fit un peu mieux connaissance de la famille Touta. En octobre, elle accompagna Milo chez plusieurs de ses frères, sœurs et cousins, pour la remise traditionnelle du cliché de l'été. Les enfants étaient très attachés à ce rite, qui avait pris place depuis quelques années dans le calendrier des fêtes, entre Pâques et Noël, au même titre que *Cham El Nessim*, la Fête du printemps.

Milo avait une manière très particulière de tambouriner à la porte. Ses neveux se précipitaient. C'étaient des cavalcades dans les couloirs et des cris de joie.

On sortait la photo de sa grande enveloppe avec précaution. L'impatience était à son comble parmi les acteurs de l'été, devenus spectateurs de leur propre prestation.

– Vous êtes-vous bien lavé les mains ? demandait la mère. Avec du savon ? Faites-moi sentir.

Elle posait un linge sur ses genoux pour accueillir le précieux objet, et tout le monde, petits et grands, faisait cercle autour d'elle. Les exclamations fusaient, avec des commentaires sur la toilette de l'une, la moustache d'un autre, l'indiscipline d'un enfant qui avait détourné son regard au dernier moment. On cherchait l'« air Touta » sur certains visages, cet air mystérieux qui suggérait des ressemblances mais que personne n'avait jamais défini de manière convaincante. La photographie passait ensuite de main en main. On la tenait pardessous, prenant bien soin de ne pas y mettre les doigts. Elle rejoindrait celles des années précédentes dans un album de cuir à couverture bombée, sous une feuille de papier de soie.

La surprise était encore plus grande cette fois puisque le cliché avait été pris sur la plage et non sur le perron de la villa du docteur. Les personnes assises au premier rang semblaient tendues. Certains sièges étaient un peu enfoncés dans le sable : celui d'Angéline Falaki, en particulier, donnait l'impression de s'enliser. Les commentaires allaient bon train. De jeunes impertinents étaient rappelés à l'ordre, mais Milo les encourageait par ses éclats de rire. On distinguait mal les visages de deux ou trois personnes au dernier rang, masquées par leurs voisins. Le photographe, qui ne reculait pourtant devant aucune retouche, n'avait pas réussi à les sortir de l'ombre. Il promettait à ces infortunés une place de choix pour la photo de l'été suivant…

Au cours de ce mois d'octobre, Doris fit la connaissance d'Oscar Touta, l'un des oncles de Milo, qui se présentait au magasin tous les trimestres environ, fardé et poudré, avec sa canne et son melon. L'air fébrile, le sexagénaire ajustait une dernière fois sa coiffure dans la grande glace ovale à l'entrée de l'atelier de pose, puis allait prendre place en tremblant dans le fauteuil à arabesques. Oscar était littéralement épouvanté par l'appareil photographique, persuadé qu'il le trahirait ou lui volerait un peu de sa précieuse personne.

– Vas-tu me photographier de face ? demandait-il à Milo.

– Si tu veux, mon oncle.

L'autre s'énervait :

– Si je veux, si je veux… Comme si c'était moi qui faisais la photo !

Milo proposait alors un portrait de trois quarts, mais il s'attirait une réplique foudroyante :

– De trois quarts ? Et pourquoi, de trois quarts ? Y a-t-il sur ma figure un défaut particulier ? Je t'ordonne de répondre !

Son neveu tentait de le calmer mais, à mesure que passaient les minutes, l'angoisse d'Oscar Touta augmentait. Sa lèvre inférieure tremblait. Il avait des tics sur le visage.

– Pourquoi inclines-tu l'appareil de cette manière ? Je sens que tu vas prendre mon mauvais profil.

– Mais non, mon oncle, je te jure…

– Ah, il jure ! Ah, il jure ! Tu peux jurer, hypocrite. Je ne suis pas aveugle, figure-toi !

Sa voix ne cessait d'enfler :

– Jamais je ne me laisserai avoir ! Jamais, tu entends ?

Soudain, la panique le submergeait. Oscar Touta se levait brutalement avant que la photo ne fût faite. Saisissant sa canne et son chapeau, il se ruait hors de la pièce, laissant Milo en plan. Quelques instants plus tard, on entendait claquer la porte du magasin dans un grand bruit de casseroles.

– C'est le plus régulier de mes non-clients, soupirait le fournisseur des consulats.

# 8

Un soir de décembre, alors qu'ils dînaient en amoureux chez Santi, dans le parc de l'Ezbékieh, Milo lança à brûle-pourpoint :

– Le public réclame de plus en plus de la photo en couleurs. Maloumian colorie. Toi, qui es peintre, pourquoi n'essaierais-tu pas ?

Doris réagit avec vivacité, déclarant qu'elle se faisait une autre idée de la peinture.

– Laisse-moi te convaincre, dit-il avec douceur.

Pendant que Milo parlait, elle se retrouvait huit ans en arrière, chez ses parents. Qui était ce peintre amateur ? Un ami de sa famille, probablement. Elle ne pouvait oublier ses larges mains, aux bouts carrés et aux ongles sales, qui contrastaient si fort avec ses petits pinceaux. Doris avait posé tout un après-midi, dans un angle du salon. L'homme ne disait mot. Finalement, il avait rangé ses couleurs et tendu la miniature à la fillette de onze ans.

Quel choc ! Devant cette bouche énorme, cramoisie, elle était restée sans voix, incapable de dire merci.

« Bravo, c'est tout à fait elle ! » s'était exclamé son père.

Personne ne l'avait contredit, même après le départ de l'artiste aux ongles endeuillés. La miniature fut encadrée et accrochée dans un coin du salon.

Les jours suivants, Doris ne cessa de se regarder dans la glace. Stupéfaite, au bord du désespoir, elle découvrait ses lèvres épaisses. Fermée, sa bouche était grande. Ouverte, elle lui paraissait démesurée, effrayante. Comment la masquer ?

Elle s'épuisait à rentrer les lèvres. Elle prit l'habitude de mettre la main devant la bouche quand elle riait, comme on faisait pour éternuer ou pour bâiller.

Dieu sait si elle envia Lita à partir de ce moment-là ! Lita aux lèvres fines, Lita aux lèvres pâles qui se voyaient à peine… De retour au pensionnat, elle lui parla de la miniature, d'un ton faussement désinvolte. Elle fit allusion, plus d'une fois, à sa bouche trop grande, sans retenir l'attention de son amie. Elle aurait dû pleurer, hurler, tout avouer à Lita ou à quelqu'un d'autre. Mais une sorte de crainte mêlée d'orgueil la paralysait.

– Non, la peinture n'est pas du coloriage, dit-elle à Milo.

– Tu ne m'écoutes pas ! Je viens de te dire qu'il ne s'agirait pas de peinture.

Un serveur apporta les *mezzés*. Peu à peu, la jeune femme prit en compte les arguments que son mari développait avec patience. Depuis l'été, elle n'avait pas déplié une seule fois son chevalet, sans doute parce que Le Caire l'inspirait peu. De surcroît, elle s'ennuyait au magasin, où les clients ne se bousculaient guère. Et, compte tenu du mauvais état de la trésorerie, aucune recette supplémentaire n'était à négliger.

– Je pourrais peut-être essayer, finit-elle par dire, s'attirant un baiser.

Une première tentative à l'huile, sur papier toilé, ne lui parut pas concluante, malgré les cris admiratifs de Milo. Cela ressemblait à de la mauvaise peinture, et pas vraiment à de la photographie. Elle fit d'autres essais les jours suivants, à l'aquarelle cette fois, sur papier albuminé. C'était nettement mieux. Les épreuves étaient découpées au calibre et collées sur un carton dur. Pour leur donner du brillant, elle les frottait avec un tampon de flanelle enduit d'encaustique, avant de les encadrer.

Ses premiers travaux furent bien accueillis, et plusieurs commandes l'incitèrent à continuer. Les portraits ressemblaient un peu à des miniatures à l'huile, en beaucoup moins cher, même si le fournisseur des consulats profitait du coloriage pour doubler ses prix.

Quand un client le souhaitait, Doris venait donc dans l'atelier de pose et prenait des notes sur un calepin. Elle relevait la couleur des yeux et des cheveux du modèle, la nuance de sa peau. En fin de matinée ou en début d'après-midi, à l'heure où la lumière du jour était la plus favorable, elle s'installait au pupitre des retouches, dans le cagibi, et travaillait au pinceau, à l'aide d'une grosse loupe.

Elle commençait toujours par placer sur les joues un peu de rose garance ou d'ocre rouge. Puis elle étendait sa peinture à tout le visage en adoucissant la teinte initiale. Elle passait ensuite aux cheveux, aux yeux, aux sourcils et aux lèvres, soulignées par une pointe de vermillon. Une deuxième épreuve du cliché, épinglée au-dessus du pupitre, lui permettait de vérifier la ressemblance à tout moment.

– Tu te compliques la vie, disait Milo. La plupart des coloristes travaillent sans même avoir vu le modèle.

Doris réalisait les fonds avec autant de soin, évitant les couleurs trop éclatantes pour les personnes au teint clair et les enfants, mais choisissant volontiers un brun chaud pour accompagner les peaux foncées. Sur les draperies, elle veillait à bien placer les lumières et les ombres, sans hésiter à consulter souvent l'épreuve-guide pour respecter la forme et la profondeur.

– Je ne peins pas, répétait-elle. Je colorie.

Elle revenait ensuite au visage pour en renforcer les carnations et les gris, puis plaçait la lumière dans les yeux. Et terminait par la chevelure, en éclairant les ombres. Il ne lui restait plus qu'à poser du bout du pinceau quelques points de jaune de Naples pour faire scintiller les bijoux.

– Superbe ! Superbe ! s'exclamait Milo derrière elle, en déposant sur sa nuque un baiser qui la faisait frissonner.

Elle se retenait alors pour ne pas se jeter dans ses bras. Mais s'il effleurait sa poitrine de la main, elle fermait les yeux à demi et plus rien ne comptait.

# 9

C'est un Milo radieux, accompagné de la Mamelouka, que sa famille retrouva en avril à Hélouan. Gai, volubile, massacrant *La Traviata* allègrement, il faisait plaisir à voir. A côté de ce jeune homme amoureux, ses quatre frères et ses deux sœurs, plus âgés, semblaient appartenir à une autre planète.

La paisible cité thermale de Hélouan, à une vingtaine de kilomètres du Caire, était le paradis des enfants au cours de l'année scolaire – le pendant de la plage de Fleming en été. On y partait le dimanche matin de la gare de Bab-el-Louk, dans une joyeuse bousculade. Le train s'ébranlait au milieu des cris et des chants, mais quand il avait dépassé Sayeda Zeinab et Saint-Georges, débouchant sur le désert, le brouhaha diminuait d'intensité. Les voyageurs étaient saisis par le panorama gigantesque qui s'offrait à leurs yeux. A gauche, un massif de calcaire recouvert de sable et la Citadelle dans toute sa majesté ; à droite, une forêt de palmiers et de grandes voiles blanches glissant sur le Nil.

A la halte de Toura, le quai était envahi par de petits marchands de galettes au sésame qui s'agglutinaient près des fenêtres des wagons. Des pièces de monnaie roulaient par terre. C'était l'échauffourée… Un coup de sifflet, et la locomotive repartait lourdement, dans un nuage de fumée noire. Elle prenait peu à peu de la vitesse, avant d'atteindre les établissements militaires. Elle dépassait les carrières et la poudrerie, puis s'éloignait du fleuve pour grimper, en sifflant et en soufflant, jusqu'à Hélouan-les-Bains.

Un parfum d'eucalyptus accueillait les voyageurs à la sortie de la gare.

– Respirez ! disait-on aux enfants. Respirez cet air fortifiant ! Vous êtes à trente mètres au-dessus du Nil !

La mère de Milo possédait une grande maison enfouie dans la verdure, au-delà du Casino. Depuis son veuvage, elle y habitait avec deux domestiques pour seule compagnie. La vie très provinciale de Hélouan semblait lui convenir. Nonna ne parlait français qu'avec les membres de la famille, lorsqu'ils venaient certains dimanches ; le reste de son existence se passait en arabe, au milieu des dames coptes ou musulmanes qui occupaient les maisons voisines.

Chacune avait son jour de réception. Les salons assoupis, aux persiennes closes, s'animaient alors l'espace d'un après-midi pour accueillir les invitées, auxquelles s'ajoutaient des femmes de second rang. Ces marchandes d'étoffes, nourrices ou esclaves affranchies retiraient leurs mules en entrant, puis allaient s'accroupir sur des nattes de laine, au pied des fauteuils. Redoutables commères, elles emplissaient la pièce de leurs piaillements. La maîtresse de maison les faisait taire en criant qu'on ne s'entendait plus.

Cette vie provinciale n'empêchait pas Nonna d'être une femme très libre, connue pour son franc-parler et qui pour rien au monde ne se serait privée d'un verre d'arak bien tassé avant chaque repas. On se demandait comment elle avait pu enfanter des hommes aussi conventionnels qu'Aimé, Joseph, René et Albert. Elle se reconnaissait un peu mieux dans ses filles, Irène et Adrienne, mais son préféré était incontestablement Émile, le benjamin, dont les fantaisies l'inquiétaient parfois.

Les dames de Hélouan trouvaient Milo adorable. Le considérant encore comme un enfant, elles n'hésitaient pas à l'accueillir dans leur salon, interdit aux hommes, quand par hasard il était de passage en semaine. Il avait toujours un sourire pour l'une, un compliment pour l'autre, des anecdotes savoureuses à raconter. Ses audaces verbales et ses mimiques leur arrachaient de petits cris. Chacune se croyait courtisée par ce charmant jeune homme dont la bonne humeur et la santé leur faisaient oublier, l'espace d'une apparition, diabète, varices et tracas en tous genres.

– Raconte-nous ce qui se passe au Caire, *ya Milo,* disaient-elles en le gavant de confiseries et de sirop d'orgeat.

Il s'exécutait de bonne grâce, s'adaptant à son auditoire, quitte à prendre quelques libertés avec les événements.

Chaleureuse et indulgente pour ses petits-enfants, Nonna savait se montrer détestable avec ses belles-filles, auxquelles elle faisait continuellement de mauvais procès.

– Ta femme ne m'aime pas, lançait-elle à Joseph. Mais oui, mais oui, je le sens. Ces choses-là se sentent, qu'est-ce que tu crois ?

Aimé, Albert et René s'entendaient dire à tour de rôle :

– C'est gentil d'être venu. Je sais que ta femme ne supporte pas de passer le dimanche à Hélouan.

– Mais enfin, *ya mama*..., protestait l'interpellé.

– Ne nie pas ! J'ai des yeux pour voir. Ces choses-là se voient, qu'est-ce que tu crois ?

C'était la première fois depuis Noël que la famille allait passer le dimanche à Hélouan. Nonna avait fait dresser comme d'habitude deux tables immenses, l'une pour les grandes personnes, l'autre pour les enfants. Ceux-ci se disputaient les places les plus proches de celle de Milo pour ne rien perdre de ses récits. La présence de Doris à côté de lui rendait la compétition encore plus vive. Parmi les neveux les plus âgés, elle comptait déjà une demi-douzaine d'amoureux, fascinés par sa bouche. Que de péchés, par pensée et peut-être par action, les lèvres ourlées de la Mamelouka ne provoquaient-elles pas !

De la terrasse de Nonna, on apercevait le palais où le khédive Tewfik était mort brusquement quatre mois plus tôt. Ce décès sans préavis restait une énigme : qui aurait eu intérêt à éliminer un homme aussi effacé, sans réel pouvoir, dont les Anglais appréciaient la docilité ? N'avait-il pas été victime plutôt de la légèreté de ses médecins ? Le premier communiqué, au lendemain du jour de l'An, faisait état d'un simple refroidissement, contracté par Son Altesse lors d'une promenade dans le désert. Sans doute était-ce un effet de l'épidémie d'influenza qui clouait au lit la moitié du Caire et avait valu, à titre préventif, d'innombrables cuillerées d'huile de foie de morue à chaque enfant de la famille Touta. Les médecins de la cour avaient d'abord prescrit à Tewfik une diète et des infusions de fleurs de violette. Les jours suivants, ils le traitèrent contre la toux et la constipation. Pour diagnostiquer finalement une pneumonie infectieuse compliquée d'une néphrite...

– Vers trois heures du matin, racontait la mère de Milo, des gardes du palais sont venus frapper ici et à plusieurs autres maisons particulières, réclamant une sonde pour faire uriner le khédive. Personne n'avait de sonde ! Il a fallu aller en chercher une au Caire, par train spécial. C'était la panique. Bientôt, les ministres sont accourus à Hélouan, accompagnés chacun de son médecin personnel. Mais il était déjà trop tard. On a éteint la lumière électrique au Casino et au Grand Hôtel. La khédiva s'est évanouie en apprenant la mort de son époux. De désespoir, deux dames de la cour ont cru devoir se jeter par la fenêtre, et l'une d'elles a eu le bras cassé. C'est une idiote, je la connais.

Nonna se rinça la bouche avec une gorgée d'arak, avant d'ajouter d'un air mystérieux :

– Tewfik est né un jeudi. Il a été nommé khédive un jeudi. Après l'insurrection d'Orabi en 1882, il est revenu au Caire un jeudi, sous la protection des baïonnettes anglaises. Et savez-vous quel jour il est mort ?

– Sainte Vierge ! s'écria la tante Angéline Falaki en faisant le signe de la croix.

Depuis des semaines, tout Le Caire ne parlait que des circonstances rocambolesques de la succession. Abbas Hilmi, le prince héritier, n'avait pas encore achevé sa dix-huitième année et ne pouvait donc régner tout de suite. Nommerait-on un régent ? Les autorités britanniques s'y opposaient avec force, craignant que le sultan, à Constantinople, ne profite d'une telle transition pour reprendre son contrôle sur l'Égypte.

– Les Anglais ont très bien joué, remarqua Milo. Ils se sont arrangés pour calculer l'âge d'Abbas d'une autre manière.

– Comment ça, d'une autre manière ? demanda la tante Angéline.

– Mais en changeant de calendrier, tout simplement ! On s'est souvenu que le calendrier de l'hégire ne compte que 354 jours. Cela donnait dix-huit ans révolus au prince héritier. Les ulémas ont été sommés de fermer les yeux. Il ne restait plus qu'à télégraphier au Thérésianum de Vienne pour inviter Abbas à regagner Le Caire au plus vite.

– Je ne comprends pas pourquoi ce garçon faisait ses études en Autriche.

– Mais parce que l'Autriche est un terrain neutre, *ya tante* ! En envoyant son fils à Vienne, plutôt qu'à Paris ou à Londres, le khédive n'offensait ni les Anglais ni les Français. A propos, savez-vous que le retour du prince en Égypte s'est très mal passé ?

Tout le monde dressa l'oreille, à la table des petits comme des grands. Les bruits de vaisselle s'éteignirent. Milo était sûr d'avoir un auditoire en or.

– Oui, le voyage a été pénible… L'empereur d'Autriche avait mis à la disposition d'Abbas un vieux bateau, commandé par un amiral. Ils ont pris la mer par gros temps. Le prince héritier souffrait de la houle. A Brindisi, il a demandé une halte, qui lui a été poliment refusée : les instructions étaient de rejoindre l'Égypte au plus vite. Abbas a tordu les bouts de sa petite moustache, comme chaque fois qu'une situation le contrarie. A la hauteur des côtes grecques, la mer était toujours aussi démontée. Le khédive a réclamé de nouveau une pause, s'attirant le même refus. Il s'est énervé. C'est un garçon capable de grandes colères…

– Si je comprends bien, dit Doris en souriant, le règne de Tewfik s'est achevé par une rétention d'urine et celui d'Abbas a commencé par une tempête.

Cette remarque fit grimacer ses belles-sœurs. Nonna, elle, regarda la jeune femme avec une sorte d'étonnement amusé. On aurait dit que c'était la première fois qu'elle la voyait. La mère de Milo appréciait une certaine fantaisie, qu'elle n'avait trouvée jusque-là chez aucune de ses brus. Six mois plus tôt, en lui annonçant ses fiançailles, Milo l'avait mise devant le fait accompli. Mais il était tellement amoureux, et Nonna tellement désireuse de le voir se marier, qu'elle avait donné son consentement avant même d'avoir rencontré Doris.

Le plat de *molokheya* fumant refaisait un tour de table. On débattait haut et fort de la capacité du nouveau khédive à gouverner une Égypte occupée par les Anglais et toujours dépendante de l'Empire ottoman.

– Un pays ne peut avoir trois maîtres, décréta Albert. Regardez l'affaire du firman.

– Quelle affaire ? demanda Nonna.

Tout le monde voulut parler en même temps. La voix de Milo finit par dominer le tumulte :

– C'est simple, *ya mama*. Abbas n'était pas vraiment khédive tant qu'il n'avait pas reçu le firman officiel de son suzerain, le sultan de Constantinople. Or, le sultan voulait profiter de la succession pour modifier le tracé de la frontière égyptienne en mer Rouge. Les Anglais l'avaient appris et s'y s'opposaient fermement.

– De quoi se mêlent les Anglais ?

– Les Anglais se portent garants de l'intégrité de l'Égypte. Ils ont promis de la rendre entière.

– Ils ne la rendront jamais ! grommela la vieille dame.

Un débat confus s'engagea sur les intentions de la perfide Albion. Aimé et Joseph se posaient en porte-parole de la reine Victoria, alors qu'Albert, en délicatesse avec son supérieur anglais au ministère des Travaux publics, était d'une anglophobie systématique. La controverse se trouvait obscurcie par les interventions bruyantes du bijoutier Alfred Falaki, qui ne parlait qu'en chiffres.

– Je n'y comprends rien ! cria Nonna. Laissez Milo expliquer.

Il se fit un plaisir de raconter la tragi-comédie qui avait tenu Le Caire en haleine pendant plusieurs semaines : le firman, que personne n'osait décacheter, craignant d'y trouver une mauvaise nouvelle ; le report de la photographie officielle du souverain par Jacquemart ; le bakchich de 6 000 livres discrètement accordé au sultan ; la fausse lecture publique du firman, organisée pour lui permettre de sauver la face…

Nonna se mit à rire. Puis elle leva son verre d'arak :

– A la santé du nouveau khédive !

De son portefeuille, Milo sortit une coupure de journal qu'il déplia, avant de déclamer d'une voix forte :

– Firman de son Auguste Majesté Impériale le Sultan !

Des vivats saluèrent cette annonce. Milo avait une manière désopilante de lire les textes officiels.

– A Mon vizir éclairé Abbas Hilmi pacha, appelé au khédivat d'Égypte avec le haut rang de sédaret, décoré de Mes ordres impériaux du Medjidieh en brillants et de la première classe de l'Osmanieh, que le Tout-Puissant perpétue sa splendeur, et caetera et caetera.

Des applaudissements éclatèrent à la table des enfants.

– Par suite des décrets de la Providence, le khédive Mohammed Tewfik étant décédé, le khédivat d'Égypte avec les anciennes provinces indiquées dans le firman impérial en date du 2 rebi-ul-akhir 1257 a été conféré à toi, en vertu de Mon iradé impérial en date du 7 djémazi-ul-akhir 1309, comme témoignage de Ma haute bienveillance et eu égard à tes services, à ta droiture et à ta loyauté tant à Ma personne qu'aux intérêts de Mon empire, et blablabla et blablabla…

L'orateur sautait les passages de pure forme pour arriver à l'essentiel :

– Tous les revenus du khédivat d'Égypte seront perçus en Mon nom impérial… L'administration égyptienne aura soin de payer régulièrement le tribut annuel de 750 000 livres turques…

Chacune des sentences énoncées par Milo provoquait des exclamations.

– La monnaie sera frappée en Mon nom… En temps de paix, dix-huit mille hommes de troupe suffisent pour la garde intérieure de l'Égypte. Ce chiffre ne doit pas être dépassé… En vue de l'accomplissement intégral des dispositions ci-dessus mentionnées, Mon présent firman impérial, orné de Mon autographe impérial, a été rendu et envoyé…

La suite se perdit dans les rires et les clameurs.

Après le déjeuner, Milo proposa d'aller se dérouiller les jambes jusqu'à l'orée du désert pour apercevoir des Anglais taper dans de petites balles.

– Le golf de Hélouan, rappela-t-il, est le seul au monde à être aménagé sur le sable.

L'invitation n'avait pas besoin d'être répétée aux enfants, qui se ruèrent dehors. Les grandes personnes, qui ne tenaient pas à aller si loin, décidèrent de faire plutôt quelques pas sous les arbres, le long des grilles du palais.

– Moi, je reste ici, dit Nonna. Doris va me tenir compagnie.

Sans doute tenait-elle à voir de plus près cette jeune personne qui lui avait ravi son fils préféré.

– Si vous permettez, j'ai très envie d'aller voir le golf que je ne connais pas, répondit la Mamelouka en posant un châle sur ses épaules.

Il y eut quelques secondes de silence. Les belles-sœurs n'en croyaient pas leurs oreilles. Même Milo parut gêné : nul n'avait l'habitude de résister à Nonna. La vieille dame regarda Doris dans les yeux puis, sans rien dire, se dirigea vers la salle à manger pour surveiller le travail des domestiques qui débarrassaient les tables.

# 10

Plié en deux, Milo farfouillait sous le comptoir de son magasin à la recherche d'une facture. En se relevant, il se trouva nez à nez avec un jeune officier anglais en uniforme.

– Vous êtes le patron ? demanda le visiteur en français, d'un air un peu arrogant.

– Lui-même.

– Je viens pour un portrait.

Milo eut du mal à cacher son étonnement :

– Vous n'êtes pas allé chez Maloumian, en face ? C'est le photographe de l'armée d'occupation.

– Je ne suis pas membre de l'armée d'occupation, mais de l'armée égyptienne, précisa sèchement l'officier.

Milo faillit lui dire que personne au Caire ne faisait la distinction. Comme le soulignait ironiquement le vieux docteur Touta, « il y a deux armées en Égypte : l'armée anglaise, qui est dirigée par des Anglais ; et l'armée égyptienne, qui est dirigée par des Anglais ».

Blond, de haute stature, le visiteur devait avoir dans les vingt-cinq ans. Son allure athlétique était soulignée par la tunique bleu clair des officiers de cavalerie, avec collet blanc et double rangée de boutons.

– Ne seriez-vous pas le fils d'Elliot bey ? demanda Milo.

L'autre se cabra :

– Comment le savez-vous ?

– Ma famille passe l'été à Fleming depuis plusieurs années. Je crois vous avoir aperçu une fois sur la plage.

Milo s'intéressait trop aux gens pour ne pas être un physionomiste hors pair. Seul l'uniforme l'avait fait un peu hésiter. Sur la plage, tout le monde connaissait de vue le père, Elliot bey, l'un des responsables de la douane d'Alexandrie, qui possédait une villa de l'autre côté de la dune : un homme massif, ne se mêlant jamais aux vacanciers et toujours accompagné d'un bouledogue noir. Son fils, en revanche, ne venait pas souvent à Fleming.

– Prenez place, je vous prie, dit le fournisseur des consulats. Puis-je vous offrir un café ? Vous le prenez sucré, peut-être...

– Non, *mazbout*, répondit l'Anglais, qui s'enfonça dans l'un des fauteuils du hall, puis étendit cavalièrement ses jambes bottées sur la table basse.

– Un *mazbout* et un sucré ! cria Milo en arabe, à l'adresse de Bolbol.

L'employé était envoyé ainsi une dizaine de fois par jour, en mission commandée, au café du coin.

Ravi d'accueillir un officier anglais, Milo se lança dans un savant exposé sur la plage de Fleming, qui comptait bien une vingtaine de villas désormais. Il parla de son oncle, le docteur Touta, qui prenait encore des bains de mer à quatre-vingts ans révolus. Puis des deux fils du médecin, Maxime, le journaliste, et Alexandre, le négociant en bois...

– Tout ce monde se retrouve sur la photo de famille que nous faisons chaque année. Je vais vous montrer celle de l'été dernier.

Et il alla prendre un grand carton derrière le comptoir.

– Regardez : le docteur Touta est assis au milieu. Nous aurions dû faire la photo sur les marches de la villa, mais des circonstances exceptionnelles nous ont amenés sur la plage... Là, c'est mon cousin Alexandre, avec ses deux fillettes, Yolande et Maguy. Maxime Touta, le journaliste, se tient debout derrière eux. La femme qui se trouve à côté de lui n'est pas son épouse. C'est Mme Mancelle, l'épouse du directeur du Mouvement au canal de Suez...

L'Anglais jeta un regard distrait sur la photo. En la lui montrant, Milo pensait peut-être l'amadouer. Sans doute aussi était-il fier de s'identifier au docteur Touta, à ses cousins

Maxime et Alexandre, et plus encore à Étienne Mancelle, qui passait pour l'un des principaux ingénieurs du canal de Suez. Le fournisseur des consulats avait la faculté assez rare de pouvoir parler de n'importe quoi à n'importe qui.

Dans la conversation qui suivit, William Elliot précisa qu'il servait dans le premier régiment de cavalerie, avec le grade de capitaine. Milo comprit qu'il s'était engagé dans l'armée en 1885, juste après le massacre du général Gordon et de ses troupes au Soudan. L'officier évoquait cette défaite, qui avait tant marqué ses compatriotes, en serrant les dents :

– Quand je pense que le siège de Khartoum a duré neuf mois et que nous n'avons pas su porter secours à Gordon !

– L'Angleterre n'a pas eu de chance au Soudan, constata Milo poliment.

C'était une manière aimable de résumer des désastres en série, qu'il connaissait dans les moindres détails, et même avec des détails supplémentaires, pour les avoir cent fois racontés. A peine les Anglais venaient-ils d'occuper l'Égypte en 1882 qu'une rébellion, conduite par un chef religieux, le mahdi, avait éclaté au Soudan. Pour la mater, une armée anglo-égyptienne, commandée par le général Hicks, fut envoyée dans le Khordofan. Elle allait être taillée en pièces : sur le champ de bataille, il ne resta qu'une immense pyramide de crânes. Une deuxième armée, conduite par Baker, n'eut pas plus de succès : quelques centaines d'hommes seulement en réchappèrent. Il fut alors décidé d'abandonner le Soudan, et le général Gordon eut pour mission d'organiser la retraite. Mais il était déjà trop tard : le mahdi, encouragé par ses victoires, avait fait encercler Khartoum où régnait la disette. On y mangeait les ânes, les chiens et même les rats… « Gordon a descendu seul les marches de son palais, à la rencontre des assaillants, racontait Milo. L'un d'eux s'est rué sur lui et l'a transpercé de son sabre. La tête du général a été tranchée et portée au mahdi. Dans son corps, plusieurs centaines de guerriers ont planté leurs lances. Ce n'était plus qu'une masse sanglante, méconnaissable. »

Dans un éclat de rire, Bolbol servit le café. Milo signifia d'un geste à William Elliot de ne pas s'en préoccuper et, pour changer de sujet, lui demanda ce qu'il pensait du nouveau khédive. L'Anglais eut un petit sourire ironique. Il aspira une lampée de son café brûlant avant de répondre :

– C'est un garçon qui semble très bien élevé, très civilisé. Peut-être un peu trop civilisé, si vous voyez ce que je veux dire… Abbas a l'air d'un étudiant fraîchement sorti d'Eton ou de Harrow. Il parle plusieurs langues, il a voyagé dans plusieurs pays ; il est allé, paraît-il, jusqu'au pôle Nord. Mais il n'est jamais monté au sommet de la grande pyramide ! Je doute qu'il soit très populaire parmi ses sujets. Enfin, nous nous fichons bien de sa popularité ! Du moment que le pays est calme et que le nouveau khédive se montre aussi coopératif que son père…

Il ne restait plus qu'un fond boueux dans la tasse à café de William Elliot. Le moment était venu de passer à l'objet de la visite.

– Quel type de portrait vous plairait ? demanda Milo.

– Je voudrais envoyer une photographie à des cousins en Angleterre.

– Alors, je vous conseille le portrait en pied. Pour un militaire, l'effet est superbe ! Je vous signale d'ailleurs que le cliché pourrait être en couleurs. Mon épouse, qui est peintre, s'occupe du coloriage. C'est plus cher, bien sûr…

Doris descendit à ce moment-là. L'Anglais se montra très agréablement surpris. Repliant ses jambes et quittant son fauteuil, il s'approcha d'elle avec une certaine nonchalance pour lui baiser la main.

– Le capitaine Elliot est un habitué de Fleming, dit Milo. Il vient pour un portrait. Un portrait en pied, n'est-ce pas ?

– Oui, et en couleurs.

– Alors, si vous voulez bien, nous allons passer par là.

Doris n'aima pas la manière dont l'officier l'avait regardée. Son air assuré et désinvolte était celui d'un jeune Européen en pays conquis, bel homme de surcroît, à qui tout semblait dû. Elle nota mentalement : « Yeux bleu lavande, cheveux blond vénitien, peau très claire. » Mais, pour un portrait en pied, elle avait besoin de tous les détails de l'uniforme. Elle les rejoignit donc avec son calepin dans l'atelier de pose et griffonna : « Tarbouche cramoisi, tunique bleu clair, pantalon idem, bandes blanches, boutons dorés avec croissant. »

– Ce fond sylvestre n'ira pas, dit Milo. Je vais vous faire les rochers et la mer. Vous verrez, ce sera très bien.

Il déplaça plusieurs fois l'officier. Puis il lui fit prendre la pose : la main droite sur la hanche, l'autre tenant le dossier d'un fauteuil et la jambe gauche croisée sur la droite. Une dernière fois, il vint lui relever le menton. Puis il retourna sous son voile noir.

– Attention, ne bougeons plus !

Le capitaine Elliot se figea. Toute expression disparut de son visage. Pendant plusieurs secondes, il se tint ainsi, immobile, les yeux fixés sur l'objectif.

Ils firent une deuxième photo, le tarbouche à la main cette fois. Ce n'était pas très régulier, mais personne n'y trouverait à redire au fond du Yorkshire…

Par la suite, s'étant détendu, l'officier demanda à Doris de ne pas tenir compte de la couleur de ses bottes : habituellement, elles étaient noires. Il en avait chaussé des brunes pour quelques heures parce que les autres se trouvaient chez le cordonnier.

– Mais bien sûr ! dit Milo gaiement. On fait ce que vous voulez. C'est l'avantage de la photographie en couleurs. Si vous préférez des yeux mauves et des cheveux cendrés…

Le capitaine Elliot s'esclaffa. Agacée, Doris se demanda si sa vocation était de cirer les bottes des officiers anglais.

# 11

Quelques jours plus tard, en fin d'après-midi, alors que Milo était allé présenter une photo de classe chez les jésuites, j'entrai dans l'atelier de pose et refermai doucement la porte derrière moi. La nuit commençait à tomber. Dans cette pièce silencieuse, faiblement éclairée par le vitrage du plafond, l'appareil de prises de vue faisait une grosse tache sombre. Je restai debout près de l'entrée, humant l'odeur de cuir et de bois verni, avec le sentiment de commettre un acte défendu. Cet atelier était le domaine réservé de Milo.

Je me souvins de mes incursions de naguère à la chapelle déserte du pensionnat, avant le dîner, pour le plaisir de renifler l'encens, de voir briller le Saint-Sacrement et, plus encore, de braver un interdit. A genoux sur un prie-Dieu, j'étais prête, à la moindre alerte, à enfouir ma tête dans les mains pour m'abîmer dans une intense prière. Mère Marie des Anges pouvait surgir à tout moment d'une porte latérale, avec son gros trousseau de clés. Lita s'était laissé entraîner une fois à la chapelle. Morte de peur, elle avait juré de ne plus y revenir...

Le lourd pas de Bolbol dans l'escalier m'arracha à ma rêverie. Je sortis précipitamment de la pièce, en songeant à l'explication que j'aurais peut-être à fournir.

Au cours des deux semaines suivantes, je trouvai plusieurs prétextes pour entrer dans l'atelier de pose. Armée d'un plumeau, j'allais épousseter l'appareil, ou astiquais délicatement ses cuivres avec un chiffon de soie. Je tâtais la poignée de la manivelle, actionnais doucement le volant d'inclinaison. Je cherchais à apprivoiser le monstre, sans vouloir m'avouer que j'étais irrésistiblement attirée par lui. « C'est un animal docile, avait murmuré l'Italien au moment de céder le magasin à Milo. Il fait ce qu'on lui dit. Encore faut-il savoir lui parler. » Cette remarque, que Milo m'avait rapportée comme une plaisanterie, me rendait toute pensive. Le photographe n'était pas l'auxiliaire de son instrument, comme je le croyais jusque-là : l'initiative lui appartenait, et l'appareil ne voyait rien sans lui. Ce n'était qu'un œil mécanique qu'il pouvait actionner à sa guise. L'opérateur se réduisait-il pour autant à un mécanicien ?

« La photographie, avais-je dit quelques semaines plus tôt à Milo, reproduit la réalité, alors que la peinture la transfigure. C'est ça, la création artistique. » Cela aussi, je ne le pensais plus. Fixer un visage ou un paysage sur du papier, en le réduisant à du noir et du blanc, n'était-ce pas déjà le transformer ? Je commençais à me demander si le moyen d'expression que j'avais cherché, sans le trouver, dans la peinture, ne me serait pas donné par la photographie.

La peinture… J'avais quatorze ans quand mon père décida de rénover le salon. On retira tous les objets accrochés aux murs, dont la fameuse miniature, laquelle allait être oubliée dans un débarras à la fin des travaux. Nul ne s'en aperçut, sauf moi bien sûr, qui me gardais bien de la réclamer.

Ma bouche n'avait pas rapetissé pour autant. Je continuais à me regarder avec appréhension dans la glace et à haïr mon visage, définitivement persuadée d'être laide.

Un an plus tard, alors qu'on m'invitait à choisir un cadeau pour Noël, je demandai une boîte d'aquarelle et des pinceaux. L'idée m'en était venue spontanément, sans véritable réflexion. Je n'envisageais d'ailleurs pas de faire des portraits mais de peindre des paysages. Je tentais de m'approcher de la plaie, d'en gratter les bords, à défaut de la soigner.

Mes modestes œuvres ne comptaient pas une trace de rouge. C'était une couleur bannie de ma palette. Dans les corbeilles de fruits que je peignais, les pommes étaient jaunes et les cerises absentes.

Lors des séances de pose, tout en prenant des notes pour le coloriage des portraits, j'observais avec beaucoup d'attention les gestes de mon mari. Quand le client était parti, je ne manquais jamais de lui poser des questions précises. Il y répondait à sa manière, avec humour et désinvolture. « Un bon photographe, disait-il, a dix pour cent de technique, dix pour cent de sens artistique et quatre-vingt pour cent de génie commercial. »

Un vieux manuel de photographie, édité en France, traînait sur une étagère du comptoir. J'en lus quelques pages, un soir, qui me révélèrent brusquement tout ce que Milo n'avait pas su m'expliquer. Si vous faites une petite ouverture dans le volet d'une chambre obscure, écrivait l'auteur, vous voyez se peindre l'image des objets extérieurs sur le mur opposé. Pour que l'image soit nette, il faut que le trou soit à la bonne distance du mur d'en face. Et, pour fixer cette image, il suffit de mettre une glace au sel d'argent qui noircit sous l'influence de la lumière...

Subjuguée, je me mis à dévorer ce livre chaque soir avant de me coucher. Milo me l'arrachait des mains en riant, soufflait sur la lampe et m'entraînait dans des gestes d'amour auxquels je ne savais pas résister. Je m'arrangeai alors pour lire dans la journée. Mais ce manuel, limité à la technique, ne répondait pas aux autres questions que je me posais : comment doser la lumière sur un visage ? Comment souligner la personnalité du modèle ?

« Il faudrait s'abonner à *L'Amateur photographe*, lançai-je un jour à Milo. Cette revue contient, paraît-il, plein de conseils intéressants.

– Je ne suis pas un amateur, fit-il, vexé.

– C'est pour moi... »

Il me regarda avec étonnement.

« Sois gentil, fis-je d'une voix câline. J'en ai très envie. »

Il haussa les épaules, mais consentit à débourser l'équivalent de 12 francs pour me satisfaire.

Le premier numéro de *L'Amateur photographe*, publié à Paris, parvint au magasin début mai. Très émue, je le reçus avec la même joie que jadis ma première poupée. Je l'emportai dans ma chambre, le feuilletai fébrilement, mais eus peur de le lire trop vite, sachant que la livraison suivante n'arriverait que quinze jours plus tard.

*L'Amateur photographe* conseillait aux débutants de ne pas se lancer tout de suite dans des portraits : mieux valait commencer par des paysages pour se familiariser avec la lumière. Ce conseil me plut. Après tout, en peinture, je n'avais fait jusqu'alors que des extérieurs. Je suppliai Milo de m'initier au maniement de l'appareil de campagne. Amusé et flatté, il me proposa une excursion photographique aux pyramides le dimanche suivant.

Je choisis ma toilette plusieurs jours à l'avance et préparai deux paniers à provision. De son côté, Milo s'enferma dans le cabinet noir la veille du départ pour charger ses châssis. Il sortit les plaques une à une, les nettoya avec un blaireau, puis les numérota et les plaça dans un sac spécial.

Nous partîmes à dos d'âne au lever du soleil. Bolbol trottait derrière, tenant par une corde un quatrième baudet sur lequel était fixé le matériel de campagne. Malgré l'heure matinale, le pont Kasr-el-Nil, gardé par ses lions de fonte, grouillait déjà de monde. Hommes et bêtes se croisaient sur la passerelle métallique dans un parfait désordre, donnant l'impression d'avancer au hasard. Des chameaux chargés de branchages disparaissaient sous cette énorme carapace.

Nous arrivâmes bientôt à la sortie du Caire pour nous engager sur la route des pyramides. « Nous y serons dans moins de deux heures », précisa Milo, qui commença à me raconter l'histoire de cette route étroite, aménagée à la hâte en 1869 pour la visite en Égypte de l'impératrice Eugénie.

J'étais grisée par le paysage champêtre. De cette première expérience photographique, je garderais l'odeur du maïs et de la luzerne, le bruit sourd des sabots sur un chemin poussiéreux bordé d'acacias. Des touffes de palmiers émergeaient çà et là dans la plaine, traversée de petits canaux. Quelques *gamousses* paissaient au bord de la route, indifférentes aux rares passants.

« Ça y est, je les vois ! » cria Milo. A travers les branches d'acacias, on commençait à distinguer les silhouettes grises des pyramides. Les champs s'étaient interrompus pour céder la place au sable doré. La route d'Eugénie n'était plus qu'une mince trace au milieu du désert.

Nous passâmes non loin du Mena House, oasis de luxe où des touristes fortunés devaient prendre leur petit déjeuner à l'ombre des eucalyptus. Les plus matinaux s'offraient déjà une promenade dans un *sandcart* aux larges roues, tiré par un poney.

De près, sous le soleil, la pyramide de Khéops était rose et violette. Je fus frappée, une fois de plus, par la majesté des lieux. C'était la troisième ou la quatrième fois que je m'approchais de cette masse gigantesque mais, à chaque visite, le choc était le même.

Un groupe de touristes anglais de l'agence Cook commençait l'ascension. Les guides en *gallabieh* ne se privaient pas de saisir à pleines mains les croupes plantureuses des dames pour les aider à se hisser de pierre en pierre. Elles semblaient ravies. Qui était le fou qui avait imaginé un funiculaire pour atteindre le sommet de la grande pyramide ? Le projet, disait-on, était prêt et devait être soumis au Conseil des ministres. Milo en connaissait tous les détails. Il en parlait avec son enthousiasme habituel.

Le trépied fut installé à une soixantaine de mètres du sphinx que je voulais photographier de trois quarts. L'étrange animal accroupi, aux pattes enfoncées dans le sable, fixait l'horizon. Avec sa figure humaine rongée par les siècles, il ressemblait à un fellah. Ce ne sera pas un paysage, me disais-je, mais un portrait.

Au moyen d'un fil à plomb, Milo s'assura que la chambre de l'appareil était parfaitement horizontale, puis il m'invita à glisser la tête sous le voile de serge noire.

« Je ne vois rien, dis-je. C'est très flou.

– Forcément. Il faut mettre au point. Tourne doucement la crémaillère. » Il guida ma main.

« Ça y est, ça y est ! m'exclamai-je. Mais... je vois le sphinx à l'envers !

– C'est normal, dit Milo en souriant. Avec l'habitude, l'œil du photographe redresse automatiquement les images inversées. »

Nulle part, dans le manuel de photographie, je n'avais lu une telle chose. Je sortis la tête de dessous le voile, l'air désolé : « Ah non, jamais je ne pourrai m'habituer à voir un paysage à l'envers !

– Allez, allez, remets-toi en place », dit Milo.

Quand je fus à nouveau sous le voile, il posa une petite glace à la base du verre dépoli, et le sphinx se redressa. « Ah, mais voilà ! » fis-je, soulagée. Il éclata de rire, tandis que je recommençais à tourner la crémaillère d'une main, l'autre essayant vainement de retenir l'étoffe rebelle qui volait au vent. « Je crois que c'est bon », finis-je par dire d'une voix hésitante.

Milo reboucha alors l'objectif et enleva la glace dépolie pour la remplacer par la plaque sensible. « Attention, dit-il, c'est à toi ! » Maîtrisant le tremblement de ma main, je retirai le bouchon d'un mouvement aussi doux que possible pour éviter de faire bouger l'appareil. Je comptai jusqu'à six, mais, dans mon émotion, perdis une seconde supplémentaire avant de reboucher. « J'ai trop attendu », répétais-je, très déçue. « Il vaut mieux exposer plus que moins ! » répondit doctement le fournisseur des consulats qui n'était jamais à une seconde près.

J'insistai pour refaire le même cliché avec une exposition différente. Mais des bédouins s'approchaient, tirant leurs chameaux : ce n'était pas tous les jours qu'ils voyaient une femme photographe ! Persuadés d'avoir affaire à une touriste, ils proposèrent leurs services avec insistance dans un sabir franco-anglais. Bolbol tenta de les éloigner, sans succès. Milo s'énerva et proféra des menaces, qui ne lui valurent que des sourires. C'est alors que je lançai en arabe d'une voix excédée : « *Kefaya kedda !* Ça suffit comme ça ! Éloignez-vous et laissez-nous travailler ! »

Les bédouins furent stupéfaits de voir une femme du pays, parlant la langue du Prophète, se livrer à une telle activité, la tête recouverte d'un voile noir. D'autres curieux les rejoignirent peu après, nous obligeant à écourter cette excursion photographique.

J'avais tout de même réussi à prendre une demi-douzaine de vues, que Milo promit de développer dans la semaine. « Ah non ! protestai-je. Il faut le faire ce soir. *L'Amateur photographe* conseille de développer le jour même, en ayant encore en mémoire l'impression qu'on a voulu rendre.

– Je me fiche de *L'Amateur photographe* ! » fit vivement Milo, dont la seule envie depuis notre retour était de m'entraîner dans le lit conjugal.

Devant mon insistance, il finit par céder, sachant que je me refuserais à lui.

« Je te préviens, dit-il, on en a pour un moment ! » Il pénétra dans le cabinet noir en maugréant. Après avoir allumé la lampe-bougie et traité Bolbol de tous les noms pour un seau déplacé, il disposa trois cuvettes sur la table, dans lesquelles il versa diverses solutions. Une odeur piquante me fit éternuer. « Ah, évidemment, ce n'est pas une infusion de cannelle ! » grommela-t-il.

Il retira une plaque sensible de son châssis et la plongea d'un coup dans la première cuvette. Le liquide lécha la gélatine. De temps en temps, Milo soulevait le carton protecteur pour suivre l'apparition de l'image. Debout sur la pointe des pieds, je ne voyais rien. Soudain, un léger obscurcissement apparut sur la plaque et, peu à peu, une grande tache se développa. La silhouette du sphinx émergeait lentement, en négatif, au milieu d'un ciel noir.

« Le sphinx ! » murmurai-je avec émotion. Sans un mot, Milo retira la plaque et la mit à égoutter au-dessus de la cuvette. Puis il la lava à grande eau. « Approche le bain de fixage ! » lança-t-il. Je me précipitai. « Mais non, voyons ! J'ai dit le bain de fixage, pas le bain d'alun ! » Je me perdais au milieu de toutes ces cuvettes. J'étais trop émue pour chercher à comprendre, ne pensant qu'à mon sphinx au nez cassé qui avait surgi de la nuit.

Dans le bain de fixage, la plaque perdit peu à peu sa couche laiteuse. Lorsqu'elle fut tout à fait transparente, Milo la retira pour procéder à l'alunissage. « Allume la lanterne ! » ordonna-t-il. Je n'étais pas au bout de mes peines. « Le cliché doit rester deux heures à tremper, dit-il d'une voix cassante. Tu changeras l'eau toutes les quinze minutes. Je m'occupe de la deuxième plaque. »

A neuf heures du soir, l'épreuve, bien sèche, fut couchée contre la glace du châssis à positives. Milo introduisit un morceau de papier sensible et referma le volet. « Le négatif est trop faible », décréta-t-il au bout d'un moment.

Inquiète pour mon sphinx, j'assistai, le cœur serré, aux manipulations suivantes. Milo, affichant toujours sa mauvaise humeur, mit l'épreuve à dégorger dans un seau, puis la plongea dans le bain de virage en l'agitant continuellement. L'épreuve perdit peu à peu sa couleur chocolat. Je repris espoir.

« Passe-moi l'hyposulfite ! cria-t-il soudain, comme si le ciel allait nous tomber sur la tête. Mais non, mais non, pas ce flacon, l'autre, à côté. » Il laissa tremper l'épreuve un quart d'heure dans ce nouveau bain. Puis il poussa un juron : l'épreuve était trop claire, le tirage devait être recommencé…

Quand j'eus enfin mes clichés, il était plus de minuit. « Merci, dis-je en me jetant à son cou. Je les regarderai calmement demain matin. » Et, lui laissant tout juste le temps de se savonner les mains, je l'entraînai dans l'escalier en colimaçon, vers la chambre à coucher. Étonné, bousculé, Milo retrouva son sourire. Jamais encore, avant cette nuit-là, je n'avais éprouvé autant de plaisir dans ses bras.

« Pas une seule photo convenable ! constatai-je le lendemain avec une moue de dépit. Le temps de pose a été trop long. Et je ne parle même pas du cadrage… Regarde-moi cette ligne d'horizon !

– Qu'est-ce qu'elle a, la ligne d'horizon ?
– Mais elle est au milieu du cliché !
– Et alors ? C'est très bien.
– Pas du tout ! Dans une photo comme dans un tableau, la ligne d'horizon ne doit jamais être au milieu. Il faut la faire plus haute ou plus basse. En général, plus basse, pour dégager le ciel. Dans *L'Amateur photographe*… »

Milo haussa les épaules. Il commençait à regretter cet abonnement.

S'il n'avait tenu qu'à moi, je serais retournée aussitôt aux pyramides, malgré les bédouins. Je les aurais chassés à coups d'ombrelle et j'aurais refait mes photos.

# 12

Cet été-là, à Fleming, le ventre arrondi de Doris lui interdit de se rendre en ville avec la plupart des vacanciers pour assister à l'arrivée solennelle du khédive à Alexandrie. Consulté, le docteur Touta avait été formel : l'épouse de son neveu, enceinte de huit mois, ne pouvait prendre le risque d'affronter les cahots de la route jusqu'à la gare, et encore moins la foule qui se presserait sur le passage du cortège. Elle passerait donc l'après-midi en compagnie de ses belles-sœurs, dans la villa d'Aimé où elle était hébergée avec son mari.

Milo, lui, avait emmené une ribambelle d'enfants sur la place des Consuls. Il était encore plus excité qu'eux à l'idée d'apercevoir Abbas Hilmi :

– Le khédive n'a que dix-neuf ans ! Avant lui, aucun souverain de la dynastie de Mohammed Ali n'avait accédé aussi jeune au pouvoir !

Les enfants avaient quelque mal à comprendre : dix-neuf ans, pour eux, était un gros chiffre. Un chiffre qui, pour certains, paraissait supérieur à vingt… Ayant à peine fêté son dixième anniversaire, Yolande n'était pas la moins perplexe.

Le khédive venait passer la saison chaude à Alexandrie pour la première fois depuis son accession au trône cinq mois plus tôt. Les Européens de la ville, toujours bien organisés, s'étaient constitués en comité d'accueil, et le richissime M. Antoniadis avait ouvert la souscription en versant 100 livres. Les notables indigènes, eux, n'avaient pas réussi à s'entendre, laissant la décoration des quartiers arabes au bon vouloir des habitants, qui avaient garni leurs balcons de palmes et fabriqué des drapeaux rouges frappés de l'étoile et du croissant blancs.

Yolande et ses cousins avaient réussi à grimper sur le rebord d'une des fontaines pour voir arriver le cortège. La place était ceinte d'un triple cordon de lanternes vénitiennes pendues aux arbres. Des arcs de triomphe avaient été dressés à chaque extrémité. Pour passer le temps, Milo fredonna *Rigoletto* à sa manière, s'attirant les regards désapprobateurs de deux dames européennes. Puis il meubla l'attente :

– Savez-vous, les enfants, qu'Abbas est polyglotte ?

Ils crurent d'abord à une infirmité... Le successeur de Tewfik suivait, paraît-il, l'opéra en italien, parlait allemand avec ses anciens professeurs de Vienne, anglais avec le consul britannique, turc avec le représentant du sultan, arabe avec ses domestiques et français avec toute la bonne société du Caire. C'était beaucoup, même pour de jeunes Syriens d'Égypte, qui sautaient dans une même phrase du français à l'arabe, connaissaient quelques expressions anglaises, quelques grossièretés en italien, et savaient dire *kalimera* en grec.

Milo raconta aux enfants comment, dix ans plus tôt, au cours de l'été 1882, la flotte britannique avait bombardé Alexandrie, avant de débarquer.

– Cette place des Consuls que vous voyez si belle n'était plus qu'un amas de décombres. Seule la statue de Mohammed Ali tenait encore debout. Notre cousin Rizkallah en a profité pour acheter plusieurs maisons en ruine et construire ce grand magasin qui s'étale sous vos yeux. Un coup de génie !

Des coups de canon trouèrent le ciel, comme pour authentifier son récit. C'était l'annonce, très attendue, de l'arrivée du train blanc vice-royal en gare de Sidi Gaber. La foule s'agita. Il fallut patienter une bonne demi-heure avant d'entendre une immense clameur : la victoria du khédive, attelée à la Daumont, faisait son entrée par la rue Franque, précédée de quarante lanciers et d'un détachement de la police égyptienne à cheval, conduit par un officier anglais. Du sable fin avait été répandu par terre, sur tout le parcours que devait emprunter le cortège.

Avançant au pas, la voiture avait du mal à se frayer un passage dans la foule. Milo et les enfants crièrent *Yaïch Effendina !,* tandis qu'une pluie de papiers multicolores tombait des balcons. Abbas resplendissait dans sa tenue blanche de *férik*. D'un geste lent, il salua de sa main gantée les membres du Cercle khédivial, réunis au balcon avec leurs familles.

Le cortège de voitures, parmi lesquelles un landau fermé où avait pris place la khédiva mère, était suivi de la musique et d'un bataillon de l'armée égyptienne, puis de la musique anglaise et d'une unité de l'armée d'occupation. Au passage de celle-ci, on entendit quelques huées, couvertes par l'orchestre des Frères des Écoles chrétiennes dont les élèves se tenaient sur une estrade.

– J'ai vu le khédive ! J'ai vu le khédive ! criait Maguy, la petite sœur de Yolande, que Milo avait prise sur ses épaules.

Le soir venu, toute la rue Chérif s'illumina comme une traînée de feu : la Compagnie du Gaz Lebon, la Banque anglo-égyptienne, les magasins Châlons, le palais de Mazloum pacha… Des fusées multicolores explosaient en gerbes dans le ciel.

– Savez-vous que la reine Victoria fêtera demain à Londres ses soixante-treize ans ? dit Milo, tandis qu'il se dirigeait avec les enfants, un peu ensommeillés, vers la gare pour regagner Fleming.

Soixante-treize ans contre dix-neuf… Le khédive pouvait paraître jeune, en effet ! Les journaux annoncèrent cette semaine-là qu'à l'occasion de l'anniversaire de Victoria le consul général britannique au Caire, Sir Evelyn Baring, était élevé à la pairie. L'homme le plus puissant d'Égypte s'appelait désormais Lord Cromer. On n'avait pas fini d'en entendre parler…

– Pourquoi Cromer, oncle Milo ? demanda la petite Maguy.

– C'est le nom du village où il est né, ma beauté.

Elle réfléchit un instant :

– Alors, le bébé de la Mamelouka s'appellera Lord Fleming ?

Doris eut ses premières douleurs le 10 août à trois heures du matin. Ce fut la panique. Milo, accompagné de l'un de ses frères, prit la voiture et fouetta le cheval jusqu'en ville. Réveillée en sursaut, l'accoucheuse marchanda ses services. Il fallut supplier, menacer, promettre... Quand ils revinrent à Fleming avec elle, au lever du jour, une petite Nelly était déjà née. Doris avait encore dans les oreilles les injonctions de la tante Angéline :

– Pousse, mon ange ! Pousse, mon cœur ! Pousse, je te dis ! Que Dieu t'emporte, pousse...

En voyant le bébé quelques semaines plus tard à Hélouan, Nonna prendrait soin de souligner plusieurs fois sa laideur, pour éloigner le mauvais œil :

– *Wehcha ! Wehcha !*

Mais le fournisseur des consulats n'arrêtait pas de vanter la beauté de sa fille. Aussi rayonnant que l'été précédent à l'annonce de son mariage, il brandissait le bébé enveloppé dans ses langes, comme s'il posait pour un objectif invisible.

– Milo exagère, murmuraient ses belles-sœurs. Ce n'est qu'une fille, après tout.

Sur la photo de famille de cette année 1892, une jeune femme souriante est assise au premier rang, sur la gauche. Elle porte dans ses bras un petit paquet emmailloté. Visiblement, le photographe n'a fait son cadrage qu'en fonction d'elle : à droite, Alexandre Touta est amputé d'un bras et la volumineuse Angéline Falaki a perdu la moitié de ses quatre-vingt-dix kilos.

Nelly n'était ni belle ni laide. A cet âge-là... Les garçons de la famille ne s'intéressaient nullement à leur petite cousine. C'est vers la mère que tous leurs regards se portaient furtivement, espérant entrevoir une fleur de chair brune pendant la tétée. Ils oubliaient de respirer quand la Mamelouka dégrafait lentement les boutons de son corsage, y plongeait sa main longue et fine, pour saisir un sein lourd et le livrer à la bouche affamée de Lady Fleming.

Pendant que le clan Touta s'enrichissait d'un nouvel élément, le khédive passait agréablement l'été à Alexandrie. Le journal rendait compte chaque jour de ses activités de la veille, en tête de la rubrique des mondanités. Abbas Hilmi avait fait une sortie à voile en dehors du port… Abbas Hilmi avait fait une promenade à cheval du côté d'Aboukir… Pour se rendre d'un palais à l'autre, le souverain conduisait lui-même une voiture légère, et les enfants espéraient chaque fois se trouver sur son passage. Il leur arrivait de l'attendre des heures entières de l'autre côté de la dune, au bord de la route empierrée, sachant que la baie de Montazah l'attirait particulièrement : ne lui prêtait-on pas l'intention d'y construire un chalet ?

– Un chalet ? Vous plaisantez ! disait Milo. Ce sera un véritable palais, au milieu d'un immense domaine.

– Mais il existe déjà trois palais khédiviaux à Alexandrie ! remarquait-on. Celui de Ras el-Tine, celui de Ramleh et celui du canal Mahmoudieh qu'on appelle justement le palais numéro 3.

– Aucun ne lui plaît. Il veut un palais numéro 4.

Selon l'usage, toute la cour avait suivi le khédive à Alexandrie pour y prendre ses quartiers d'été. C'étaient des réceptions et des fêtes à n'en plus finir. Plusieurs membres du gouvernement, dont le ministre des Affaires étrangères, l'Arménien Tigrane pacha, logeaient à l'Hôtel-Casino San Stefano. Cet établissement ne cessait d'affirmer son importance au fil des ans. Même le Conseil des ministres avait pris l'habitude de s'y réunir.

– Un gouvernement d'opérette qui se réunit dans un casino, grommelait le vieux docteur Touta.

# 13

L'opérette faillit tourner au drame, quelques mois plus tard, quand Abbas décida inopinément de changer de Premier ministre. Changer de Premier ministre sans l'aval du consul britannique ? Lord Cromer était stupéfait. Il expliqua poliment à Son Altesse que cela ne se faisait pas. De toute manière, le khédive avait tort de choisir Tigrane pacha : c'était un chrétien, et le peuple ne l'accepterait pas. Mais le khédive insistait, sachant que Tigrane avait surtout, aux yeux de Lord Cromer, le défaut de ne pas être anglophile. Tout Le Caire bruissait de ce conflit sans précédent.

– Pour qui Abbas se prend-il ? lança le capitaine William Elliot, venu commander une autre photographie au magasin. Nous pouvons le déposer à tout moment. D'ailleurs, sans notre assistance, ce gamin ne se maintiendrait pas trois mois au pouvoir.

Plusieurs pachas, inquiets, allèrent rappeler au jeune khédive que le consul britannique en Égypte était le vrai maître du pays. Son coup de tête équivalait presque à un coup d'État. Mais Abbas semblait de marbre.

– Cette histoire va mal finir, disait Milo qui en suivait le déroulement par des rumeurs soigneusement colportées en ville.

Finalement, un compromis fut trouvé, avec la nomination d'un troisième homme à la tête du gouvernement. Mais la belle façade entretenue depuis dix ans s'était lézardée : les Anglais ne pouvaient plus prétendre qu'ils occupaient l'Égypte pour affermir l'autorité du khédive.

– Lord Cromer a obtenu l'envoi d'un bataillon britannique supplémentaire sur les bords du Nil, précisa le capitaine Elliot à Milo. C'est un avertissement. Tôt ou tard, Son Altesse aura besoin d'une bonne correction !

Tenant tête à l'occupant anglais, Abbas était devenu en quelques jours un héros. Des délégations de toute l'Égypte se succédaient au palais pour lui rendre hommage. A l'École de droit, les étudiants lui avaient fait une ovation, et ceux de l'École de médecine s'étaient mis en grève contre leurs professeurs britanniques.

– On n'a jamais vu ça ! disait Nonna. Jusqu'ici, quand la colère grondait, c'était pour huer les khédives, pas pour les défendre. Ce petit Abbas m'étonne.

Lors d'une prière à la mosquée, des jeunes gens voulurent le porter en triomphe. Le lendemain, il était attendu à l'Opéra, où l'on jouait *Aïda*, en présence de tout le corps diplomatique. Les places s'étaient arrachées et certaines baignoires comptaient jusqu'à neuf personnes. Des spectateurs étaient même debout dans les passages latéraux. Abbas arriva à la fin du premier acte, juste après le tomber du rideau. L'assistance se leva d'un bond, sous un tonnerre d'applaudissements. Il fallut rejouer quatre fois l'hymne khédivial.

Les Français du Caire étaient ravis de ce pied de nez à l'Angleterre, comme Milo put le constater grâce à un nouveau client, Norbert Popinot, venu se faire photographier avec son épouse. Petit, rond, proche de la cinquantaine, ce négociant en denrées coloniales avait la mine épanouie et reposée d'un homme aimé de son banquier. La calvitie rayonnante, il était habillé avec élégance, et sa poignée de main vous laissait dans la paume un léger parfum de vétiver.

– Que voulez-vous, les Anglais n'ont pas su conquérir le cœur de la population égyptienne ! dit Norbert Popinot d'un air faussement désolé. Dix ans après leur débarquement, ils en sont toujours au même point. Ils ont mis un peu d'ordre dans le pays, un peu plus de justice dans les impôts, leurs ingénieurs se sont distingués dans les travaux d'irrigation, mais le peuple ne les aime pas. La preuve, c'est que personne ne veut apprendre leur langue. Les meilleures écoles de ce pays sont françaises. Vous-même, j'imagine...

– Oui, je suis un ancien élève des Frères.

– Forcément, forcément !

Milo eut envie d'ajouter qu'il était aussi photographe chez les Pères jésuites, mais l'autre était déjà reparti :

– Quand je pense, cher monsieur, que pour avoir assez de lecteurs l'*Egyptian Gazette* est obligée de publier la moitié de ses pages en français ! Vous avouerez que c'est un comble pour un journal anglais ! Les fonctionnaires britanniques eux-mêmes sont contraints d'écrire dans la langue de Molière pour s'adresser des notes d'une administration à l'autre !

L'épouse de Popinot, nettement plus jeune que lui – elle devait avoir une trentaine d'années –, ne manquait pas de charme. Le rire en cascade de cette Parisienne au corsage généreux et à la bouche gourmande semblait tout emporter sur son passage.

Ils voulaient un portrait double, en noir et blanc. Milo les fit donc poser côte à côte sur l'ottomane. Il n'eut pas besoin de leur demander de sourire : M. et Mme Popinot avaient la gaieté des gens qui croquent la vie à belles dents. Aimant la nouveauté, ils avaient poussé la porte du studio Touta un peu au hasard. Cela leur semblait plus amusant que de se faire photographier par Jacquemart, qui recevait seulement sur rendez-vous.

– Vous fournissez le consulat de France ? demanda Norbert Popinot.

– Non, pas le consulat de France, répondit Milo, sans s'appesantir sur le sujet.

En sortant de l'atelier de pose, ils entendirent les pleurs d'un enfant.

– C'est ma fille, dit fièrement l'opérateur. Si vous avez encore une minute, je vais vous la présenter.

Et il monta chercher Nelly. Les Popinot, qui n'avaient pas d'enfant, se montrèrent charmés par la petite. Une tétine à la bouche, elle respirait à petits coups.

– Vous prendrez bien un verre, dit Milo, en leur indiquant l'escalier.

Doris les accueillit dans le salon. Une heure plus tard, ils s'y trouvaient encore. Solange Popinot était en admiration devant la plante monumentale qui occupait tout un coin de la pièce. Elle s'assit spontanément au piano, que personne n'utilisait d'ordinaire, pour jouer une courte valse. Milo amusa beaucoup les visiteurs en leur racontant quelques détails de la vie administrative qu'il connaissait par ses frères.

– C'est vrai, dit-il, qu'un fonctionnaire anglais fournit en général le travail de deux Égyptiens, mais pourquoi est-il payé comme trois ?

– Elle est très bonne ! Elle est très bonne ! s'exclama Norbert Popinot.

De sa voix suave, il raconta à son tour la grand-messe consulaire à laquelle il venait d'assister avec son épouse.

– Le ministre de France avait donné rendez-vous à tous nos compatriotes dans les salons de l'agence, comme il le fait quatre fois par an. Oui, quatre fois par an, à Noël, Pâques, Toussaint et Pentecôte. Même des francs-maçons se font un devoir de venir. Voyez-vous, loin de la mère patrie, la querelle entre catholiques et laïques n'a aucun sens. La République a-t-elle meilleur drapeau en Égypte que les collèges et pensionnats religieux dont nous parlions tout à l'heure ?

Les Popinot poursuivirent à deux voix le récit de la grand-messe :

– Devant la porte du consulat stationnait une longue file de voitures. Le ministre de France est monté dans la première, et le cortège s'est ébranlé.

– Vous auriez vu la tête d'un groupe de touristes anglais en nous voyant défiler ! Les habitants du quartier arabe, eux, ont l'habitude…

– Le ministre est entré à l'église latine du Mouski précédé de huit *cawass* portant des pantalons bleus bouffants et de petits gilets dorés.

– Ils ont frappé les dalles avec leurs cannes à pommeau d'argent ! C'était charmant.

– Les deux députés de la nation entouraient le ministre. On lui a apporté l'évangile et le crucifix à baiser.

– Deux heures de messe chantée, c'est quand même un peu long ! fit Solange.

– Oui, ma chère, mais quelle émotion en entendant par trois fois, sur cette terre d'Égypte, le *Domine salvam fac rem publicam gallorum* scandé par toute la petite phalange française !

Les Popinot recevaient beaucoup. Ils invitèrent le couple à une soirée chez eux le lundi suivant. Milo, très flatté de pouvoir fréquenter des Français, accepta volontiers.

– Tu aurais pu me demander mon avis ! lui dit Doris quand ils furent partis.

Mais elle était elle-même séduite par ce couple très libre qui, brusquement, élargissait son univers.

# 14

Les Popinot occupaient un appartement cossu de la rue Manakh, en face du Club khédivial. Des domestiques grisonnants y accueillaient les invités avec des sourires affectueux et quelques mots de français. Ils appartenaient à cette race de serviteurs exceptionnellement dévoués que les Français du Caire semblaient se léguer les uns aux autres depuis des générations.

La décoration des pièces de réception était à l'image des propriétaires. L'aisance de Norbert se lisait à travers les tapis épais et les meubles de bois précieux, tandis que la profusion de bibelots portait la marque d'une Solange fantasque, avide de nouveautés.

Cette réception chez les Popinot, dont Milo attendait beaucoup, ne lui valut que des déceptions. Personne ne le regardait. Habitué à des auditoires attentifs qui buvaient ses paroles et riaient à toutes ses sorties, il se sentait totalement ignoré. Norbert et Solange avaient pourtant pris soin de présenter le couple à chacun de leurs autres invités, précisant qu'Émile Touta était photographe. Mais cela tombait dans le vide.

– Ah, vous êtes photographe ? lançaient des Français élégants en le dévisageant de la tête aux pieds. Nous sommes clients de Jacquemart.

Milo était alors obligé de dire une banalité sur son illustre collègue, avec un compliment qui lui arrachait la bouche. Ses interlocuteurs l'écoutaient à peine puis se détournaient vers d'autres convives, comme pour poursuivre une conversation interrompue la veille au cours d'une autre réception. Seul un vieux professeur de l'École française de droit s'attarda avec lui, après avoir appris qu'il appartenait à la communauté grecque-catholique. Ce monsieur s'intéressait beaucoup à l'histoire des patriarcats orientaux. Il posa plusieurs questions sur les origines de l'Église melkite, auxquelles Milo était bien incapable de répondre et qui ne l'intéressaient d'ailleurs nullement. A trois reprises, le fournisseur des consulats essaya de détourner la conversation, rappelant au passage qu'il était photographe, mais l'universitaire à monocle, que certaines dispositions du firman impérial de 1848 intriguaient, voulait savoir pourquoi le chapeau des prêtres grecs-catholiques avait eu pendant longtemps une forme hexagonale alors que celui des prêtres grecs-orthodoxes était parfaitement rond.

– Les grecs-catholiques ont toujours été plus élégants que les grecs-orthodoxes, expliqua Milo.

Le vieux juriste le regarda de travers, puis s'éloigna en hochant la tête.

Quoique très entourée, Doris se sentait étrangère à ce petit monde. Sans doute était-elle encore trop jeune et trop inexpérimentée pour y trouver quelque intérêt. Un Français d'une quarantaine d'années, qui l'observait avec insistance de l'autre bout du salon, s'approcha, se présenta, la complimenta sur sa toilette et lui demanda si elle avait des enfants. Elle répondit :

– Oui, et vous ?

Peu après, un jeune blond aux cheveux frisés tenta de l'entraîner dans une conversation équivoque sur la nudité des danseuses orientales. Elle lui fit comprendre assez sèchement que le sujet ne l'intéressait pas et sortit faire quelques pas, seule, sur la véranda.

– J'aimerais rentrer, dit-elle à Milo au bout d'un moment.

Cela l'arrangeait plutôt. Il alla s'excuser auprès des Popinot, prétextant que sa femme était fatiguée. Désolés, Norbert et Solange les raccompagnèrent jusqu'au palier, se promettant de leur faire signe de nouveau, à la première occasion.

– Mon cocher va vous raccompagner, dit le Français. Si, si, je vous assure. Il ne faut pas que Mme Touta prenne froid.

Monté dans la voiture, Milo regretta d'être parti si vite. Ne venait-il pas de perdre une occasion rêvée de se faire connaître et d'élargir sa clientèle ? Il se dit qu'il aurait dû laisser parler sa nature, se montrer plus audacieux, critiquer Jacquemart, le démolir même... De retour chez lui, il fut d'une humeur massacrante pendant le reste de la soirée.

– Tu ne me regardes même pas ! dit Doris avec une moue provocante.

Assise à sa table de toilette, elle était vêtue d'une chemise de nuit en dentelle, très décolletée, qui cachait à peine ses seins. Milo la vit dans la glace et son visage aussitôt se détendit. Il s'approcha lentement d'elle, posa ses deux mains sur son corsage et se pencha pour l'embrasser dans le cou en murmurant :

– Il ne faut pas que Mme Touta prenne froid.

Un long frisson traversa Doris. Dans la glace, elle regardait les mains de Milo la caresser. De temps en temps, elle fermait les yeux, et son visage se crispait. Le plaisir l'inonda une première fois avant même qu'il l'eût portée jusqu'au lit.

# 15

Nous nous réveillâmes plus tard que d'habitude. La bonne s'était déjà occupée de Nelly, et Bolbol avait ouvert le magasin. On entendait des éclats de voix dans le hall : c'était Oscar Touta qui venait faire sa photo. Milo s'habilla rapidement et descendit :

« Voilà, voilà, mon oncle !

– Qu'est-ce que ça veut dire ? fit le sexagénaire d'un air furieux, en le voyant apparaître dans l'escalier en colimaçon. Tu ne travailles pas le mardi maintenant ? »

Quand je descendis à mon tour, vingt minutes plus tard, Oscar Touta venait de sortir précipitamment du magasin en claquant la porte. Une fois de plus, il n'avait pas supporté le regard de l'objectif photographique.

« Pourquoi inclines-tu l'appareil ? avait-il lancé à Milo d'une voix inquiète.

– Mais pour ajuster le cadrage, mon oncle.

– Ah, tu veux ajuster le cadrage ! Si tu t'imagines que je vais me faire avoir aussi facilement… »

La porte du magasin tremblait encore. Milo sourit en hochant la tête puis entonna joyeusement une *Traviata* à briser les vitres.

Me retenant depuis deux jours, je jugeai le moment favorable pour glisser ma demande : « Tu cherchais un cadeau pour mon anniversaire. J'ai une idée… » Et, après un instant d'embarras : « J'aimerais avoir un buste en plâtre. » Milo ouvrit des yeux ronds. « Oui, un buste en plâtre pour m'entraîner à photographier. »

Il faillit se fâcher. Ne venait-il pas de faire une folie, que j'ignorais, achetant en secret des boucles d'oreilles serties de diamants ? Alfred Falaki, le bijoutier, avait accepté d'être payé en trois fois, sans intérêt. Mais, pour régler la première échéance, Milo s'était séparé d'une montre léguée par son père, et il ne savait pas très bien comment il s'acquitterait des suivantes.

Un buste en plâtre ? Qu'était-ce encore cette fantaisie, certainement inspirée par la revue à laquelle il avait eu la faiblesse de m'abonner ? « Même moi, un professionnel, dit-il d'un ton docte, je n'ai pas eu besoin d'un buste en plâtre pour apprendre mon métier ! Ni d'un buste ni d'ailleurs d'une revue ! »

Il ne comprenait pas que je puisse dépenser tant d'énergie à un passe-temps. Avec quelles précautions n'installais-je pas l'appareil de campagne sur la petite terrasse pour prendre des vues du Caire ! Mais, tout compte fait, il préférait me voir me distraire de la sorte plutôt que de polémiquer avec lui sur les mérites comparés de la peinture et de la photographie.

C'était un sujet auquel je réfléchissais seule désormais, à partir de mes lectures et de mes expérimentations. « Un même paysage, photographié par deux personnes différentes, donne lieu à deux clichés sans rapport entre eux », constatait *L'Amateur photographe.* J'étais persuadée maintenant que cette différence tenait moins à la technique qu'à la sensibilité de chacun.

« La photographie, disais-je à Lita Tiomji, ne se contente pas d'enregistrer le monde : elle l'embellit et le déchiffre en quelque sorte. » Mon amie continuait à s'éventer, sans répondre. Sans doute n'avait-elle aucune idée sur la question.

Comme le conseillait la revue, je m'étais fait un carnet de pose sur lequel je notais scrupuleusement la date et l'heure de chaque prise de vue, l'état de l'éclairage, le temps d'exposition, la nature de la plaque utilisée… Suivait une observation du genre : « Trop posé, un peu gris », ou « Heurté, à refaire sur isochrono ». Cela amusait particulièrement Milo : « Mes sœurs et mes belles-sœurs ont un carnet de cuisine. Au moins ça leur sert à quelque chose ! »

Je devais me rappeler continuellement que la photographie n'était pas la peinture. Plus d'une fois, j'avais été trompée par les couleurs, m'extasiant sur le vert d'un palmier ou l'orange d'un coucher de soleil, qui ne donnerait rien au développement. J'apprenais peu à peu à voir la nature en noir et blanc, avec ses lumières et ses ombres, à la manière d'un dessin.

Maintenant, je brûlais de m'initier au portrait. Dans *L'Amateur photographe*, un membre éminent du Photo-Club de Paris expliquait combien un visage pouvait être modifié par un emploi judicieux de l'éclairage. Il suggérait de s'entraîner sur un buste en plâtre, qui avait l'avantage de ne jamais changer d'expression : cela permettait ensuite de comparer exactement le résultat des différentes prises de vue.

Aurais-je moins souffert, adolescente, si au lieu de poser pour un peintre, j'avais posé pour un photographe ?

Seize ans, mon premier bal. C'est un jeune homme boutonneux, dont je ne me souviens même plus du nom, qui allait me délivrer de mon calvaire. « Vous avez le plus beau sourire que je connaisse ! » s'exclama-t-il. « Ne vous moquez pas de moi ! » répliquai-je avec fureur. La stupéfaction qui se lut sur son visage valait tous les serments. Je courus dans les vestiaires me regarder dans une glace. Ma bouche n'était égale à aucune autre. Je l'effleurai du bout des doigts avec une sorte de tendresse. Elle me parut vivante, vibrante, sensuelle. Je décidai que j'étais belle. Et, désormais, je me verrais ainsi dans le regard de tous les hommes. Plus tard, Milo ne ferait que confirmer ce sentiment chaque fois qu'il poserait les yeux sur moi, me caresserait du revers de la main ou m'embrasserait à pleine bouche. « Je suis suspendu à tes lèvres », me dit-il un jour, sans avoir l'impression de jouer sur les mots.

Le jour de mon anniversaire, il me tendit un paquet, presque en s'excusant : « J'avais déjà acheté ces boucles d'oreilles... » Il me faisait donc deux cadeaux. Je ne pus retenir mes larmes.

Ce furent des semaines grisantes, au cours desquelles je ne cessais de m'entraîner sur le buste en plâtre. Je me précipitais au salon de pose tôt le matin, avant l'heure d'ouverture, et hissais mon modèle, baptisé Apollon, sur un haut tabouret.

Je l'observais sous tous les angles, à travers l'objectif, inclinant la chambre noire, l'éloignant ou la rapprochant. De très près, Apollon avait une grande bouche et des yeux écartés ; de loin, c'était le contraire. Et, selon l'inclinaison de l'appareil, la figure ressemblait tantôt à une toupie, tantôt à une poire. D'autres fois, c'était le buste lui-même que j'inclinais, à l'aide d'une cale. Vu d'en haut, le nez s'allongeait ; vu d'en bas, il s'estompait, mais les narines apparaissaient alors de manière désagréable... « Je n'ai pas un Apollon mais vingt ! » disais-je avec enthousiasme.

J'en découvrirais vingt autres en jouant avec la lumière. Il suffisait de doser l'éclairage principal grâce aux rideaux de la verrière, et l'éclairage secondaire renvoyé par les réflecteurs. Je savais désormais souligner telle partie du buste, effacer telle autre, donner du relief... « La lumière peut tout faire, répétais-je. La lumière est magicienne. »

En regardant Milo opérer, j'avais souvent été frappée par un paradoxe. D'un côté, on pétrifiait le modèle, on le réduisait à l'état de cadavre. Mais, de l'autre, on s'évertuait à « faire vivant », en lui imposant un sourire et en installant un décor trompeur. L'Apollon de plâtre, soigneusement éclairé et posé devant un simple fond uni, était bien plus animé qu'un client statufié de mon mari sur fond de mer déchaînée !

« Je suis prête, lançai-je un samedi matin.

– Prête à quoi ? » demanda Milo, qui finissait de se raser avec sa grande lame, le visage encore plein de mousse.

« Prête à faire des portraits. Accepterais-tu de poser pour moi dès que tu te seras séché ?

– Mais je ne suis pas habillé !

– Ça ira très bien comme ça, je t'assure. »

Il me regarda avec amusement : « J'imagine que tu vas me photographier comme un singe, sur fond de forêt ?

– Non, ni forêt ni autre décor. Le rideau gris suffira.

– Je te remercie ! »

Quand il fut assis sur le siège à arabesques, je dégrafai les deux premiers boutons de sa chemise. Il s'amusait de plus en plus. Pendant la prise de vue, il eut du mal à se concentrer mais cela ne me gênait guère. Il fut stupéfait de me voir appuyer sur la poire une première fois, puis une deuxième, alors qu'il n'avait pas pris la pose.

« C'est un drôle de portrait que tu m'as fait, parole d'honneur ! On recommence ?

– Non, ce n'est pas nécessaire. »

Il hocha la tête d'un air perplexe.

Je tins à développer moi-même cette photo. Je passai une demi-journée dans le cabinet noir, ne m'interrompant que pour aller donner la tétée à Nelly ou vérifier que la bonne s'en occupait bien. J'eus une grosse émotion après le lavage du premier négatif en constatant que le cliché était voilé. La pose aurait-elle duré trop longtemps ? J'ajoutai, en tremblant, un peu d'hydroquinone dans la cuvette. Dieu merci, la plaque suivante ne se voilait plus.

Très émue, je vis se dessiner peu à peu le visage de Milo. Les blancs et les noirs se détachaient très bien. Seul le col de chemise penchait exagérément d'un côté. Il était tentant de retoucher le cliché, mais je décidai de le garder tel quel.

Mon mari réagit comme la plupart des clients : il se jugea laid, alors que je le trouvais splendide. « J'aurais dû te retoucher le nez, dis-je en riant. Te fabriquer un nez en trompette, avec un peu de mousse au bout. J'aurais pu aussi mettre du rouge sur tes joues, pour faire tout à fait clown… et doubler le prix. »

# 16

Le coloriage des portraits intéressait de moins en moins Doris.

– J'ai l'impression de maquiller des morts, disait-elle.

Par *L'Amateur photographe,* elle savait que cette technique bâtarde passait de mode en Europe, où des pionniers tentaient de mettre au point une véritable photographie en couleurs. Mais les comptes du magasin étaient trop serrés pour supporter une diminution des recettes. Elle continuait donc, sans enthousiasme, à jouer du pinceau dans le cagibi, avec une dextérité croissante. Elle s'activait ainsi au pupitre des retouches, un matin de février 1894, quand la porte du magasin s'ébranla avec son bruit habituel de casseroles.

– C'est pour un portrait, dit en arabe le jeune homme qui venait d'entrer.

Bolbol éclata de rire. Mais Doris se montra aussitôt.

– Vous faites bien des portraits ? demanda le visiteur, en français cette fois.

– Oui, bien sûr. Mon mari s'est absenté pour une course au Bazar oriental, mais il ne va pas tarder. Je pourrais peut-être déjà noter votre nom et votre adresse.

– Je m'appelle Seif Abdel Latif, j'habite boulevard Clot-bey, n° 42, répondit le jeune homme d'une voix grave.

Visiblement, la vue de Doris l'avait troublé. C'était un garçon maigre, d'une vingtaine d'années, dont une fine moustache ne parvenait pas à vieillir le visage d'enfant. Mais son regard perçant avait quelque chose de dur, presque gênant.

– Quel genre de portrait voudriez-vous ? demanda-t-elle.

– Le plus simple, le plus rapide. C'est pour une formalité administrative.

Elle aurait pu s'en charger elle-même, mais Milo se serait sans doute fâché. Et qu'aurait dit ce jeune homme musulman, à l'air si sévère, en voyant une femme opérer ?

Tandis que Bolbol transportait des seaux d'eau à l'arrière du magasin, elle tenta d'engager la conversation avec le visiteur. Il était étudiant à l'École de droit.

– C'est bien votre école qui a reçu le khédive ? demanda-t-elle pour dire quelque chose.

Le visage de Seif Abdel Latif s'éclaira :

– Oui, nous avons été les premiers à recevoir Abbas après son accession au trône il y a deux ans. Nous lui avons lu un poème. Un très beau poème. Mais après ce qui vient de se passer avec les Anglais, la poésie ne peut suffire !

Il semblait bouillir intérieurement. Doris avait entendu parler, comme tout le monde, du tumultueux voyage du khédive en Haute-Égypte, mais elle n'était guère tentée de s'engager sur ce sujet. Milo arriva à point, avec son sourire, ses grands gestes, ses longues phrases, les derniers potins qui se colportaient sur le gouvernement au Bazar oriental… Au bout de quelques minutes, il dirigeait activement la conversation.

– Je peux vous raconter exactement ce qui s'est passé en Haute-Égypte, dit-il au jeune homme. Je le tiens d'excellente source.

Seif fronça les sourcils, prêt à lui opposer immédiatement sa propre version des faits. Mais Milo était déjà lancé :

– Jusqu'à Assouan, le khédive a fait un voyage triomphal…

– Je sais.

– Tout le long du parcours, les gares étaient pavoisées, avec des foules massées sur les quais. Des cavaliers, sur de magnifiques montures, galopaient à côté du train et rivalisaient de vitesse avec lui.

– Je sais tout ça, fit le jeune homme, impatient d'entrer dans le vif du sujet.

Milo prit un air mystérieux :

– Il y a d'abord eu un incident à Assouan dont personne n'a parlé. C'était au cours de la visite de l'hôpital…

– Je sais.

– Le khédive a critiqué la prononciation arabe de l'interprète et a jugé incompétent l'officier britannique en charge de cet établissement.

– Il a eu raison de le faire !

– Sans doute, dit Milo, toujours prêt à donner raison au client. En tout cas, c'est à Ouadi Halfa que la crise a éclaté, au moment où le khédive passait en revue un bataillon. « Ces troupes sont dans un état honteux », a-t-il dit. Et, se tournant vers le général en chef de l'armée égyptienne, il a ajouté : « Pour dire la vérité, Kitchener pacha, je considère qu'il est honteux pour l'Égypte d'être servie par une telle armée. »

– Parfaitement !

– C'est alors que le général Kitchener a présenté sa démission.

L'étudiant se dressa d'un bond :

– Pouvez-vous m'expliquer pourquoi les Anglais ont fait de ce modeste incident une affaire d'État ? Moi, je le sais : c'était uniquement pour humilier le khédive.

– Vous n'avez pas tort, dit Milo. Lord Cromer a sauté sur l'occasion. C'était le prétexte qu'il attendait depuis des mois pour faire payer au khédive la crise gouvernementale de l'année dernière, et sans doute pour lui montrer sa force. Tandis que Kitchener reprenait sa démission, Abbas a été obligé de féliciter par écrit les commandants de l'armée égyptienne pour la bonne tenue de leurs troupes.

Seif était indigné :

– C'est incroyable ! Le khédive a présenté des excuses à sa propre armée ! Jamais il n'aurait dû céder.

– Mais il était menacé de déposition…

– Je peux vous dire, en tout cas, que cette affaire a révolté tous les patriotes et qu'elle ne restera pas sans suite.

Le ton menaçant du jeune homme frappa Doris, qui rangeait des factures derrière le comptoir en les écoutant.

– Peut-être pourrions-nous passer à l'atelier de pose, dit le fournisseur des consulats. C'est par là.

Quand ils en sortirent, vingt minutes plus tard, Doris bavardait avec Norbert Popinot, de passage au magasin. Le négociant, tiré à quatre épingles, portait un costume sombre et un petit chapeau rond. Milo présenta ses deux clients l'un à l'autre.

– Ah, vous êtes français ! lança Seif.

Et, sans autre préambule :

– Je ne comprends pas pourquoi la France n'a pas soutenu le khédive dans le conflit qui vient de l'opposer à Cromer.

Norbert Popinot n'était pas homme à se troubler. Tout sourire, il répondit de sa voix suave :

– Mais c'est précisément pour aider l'Égypte, cher monsieur ! Notre consul l'expliquait très bien l'autre soir à une réception. Il ne faut pas, disait-il, que l'attitude de Son Altesse serve de prétexte à l'Angleterre pour qu'elle augmente son contrôle sur l'Égypte. Rappelez-vous la crise gouvernementale de l'an dernier : Lord Cromer en avait profité pour faire venir un bataillon britannique supplémentaire.

Seif haussa les épaules d'un air dédaigneux. On le sentait prêt à dire des choses désagréables. Pour détendre l'atmosphère, Milo parla d'un nouvel appareil, inventé par un Américain, qui serait bientôt présenté au Caire :

– C'est un phonographe à pédale. On dirait une machine à coudre. Il paraît qu'on peut y entendre un solo de cornet à pistons…

Le sujet n'intéressait nullement l'étudiant. Il prit congé, en faisant savoir qu'il viendrait retirer ses photos deux jours plus tard.

Le surlendemain, Milo affichait un air désolé : une erreur de manipulation lors du développement avait rendu les clichés inutilisables. Cela n'arrivait quasiment jamais. C'était vraiment de la malchance !

– Nous allons refaire les photos, dit-il à Seif. Et vous n'aurez rien à payer : la maison vous les offre, avec ses excuses.

L'étudiant était furieux, n'ayant pas de temps à perdre dans des séances de pose. Mais il ne put résister à la voix charmeuse de Milo, qui avait déjà commandé deux cafés à Bolbol et introduisait son visiteur dans l'atelier.

– Prenez place, ce ne sera pas long. Savez-vous qu'en Europe les studios de photographie sont tous installés au dernier étage des maisons ? Mais oui, pour la lumière. Nous, nous en aurions plutôt trop !

Seif ne releva pas.

– Votre ami français a de curieux arguments, lança-t-il au bout de quelques instants. Si la politique de la France en Égypte se réduit à ménager les Anglais en espérant qu'ils ne se comporteront pas plus mal…

– Oui, bien sûr, dit Milo, mais vous devriez poursuivre cette conversation avec Norbert Popinot. C'est un homme très agréable. Et qui a beaucoup de relations dans la colonie française.

En disant cela, il ne pensait pas à Seif mais à Popinot lui-même : il s'était rendu compte l'avant-veille que le Français avait regretté de ne pouvoir parler plus longtemps avec ce jeune homme révolté, pour pouvoir le convaincre des bonnes intentions de son pays.

– Oui, insista-t-il, vous devriez rencontrer Popinot. Tenez… Il sera chez moi mercredi soir avec son épouse. Pourquoi ne viendriez-vous pas aussi ? Ce sera une soirée à la bonne franquette.

– Je ne sors pas, répondit Seif d'une voix coupante. Je n'aime pas ça. D'ailleurs, je dois préparer mon examen final pour le diplôme.

– Relevez un peu les yeux, s'il vous plaît. Un peu plus. C'est parfait. Attention, ne bougeons plus !

Quand ils furent ressortis de l'atelier, Milo lui lança :

– Le diplôme, avant tout ! Mais vous n'êtes pas obligé de passer toute la soirée avec nous. Venez une demi-heure, par exemple. Et, comme ça, je vous remettrai vos photos, ce qui vous évitera un autre déplacement. On accède à l'appartement par le magasin. Frappez à l'heure qui vous conviendra.

Arrivé vers neuf heures du soir, en même temps que les Tiomji, Seif resta jusqu'à minuit. Il refusa sèchement de goûter au muscadet frais apporté par Popinot : ne buvant que de l'eau et du jus de fruit, ce musulman était aussi strict dans l'observance des règles religieuses que dans ses idées politiques. Mais, sans doute fasciné par Doris, il se laissa plus d'une fois emporter par l'ambiance très gaie de la soirée, animée par un Milo au meilleur de sa forme. Solange, que les discussions politiques trop longues ennuyaient, ne manquaît pas de les interrompre par quelques accords au piano.

Sans le vouloir, Richard Tiomji fit pleurer de rire l'assistance en racontant ses démêlés avec les autruches :

– Au début, j'avais cru bien faire en leur construisant des abris. Mais, au moindre mouvement des gardiens, ces idiotes prenaient peur et se lançaient dans des courses folles. Elles allaient se jeter, tête baissée, contre les murets. C'était une hécatombe, Dieu les emporte ! Je me disais que j'aurais mieux fait d'élever des ânes... Il a fallu supprimer d'urgence les abris et abattre tous les arbres. Ces garces ont été regroupées dans de petits enclos, par groupes de quinze ou vingt, pour les empêcher de prendre leur élan.

Quelqu'un demanda à Richard s'il était vrai que les autruches, lorsqu'elles se sentaient cernées par les chasseurs, cachaient leur tête dans le sable pour ne pas voir le danger. Seif lança alors de sa voix grave :

– Je regrette que la France fasse en Égypte la politique de l'autruche.

– Elle est très bonne ! Elle est très bonne ! s'écria Norbert Popinot, beau joueur, après une seconde d'hésitation.

# 17

Le succès de cette réunion incita Milo à instituer les soirées du mercredi. Une douzaine de convives, parfois davantage, se retrouvaient ainsi chaque semaine au-dessus du magasin. Ce n'étaient pas des dîners proprement dits : Doris faisait préparer des *mezzés* et Popinot apportait la boisson. Entre deux discussions passionnées sur les mérites et les méfaits de l'occupation anglaise, on jouait aux charades ou aux anagrammes. Il se trouvait toujours quelqu'un pour déclamer un poème ou pousser la chansonnette. Au piano, sous les mains légères de Solange Popinot, les arpèges s'enchaînaient avec brio, emplissant la pièce d'une liberté joyeuse. Et quand Milo entonnait *La Traviata* ou *Rigoletto*, la pianiste poussait des cris de protestation entrecoupés de rires, en l'accusant de lui déchirer les tympans.

Émile Touta était très fier de fréquenter des Français. A Hélouan, il citait souvent le négociant, qu'il appelait « Norbert », ce qui ne manquait pas d'impressionner la famille. Cette relation le rassurait, comme si l'impunité dont jouissait l'Européen rejaillissait un peu sur lui. Il admirait cet homme dont les affaires étaient en ordre et les rentes régulières. Ayant tiré le diable par la queue pendant des années, le fournisseur des consulats commençait à entrevoir le bout du tunnel. Le simple fait de recevoir un Popinot lui donnait l'impression de rejoindre la tribu des privilégiés.

Solange ajoutait à tout cela une touche de modernisme et d'audace. Avec ses robes provocantes, son rire sonore et son langage très libre, la Française incarnait un Paris de rêve. Milo n'était pas insensible à son charme. Quant à Doris, elle tirait bénéfice de la présence de cette femme sans enfants, hors normes, dont la situation un peu particulière lui permettait de passer elle-même plus inaperçue. Solange allait d'ailleurs lui rendre un fier service au cours des mois suivants.

Si Doris aimait bien le portrait de Milo, elle en découvrait les défauts au fur et à mesure de ses lectures, dans *L'Amateur photographe* ou dans un nouveau manuel commandé à Paris. La ligne des épaules aurait dû être horizontale. Quant à l'oreille gauche, elle faisait saillie de manière un peu disgracieuse ; il aurait fallu la laisser dans l'ombre.

Pour progresser, la jeune femme devait multiplier les prises de vue, avec d'autres modèles. Son amie Lita Tiomji aurait posé volontiers, mais Richard était horriblement jaloux et ne supportait pas l'idée que l'image de son épouse puisse tomber sous d'autres yeux que les siens.

– Il m'aime trop, chérie...

Doris songea alors à Solange Popinot, qui l'avait déjà reçue deux fois dans son appartement de la rue Manakh. Elle n'était pas très à l'aise avec la Française qu'elle trouvait aguicheuse, la soupçonnant de tourner autour des hommes, et particulièrement de Milo. Mais, parmi les personnes qu'elle côtoyait, c'était la plus disponible. Après quelque hésitation, elle se résolut à la solliciter. Solange, avide de sensations nouvelles, accepta volontiers, tout émoustillée à l'idée de servir de modèle.

Dans l'atelier de pose, Doris recouvrit le décor du fond d'une toile unie : seule comptait la personne à photographier. Elle fit asseoir la Française sur un siège simple, sans dossier, alors que Milo semblait vouloir reproduire chaque maille du fauteuil à arabesques. C'était aussi une manière de renoncer au fixe-tête, dont elle avait constaté qu'il enlevait toute expression au modèle. Le risque était évidemment de faire des clichés un peu flous, mais cela ne la gênait pas.

Le lendemain, Solange se présenta avec un décolleté audacieux.

– J'ai envie de vous faire essayer l'ottomane, lui dit la jeune femme.

La Française s'y lova à la manière d'une chatte. Doris fit plusieurs clichés, sans jamais prononcer le fatidique « Ne bougeons plus ! ».

– J'ai apporté un boa de plumes, dit Solange. Si vous voulez que je le jette sur mes épaules…

– Pourquoi pas ? Mais asseyez-vous peut-être sur le fauteuil.

Cette deuxième série de clichés dura une bonne vingtaine de minutes.

– Et si vous vous mettiez debout maintenant ? demanda Doris.

Tout en manipulant l'appareil, elle bavarda avec l'épouse de Popinot, parlant des premières dents de Nelly, du nouveau rayon de bonneterie au Bazar oriental, de la prochaine kermesse à Hélouan…

– Excusez-moi, dit-elle, la préparation risque de demander quelque temps.

Solange avait laissé tomber son boa, dans l'attente de la fin des préparatifs. Les épaules nues, elle avait une main posée entre les seins, donnant l'impression de retenir sa robe pour l'empêcher de glisser. C'est alors que Doris prit sa photo.

Dans le cabinet noir, observant en détail le portrait en pied de Solange Popinot, elle lui trouva quelques imperfections. N'aurait-elle pas dû atténuer l'intensité de l'éclairement vertical ? Heureusement, la Française baissait un peu la tête, ce qui évitait à la lumière de trop marquer le front et l'arête du nez. De toute manière, ce portrait frappait surtout par la pose du modèle, ou plutôt son absence de pose. C'était son caractère spontané qui en faisait l'originalité.

Milo eut un choc en voyant cette photo audacieuse, où Solange semblait cacher sa nudité. Il la jugea peu présentable, sans réussir pour autant à la quitter des yeux. Doris n'était pas de son avis et décida de ne montrer que ce tirage-là à l'intéressée.

Solange, ravie, fit encadrer le portrait qu'elle plaça au milieu de son salon. Comme les Popinot fréquentaient beaucoup, une bonne partie de la colonie française du Caire en eut connaissance.

– Qui vous a si bien réussie, ma chère ? lui demandait-on. Je ne vois pas la signature de Jacquemart.

Elle répondait « le studio Touta, place de l'Ezbékieh », sans citer Doris. Peut-être par coquetterie féminine, pour suggérer qu'elle avait séduit l'œil d'un homme. Ou alors par souci de mieux faire de la réclame au fournisseur des consulats. Toujours est-il que Milo se constitua une petite clientèle française dans les mois qui suivirent. Parmi ses nouvelles recrues, il citait avec fierté le bibliothécaire de l'Institut d'archéologie et l'épouse du propriétaire de la pâtisserie Mathieu.

La porte du magasin tintait plus souvent. Certains jours, entre les prises de vue et le développement, Milo n'avait même plus le temps d'aller passer une heure ou deux au café pour jouer au trictrac. Il s'en plaignait.

Un soir, Doris suggéra :

– Je pourrais peut-être photographier en ton absence…

– Pourquoi pas ? fit-il après un instant de réflexion. Ce serait amusant.

Elle sauta à son cou.

Désormais, elle passa plus de temps au magasin qu'à l'étage du dessus, développant elle-même ses clichés. Milo s'en félicitait. Il avait trouvé une collaboratrice efficace, passionnée par son métier, qui attirait les clients. Lui-même gagnait davantage au trictrac, comme si le fait d'avoir l'esprit plus libre donnait de la vigueur à son coup de dés.

Doris prenait soin de demander conseil à son mari le plus souvent possible. Elle le sollicitait pour toute prise de vue un peu particulière ou toute difficulté dans le développement. Il se prononçait d'un ton catégorique, pas toujours à bon escient, puis n'y pensait plus. Elle n'était pas obligée de le suivre. Peu à peu, elle apprit à s'en tenir à sa propre inspiration, quitte à commettre des erreurs qu'elle éviterait par la suite.

Sur l'air de *Carmen*, Milo chantait « l'amatrice photographe ». Doris était heureuse de vivre, et très amoureuse. Il leur arrivait de s'embrasser longuement dans l'atelier de pose après le départ d'un client. Une fois même, alors que Bolbol était absent, ils firent l'amour sur des coussins, au pied de l'ottomane, sans se soucier du monstre à l'œil cyclopéen qui les fixait.

# 18

Les comptes du magasin commençaient à prendre une tournure convenable. N'ayant plus de réels soucis financiers, Milo était au mieux de sa forme. Au cours des réunions familiales à Hélouan, il se surpassait, retenant toujours l'attention de l'auditoire par ses révélations, ses commentaires, ses prophéties audacieuses. Le voyage du khédive à Constantinople, au cours de l'été 1894, fut l'un de ses morceaux de bravoure. Tout le monde l'écoutait avec ravissement.

– Les Anglais ont tenté de dissuader le khédive d'aller rendre visite pour la seconde fois au sultan. Mais Abbas cherche justement à s'appuyer sur son suzerain pour contrer l'Angleterre. Il avait d'ailleurs beaucoup apprécié son premier voyage à Constantinople l'année dernière. Le sultan l'y avait accueilli comme un fils, le couvrant de cadeaux et de décorations.

– Le sultan peut se fendre de quelques médailles ! remarqua le bijoutier Alfred Falaki. L'Égypte paie chaque année un tribut de 750 000 livres turques à la Sublime Porte.

– Eh bien justement, cet été, le khédive avait oublié ses médailles au Caire ! Voilà pourquoi il fut si fraîchement accueilli au palais de Yildiz lors du premier grand dîner donné en son honneur. C'était tout juste si le sultan le regardait. Peu à peu, le climat se détendit et, au cours des dîners suivants, Abdel Hamid le fit asseoir à sa droite.

– Mais c'est la place du grand vizir !

– Eh bien, justement, le grand vizir s'arrangeait pour n'être pas là... A table, chaque fois que le sultan s'adressait à lui, le khédive se levait et faisait un profond salut.

En écoutant Milo, on n'était plus dans la salle à manger de Nonna à Hélouan, mais dans celle du sultan à Yildiz, sous le regard sévère de colosses en uniforme doré avec un grand soleil sur la poitrine.

– Le sultan avait permis à Abbas de fumer en sa présence. Cependant, chaque fois que le khédive essayait de parler politique, le commandeur des croyants détournait la conversation.

Milo racontait avec autant de détails le tremblement de terre qui avait secoué Constantinople pendant ce voyage :

– Il devait être un peu plus de midi, puisque les muezzins appelaient à la prière du haut de leur minaret. Abbas déjeunait avec une dizaine de personnes de son entourage quand une forte secousse fit tomber le grand lustre. Il y eut quelques blessés. Le khédive, qui n'avait jamais connu de séisme, fut pris de panique. Il descendit dans le jardin par une échelle et rejoignit le sultan qui s'était lui-même réfugié au milieu du parc. Pendant ce temps, en ville, les minarets oscillaient, se tordaient. Certains s'écroulaient, emportant avec eux les muezzins. Des milliers de personnes fuyaient le bazar...

Quel voyage ! Et ce n'était pas fini. Milo gardait pour la bonne bouche le sujet qui intéressait le plus l'assistance : les amours du khédive. Il en donnait deux versions : l'une, expurgée, destinée aux femmes et aux enfants ; l'autre, très complète, dont les hommes se délecteraient dans le fumoir, au moment du café.

– La mère d'Abbas voulait absolument le marier à une princesse impériale. Elle l'avait devancé à Constantinople et, pendant des semaines, dépensait une grande énergie dans ce sens. Elle manœuvra si bien que, dans un geste de bienveillance, le sultan finit par offrir à Abbas l'une de ses propres filles. Au comble du bonheur, la khédiva mère ordonna trois jours de festivités. Mais Abbas ne partageait pas du tout son enthousiasme : il était amoureux d'une belle esclave circassienne, Ikbal, de dix ans plus âgée que lui.

Milo marquait une pause pour laisser à l'auditoire le temps de souffler.

– C'est alors que le grand vizir alla voir le sultan. « Majesté, lui dit-il, Allah tout puissant voudra certainement permettre à Votre fille bien-aimée d'avoir un fils. Qu'adviendra-t-il alors ? Les Anglais ne seront-ils pas tentés de proclamer cet enfant chef des croyants à Votre place ? » Le sultan réalisa qu'il allait commettre une grosse imprudence. Un peu gêné, il fit savoir à Abbas que le mariage était remis en question. Ce dernier, fou de joie, courut l'annoncer à sa belle esclave.

– Et la khédiva mère ?

– Elle était dans tous ses états.

– Je la comprends, fit Nonna.

Mais tous les enfants étaient pour la belle Ikbal, qui allait donner une fille au khédive quelques mois plus tard, puis se faire épouser par lui.

– Moi, à la place du khédive, j'aurais tout de suite épousé Ikbal, sans attendre que le sultan me refuse sa fille, dit Doris.

– Et sa pauvre mère ? s'exclama l'épouse d'Albert, en se tournant vers Nonna pour obtenir son approbation.

Les autres belles-sœurs enchaînèrent sur le même ton, s'étonnant que l'on puisse mépriser ainsi les conseils maternels.

Mais Nonna agita le glaçon de son verre d'arak en marmonnant :

– Après tout, le jeune khédive avait peut-être raison.

Doris savoura discrètement sa victoire. Elle se savait très mal vue de ses belles-sœurs, surtout depuis que ces dames avaient eu vent de son activité photographique. L'une d'elles – l'épouse de René – ne s'était pas privée d'aller dire à Milo tout le mal qu'elle en pensait :

– Ta femme déshonore la famille. Les gens vont croire que tu n'as pas les moyens de l'entretenir.

Le voyant hausser les épaules, elle avait poursuivi :

– De toute manière, tu devrais lui interdire de rester seule avec des hommes dans l'atelier de pose.

En famille, le travail de Doris faisait l'objet de chuchotements, comme s'il s'agissait d'une maladie honteuse. Nonna était-elle au courant ? En arrivant à Hélouan, cette fois, la Mamelouka avait été frappée par le regard sévère de la vieille dame et se demandait si l'une de ses belles-sœurs ne s'était pas fait un plaisir de l'en informer. De toute manière, les rapports entre Nonna et la plus jeune de ses brus étaient complexes. A plusieurs reprises, Doris avait manifesté son indépendance. Les deux femmes donnaient l'impression de s'observer, de se jauger, de se mesurer l'une à l'autre, mais aussi de se comprendre à demi-mot malgré les quarante-cinq années qui les séparaient.

Les épouses de René, Albert, Aimé et Joseph appelaient leur belle-mère « Tante ». Doris, qui trouvait cette coutume ridicule, avait adopté d'emblée le « Nonna » des enfants. La vieille dame ne s'en était pas offusquée. Milo, encore moins, lui qui se sentait plus proche de ses neveux que de ses frères.

Même en dehors de la famille, l'entrée de la jeune femme dans le métier ne se faisait pas sans mal. Un après-midi d'octobre, un Grec volumineux, coiffé d'un tarbouche, se présenta au magasin pour commander un portrait. Transpirant à grosses gouttes, il ne cessait de s'éponger le front. Doris lui proposa de passer sans plus attendre dans le salon de pose et le fit asseoir face à l'appareil.

– Où est le photographe ? demanda avec énervement le gros homme en nage, tandis qu'elle commençait la mise au point.

– Le photographe, c'est moi, dit-elle avec un sourire.

Il se dressa d'un bond, le visage en fureur :

– Ça alors ! Ça alors !

Et il se rua vers le hall en criant :

– Ah, les salauds ! J'aurais dû me méfier ! Et moi qui pensais entrer dans une maison honnête !

L'éclat de rire de Bolbol le convainquit qu'il était tombé dans un traquenard.

– Ah, vous ne l'emporterez pas au paradis ! J'en parlerai au consulat ! lança le Grec en claquant la porte.

Quand Milo eut connaissance de l'incident, il fronça les sourcils. Son air soucieux étonna Doris.

– Je vais perdre la clientèle des consulats, dit-il d'une voix grave.

– La clientèle des consulats ? Mais tu ne l'as jamais eue ! s'exclama-t-elle.

Il en fut vexé.

Doris retardait le moment où elle informerait ses parents de son activité photographique. Léon Sawaya aurait été capable d'aller faire une scène épouvantable à Milo. Ses frères et sœurs savaient qu'elle passait des heures entières sur la petite terrasse avec l'appareil de campagne, ou même dans l'atelier de pose, mais ils n'y voyaient qu'un passe-temps.

La seule personne devant qui elle pouvait s'épancher était Lita Tiomji, qui lui disait pourtant :

– Je ne sais pas, chérie, si une mère de famille peut se permettre ce que tu fais.

Elle ajoutait dans un soupir :

– Mais, enfin, tu ne t'es jamais comportée comme tout le monde…

La mère de famille allait aggraver son cas en donnant naissance, cette année-là, à un deuxième enfant. Une fille, encore, qui serait prénommée Gabrielle.

# 19

Dès sa première visite, le capitaine William Elliot avait été conquis par Doris. Il trouva le moyen de revenir au magasin à trois reprises au cours de l'année suivante, accompagnant chaque fois un collègue de l'armée qui commandait un portrait.

– Maloumian peut changer son enseigne, disait Milo en riant. Il devrait me laisser l'armée et prendre les consulats.

Ayant appris, lors de sa dernière visite, que Doris photographiait elle-même les mardis et jeudis après-midi, William Elliot décida de s'offrir un nouveau portrait. Il se présenta au magasin un mardi de mars, vers trois heures, en tenue de service : une tunique bleu foncé à un seul rang de boutons. La jeune femme fut agacée par les regards insistants qu'il posait sur elle et, tout autant, par sa désinvolture méprisante à l'égard de Bolbol : il avait sèchement commandé un café à l'employé, lui jetant une pièce comme à un chien.

A vrai dire, cet athlète en uniforme la troublait bien plus qu'elle n'aurait voulu se l'avouer. Peut-être parce qu'il était anglais. Que de fois, adolescente, n'avait-elle rêvé d'épouser un Européen !

– Je regrette, dit-elle, mais nous ne faisons plus de portraits en couleurs.

– Ce n'est pas grave ! fit William Elliot avec un sourire. Je préfère le noir et blanc.

– Alors, nous allons passer dans l'atelier de pose, lança Doris pour cacher son embarras.

L'officier s'assit sur le siège, la mine avantageuse.

– Non, dit-elle, ce n'est pas la peine de prendre la pose dès maintenant.

Tout en préparant l'appareil, elle l'observait furtivement et sentait que le capitaine Elliot ne perdait aucun de ses gestes.

– Tournez la tête un peu à gauche, dit la jeune femme. Un peu plus. Je préfère que vos yeux soient orientés vers l'ombre… C'est bien. Vous pouvez vous détendre. Nous ajusterons la pose après la mise au point.

Quand elle se pencha vers l'appareil, il tourna légèrement la tête dans sa direction. Ils se fixèrent ainsi, une bonne vingtaine de secondes : elle, d'un œil ; lui, sans la voir. Doris, un peu gênée, inclina l'appareil vers le bas et s'immobilisa sur les mains du capitaine Elliot, posées bien à plat sur ses genoux. De belles mains, robustes, aux ongles parfaits… L'appareil n'était pas une barrière, comme elle l'avait cru un an plus tôt. L'œil dans le viseur, elle se rapprochait au contraire de son modèle. Elle le touchait presque.

L'objectif remonta lentement vers la poitrine de l'officier, son cou, son menton…

– Vous tenez à l'uniforme ? demanda-t-elle.

La surprise qui se dessina sur le visage de William Elliot l'amena à préciser aussitôt :

– Tenez-vous à ce que votre uniforme paraisse sur la photo ? En général, je préfère laisser dans l'ombre les détails du costume.

– Faites ce que vous aimez. *Do what you love*, insista-t-il d'une voix un peu plus basse.

Par la suite, elle se demanda si le fait de dire *love* plutôt que *like* avait un sens particulier. Mais elle connaissait trop mal la langue de Shakespeare pour répondre à la question.

Le surlendemain, quand William Elliot vint prendre livraison de son portrait, Doris était occupée dans l'atelier de pose. Milo le trouva particulièrement gai.

– J'ai eu des détails sur l'évasion de Slatin, dit l'officier. C'est fabuleux.

Depuis plusieurs jours, tout Le Caire ne parlait que de l'Autrichien Rudolph Slatin, qui avait réussi à fuir le Soudan après douze années de détention. Pieds nus, déguisé en Arabe, cet ancien gouverneur du Darfour s'était présenté à un poste frontière anglo-égyptien dans un état proche de l'épuisement. Il achevait vingt-quatre jours de cavale.

– Slatin a eu des moments très durs au début de sa captivité, expliqua William Elliot. Quelques heures après la chute de Khartoum, alors qu'il était déjà prisonnier, on lui a mis sous les yeux un drap ensanglanté. C'était la tête du général Gordon… Mais, au fil des années, ses conditions de détention allaient s'assouplir. Converti à l'islam, rebaptisé Abdel Kader, Slatin était devenu l'un des domestiques du khalife, le successeur du mahdi. Il passait ses journées devant sa porte, mangeait les restes de ses repas et courait pieds nus à côté de son cheval. Comme tout l'entourage du khalife, il devait se rendre cinq fois par jour à la grande mosquée d'Omdurman pour la prière. C'est à la mosquée, un soir, qu'un de nos agents indigènes a pu prendre contact avec lui. L'évasion a été organisée dans la nuit du 20 au 21 février. Slatin savait que son absence ne serait remarquée qu'à l'aube, lors de la prière. Il disposait de quelques heures avant que l'alerte ne fût donnée… Lorsqu'il s'est présenté au poste frontière vingt-quatre jours plus tard, il a déclaré en pleurant : « Je suis Abdel Kader. » Brisé par l'émotion, il était incapable de donner son vrai nom. Nos officiers l'ont reconnu, ils ont débouché des bouteilles de bière, et la musique de la garnison a joué l'hymne austro-hongrois…

Doris sortit de l'atelier de pose en compagnie d'une dame très laide, affublée d'un chapeau à plumes. William Elliot, comme d'habitude, lui baisa la main.

– J'espère que votre portrait vous a plu ? demanda-t-elle.

– Remarquable, remarquable ! Il faudrait que j'en fasse faire un autre, prochainement, pour l'envoyer à un oncle en Angleterre.

– Dites donc, ils doivent avoir un album de vous là-bas ! ne put s'empêcher de dire Milo, qui n'avait pourtant pas l'habitude d'inciter ses clients à la modération.

Puis, toujours souriant :

– Quand l'Autrichien sera arrivé au Caire, amenez-le-moi. Il pourrait se tromper et aller chez Maloumian.

C'est Jacquemart qui fit la photo.

Accueilli au Caire en héros, pris en charge par les autorités anglaises, Rudolph Slatin fut reçu deux jours plus tard par le khédive qui le promut pacha. Et, comme un pacha ne pouvait être simple officier dans l'armée égyptienne, on l'éleva au grade de colonel, avec le paiement de douze années d'arriérés. Son mentor, le major Wingate bey, le conduisit chez Jacquemart pour un portrait officiel, malgré son peu de sympathie pour les Français : il était difficile de ne pas lui offrir le photographe des princes alors que la reine Victoria elle-même voulait le rencontrer.

La conférence que Slatin pacha donna à la Société khédiviale de géographie, le 30 avril 1895, fut l'un des événements mondains de la saison. Trois cents personnes l'attendaient dans la grande salle du tribunal mixte, prêtée pour l'occasion. Lord Cromer et le général Kitchener étaient assis au premier rang, parmi des dames élégantes qui luttaient contre la chaleur en s'éventant énergiquement.

L'orateur paraissait en bonne santé. Très applaudi, il lut d'une voix calme, en français, une conférence qui avait été traduite de l'allemand, mais il trébuchait sur certains mots. Au cours de ses années de captivité, sa connaissance de l'anglais et du français s'était obscurcie : hormis sa langue maternelle, il ne semblait à l'aise qu'en arabe.

Slatin présenta en détail les différentes ethnies du Soudan. Il parla avec compétence des Batahin et des Barabra, des Chillouk et des Danagla. Dans le fond de la salle, William Elliot était tout ouïe, alors qu'aux premiers rangs les auditrices suffoquaient. Lord Cromer ordonna d'un geste que l'on ouvrît davantage les fenêtres.

L'ex-prisonnier du khalife passa rapidement sur les circonstances de sa captivité et de son évasion, se promettant d'en faire état longuement dans un livre. Avec soulagement, les dames le virent approcher de la fin :

– Transporté au milieu de la société civilisée, conclut-il, je suis redevenu un homme parmi d'autres. Souvent ma pensée se porte en arrière. Je me représente les barbares fanatiques, les déserts du Soudan, les dangers auxquels j'ai échappé, et je rends grâce à Dieu dont la protection m'a conduit jusqu'ici.

Il fut vivement applaudi. Puis, les auditeurs assoiffés se ruèrent vers le buffet.

– C'est un drôle de livre que prépare Slatin pacha, révéla Milo quelque temps après. Il paraît que l'Autrichien rédige en allemand. Son texte est traduit en anglais par un Syrien – oui, par un Syrien, nous sommes partout ! –, puis le major Wingate le récrit à sa manière. Et on retraduit dans l'autre sens, puisque le texte final sera publié en allemand.

Si les autorités britanniques attachaient tant d'importance à ce récit de captivité, c'était sans doute pour entretenir l'image diabolique des mahdistes ou préparer les esprits à une reconquête du Soudan.

– Nous vengerons Gordon, lança le capitaine Elliot quand il revint au magasin. Et Slatin pacha sera le premier à s'engager dans la bataille pour nous conduire jusqu'au repaire du khalife !

– Une guerre de reconquête vaudrait-elle vraiment la peine ? lui demanda Milo.

– Mais bien sûr ! L'Égypte a besoin de contrôler le Haut-Nil. Tout le monde le sait, depuis les pharaons. Les maîtres du Soudan pourraient assécher l'Égypte en détournant le fleuve, comme ils pourraient la noyer en construisant des barrages et en déversant sur elle des torrents d'eau.

– Vous y allez un peu fort, dit Milo. Les mahdistes vous paraissent-ils vraiment capables de construire des barrages ?

– Eux, sans doute pas. Mais une puissance étrangère pourrait s'emparer du Soudan. Si les Anglo-Égyptiens ne reprennent pas ce pays, d'autres s'y installeront.

– Vous pensez à la France ?

– Je pense à la France, à l'Italie, à l'Allemagne, à la Belgique… Tout le monde aujourd'hui s'intéresse à l'Afrique noire.

– Si je comprends bien, dit Milo, il faut s'attendre à une nouvelle expédition contre les mahdistes ?

– Non, non, il n'est pas question d'envoyer une quatrième armée se faire massacrer au Soudan ! La prochaine fois, ce sera une vraie reconquête, avec des moyens appropriés, pour briser définitivement les os à ces sauvages.

# 20

William Elliot n'était pas le seul à s'arrêter de temps en temps au magasin. Le studio de photographie, qui avait l'avantage d'être situé au cœur de la ville, était devenu une sorte de halte naturelle, où l'on venait faire un brin de causette, boire une boisson fraîche ou un café, en passant. Certains s'y donnaient rendez-vous. D'autres y faisaient connaissance. C'est ainsi que Norbert Popinot eut une prise de bec inattendue, un après-midi, avec un oncle de Lita. Cet amateur, peu doué pour la photographie – il ratait tous ses clichés –, était venu, comme d'habitude, donner des plaques à développer. Entendant l'accent français de Norbert, il exprima son admiration pour Ferdinand de Lesseps, dont une statue géante devait être érigée à l'entrée du canal de Suez.

– Ne me parlez pas de Ferdinand de Lesseps ! s'écria Popinot. Ce monsieur ne mérite pas le titre de grand Français mais de grand Anglais. Son canal de Suez a assuré à l'Empire britannique l'entière domination des mers. De Lesseps ne s'est pas contenté de lui faire ce royal cadeau. A Panama, ensuite, il est allé travailler pour les Anglo-Saxons. Faut-il lui élever une statue de proportions grotesques sur le lieu même du triomphe de nos adversaires ?

L'oncle de Lita ouvrait des yeux ronds.

Milo appréciait beaucoup cette animation, qui donnait à son établissement l'image d'une intense activité professionnelle. On ne pouvait en dire de même du studio Jacquemart, où les clients arrivaient un à un, sur rendez-vous, accueillis par un groom en livrée qui leur ouvrait cérémonieusement la porte.

Chez Maloumian, en revanche, il y avait pas mal de passage. Aux Anglais en uniforme s'ajoutaient depuis quelque temps des Arméniens au pardessus fatigué et à la figure inquiète, rasant les murs. Ces rescapés des massacres de Turquie ne venaient sans doute pas se faire photographier mais demander un emploi ou, au moins, une recommandation.

– Ce sont des meurt-la-faim, dit Richard Tiomji avec un mépris qui révolta Doris. Ils n'ont rien à faire en Égypte.

– Aujourd'hui, ce sont les Arméniens, répliqua-t-elle sèchement. Il y a trente-cinq ans, certains de nos parents fuyaient les massacres de Syrie.

– Je me méfie des Arméniens, conclut de sa voix péremptoire le mari de Lita.

Dans ces cas-là, Doris lui aurait volontiers jeté quelque chose à la figure.

Un lundi d'avril, en fin de matinée, Solange Popinot fit sensation en arrivant au magasin à bicyclette. Elle confia son engin à Bolbol, éberlué, et demanda un peu d'eau fraîche car sa randonnée jusqu'au palais de Choubra, aller et retour, l'avait fait mourir de soif. Coiffée d'un canotier, elle portait une jaquette cintrée et, sous sa jupe, une culotte serrée aux genoux par des guêtres de cuir noir. Milo la trouva très drôle, et bien troublante avec ses joues rosies par l'effort.

Depuis quelques mois, les devantures des magasins chics de l'Ezbékieh présentaient des tenues bizarres, importées d'Europe, pour bicyclistes du beau sexe. On s'arrêtait devant les vitrines, s'exclamant à la vue d'un pantalon zouave, d'un corset hygiénique ou de jupes transformables en culottes au moyen d'un caoutchouc. Mais peu de dames se hasardaient en ville dans de tels accoutrements.

Les âniers avaient vu passer la Française avec stupéfaction. Sur l'allée de Choubra, des jeunes gens à bicyclette s'étaient amusés à zigzaguer autour d'elle, sans réussir à lui arracher un cri.

– Je ne sens plus mes jambes, fit Solange gaiement, après

avoir vidé une gargoulette d'eau fraîche. Je ne sais pas si c'est le pédalage de ce matin ou le bal d'avant-hier soir à l'Agence de France.

– Racontez-nous le bal, dit Lita, que ces réceptions mondaines faisaient rêver.

– Oh, c'était fou ! Norbert a compté cinq cents personnes, dont plusieurs princes de la famille khédiviale. Une grande tente orientale, dressée dans le jardin au-dessus d'un parquet, servait de salle de bal, et deux escaliers construits pour la circonstance communiquaient avec la véranda. Les messieurs avaient tous à la boutonnière des fleurs musicales. Quand on soufflait dedans, elles répondaient par des accords harmonieux. Vous auriez vu toutes les dames souffler au passage de messieurs qu'elles ne connaissaient pas ! C'était hilarant...

– Cesse de renifler cette machine ! lança Milo en arabe à Bolbol qui tournait autour de la bicyclette. Va chercher une autre gargoulette pour la dame française.

– Le bal s'est ouvert à onze heures par un quadrille d'honneur dans lequel le consul général et Mme de Villebois avaient pour vis-à-vis Mme Cogordan et le duc de Saxe-Cobourg-Gotha. Le carnet de bal comportait huit valses, deux polkas, un pas de quatre, un lanciers et, pour terminer, un grand cotillon. A une heure du matin, des tables et des chaises ont été apportées sur la véranda qui s'est transformée en salle de souper. Les faisans truffés à la Périgord étaient peut-être un peu fermes, mais Norbert a trouvé exceptionnel le château-margaux, et vous savez combien Norbert est difficile pour les vins...

Lita écarquillait les yeux en écoutant la Française.

– Vers deux heures du matin, le cotillon a commencé, sous la direction de la comtesse de Serionne. Nous avons eu droit à de nouvelles figures, très amusantes. Une dame tirant un coussin au moyen d'un ruban était suivie de plusieurs messieurs qui cherchaient à s'asseoir sur le coussin. Celui qui y réussissait avait le droit de danser avec elle. Comme on a ri ! Dans une autre figure, une poupée blonde, en robe de bal, était placée au milieu de la salle, à côté d'une dame. Celle-ci choisissait son partenaire parmi deux messieurs. L'autre devait danser avec la poupée. C'est Norbert qui a eu la poupée, figurez-vous ! Ça m'a fait tout drôle de le voir enlacer cette jolie blonde aux yeux bleus… Le cotillon a pris fin par l'entrée de Mlle Prévost dans un magnifique traîneau, rempli de violettes, qu'elle lançait aux personnes présentes. Nous nous sommes couchés à cinq heures du matin. Autant vous dire qu'hier j'ai passé la journée au lit.

Milo imagina cette appétissante bicycliste à plat ventre dans son lit, les fesses dénudées, et bâillant sur l'oreiller.

– Vous allez sans doute vous recoucher, dit-il d'un air un peu rêveur. Votre randonnée a dû vous épuiser.

– Je vais plutôt m'offrir un bain, au hammam.

– Au hammam ! s'exclama Lita, épouvantée.

Ces Européennes étaient vraiment incroyables !

– Je connais un hammam très propre, près de la caserne Kasr-el-Nil, dit Solange. Il faut y aller de bonne heure, en évitant le vendredi. Les masseuses sont incomparables. Elles vous savonnent, vous frictionnent, font craquer une à une toutes vos articulations. Puis elles vous pétrissent le corps, à n'en plus finir, avec des huiles douces. C'est divin !

Doris s'était approchée de la bicyclette :

– Vous me ferez essayer ? demanda-t-elle à la Française.

Milo eut du mal à s'endormir ce soir-là. Il voyait Solange Popinot ôter tour à tour sa robe de bal, sa tenue de bicycliste et sa chemise de nuit, pour pénétrer toute nue dans une salle brûlante et se livrer à des mains expertes qui lui arrachaient des gémissements de plaisir.

# 21

Invité à plusieurs reprises, Seif avait fini par participer régulièrement aux rencontres du mercredi soir, quand ses activités militantes ne le retenaient pas ailleurs. Le jeune avocat, fraîchement diplômé, semblait considérer ce salon comme un club politique. Il ramenait tout à l'occupation anglaise, l'air plus grave que jamais.

– L'Égypte n'est pas les Indes, affirma-t-il un soir. Au Bengale, les Anglais ont neutralisé les rajahs en les noyant dans l'alcool. Ici, ils n'ont aucune chance de parvenir à leurs fins. Le peuple égyptien est sobre, il ne boit que l'eau du Nil.

– C'est pourquoi il attrape la bilharziose ! commenta avec un rire gras Richard Tiomji.

Seif lui lança un regard noir. Il n'avait que mépris pour cet éleveur d'autruches, dont la chevalière étincelait sur une main poilue.

– L'eau du Nil est la meilleure du monde, répliqua-t-il d'un ton sec, en martelant ses mots.

– C'est vrai, dit Milo qui craignait un incident. Savez-vous que les pachas égyptiens en emportent avec eux chaque fois qu'ils vont estiver sur le Bosphore ? Il paraît que le sultan lui-même s'en fait livrer tous les jours plusieurs bidons pour son usage personnel.

– A propos, goûtez-moi ce bourgogne ! lança Popinot à Richard.

L'éleveur d'autruches trempa sa lourde moustache dans le verre, après l'avoir humé en connaisseur. Il n'était pas du genre à porter un jugement nuancé sur quoi que ce fût. Sa vision du monde était aussi simple que manichéenne. Pour lui, il y avait le bon vin et le mauvais, les gens convenables et les va-nu-pieds, les éventails solides et les instruments de pacotille, les grecs-catholiques et le reste de l'humanité... Par moments, malgré son simplisme, Doris le trouvait rassurant et comprenait mieux la sérénité qui se lisait sur le visage de Lita. Les enfants de son amie semblaient avoir trouvé des repères stables dans cet univers en noir et blanc, où chacun avait son rôle, chaque objet sa place et chaque idée son contraire.

S'il évitait de discuter avec Richard, Seif se montrait, en revanche, très attentif à l'employé du magasin, attachant de l'importance au moindre de ses propos : « Bolbol m'a dit que Maloumian recevait beaucoup d'Arméniens », « Bolbol pense que la bicyclette est dangereuse », « Bolbol craint une offensive mahdiste à la frontière soudanaise »...

Milo en était stupéfait :

– Je ne vois vraiment pas ce qu'il trouve à cet abruti.

Doris, elle, croyait comprendre : pour le jeune avocat, Bolbol était une incarnation du peuple, la preuve vivante d'une Égypte aliénée sur la voie de reprendre son destin en main. Ce qui n'empêchait pas l'intéressé de s'esclaffer chaque fois que Seif s'adressait à lui.

L'avocat parlait avec beaucoup d'admiration d'un de ses anciens camarades de l'École de droit, Moustapha Kamel, distingué par le khédive, qui l'avait envoyé finir ses études à Toulouse. Ce nationaliste était rentré en Égypte à la fin de 1894, encore plus fougueux qu'avant son départ. Le palais lui avait alors discrètement remis de l'argent, le chargeant d'aller faire de la propagande en Europe contre l'occupation anglaise. Seif évoquait tout cela de manière un peu mystérieuse : visiblement, il avait connaissance de certaines réunions secrètes auxquelles Moustapha Kamel participait avec des Français du Caire, le secrétaire suisse du khédive, peut-être le khédive lui-même...

Un mercredi, le jeune avocat arriva tout excité. Il venait de recevoir d'excellentes nouvelles de Paris : Moustapha Kamel était allé présenter un tableau au président de la Chambre française des députés.

– Un tableau ? s'étonna Milo.

– Oui, un tableau représentant l'Égypte opprimée. Je peux même vous le montrer, puisque cette œuvre a été tirée à six mille exemplaires.

Il sortit de sa poche une feuille pliée en quatre. C'était une composition assez grossière, qui semblait avoir été réalisée par un enfant. On y voyait une jeune femme en robe longue, debout sur les marches d'un temple grec.

– C'est la France libératrice des peuples opprimés, expliqua Seif.

Dans le bas du tableau, plusieurs prisonniers, gardés par un lion, étaient enchaînés. Un jeune homme en tarbouche, conduisant la délégation égyptienne, tendait à la France une pétition.

– N'est-ce pas superbe ? demanda l'avocat, en précisant que les députés français avaient été extrêmement impressionnés par cette démarche.

Doris évita de répondre, mais Milo s'exclama :

– C'est très fort, en effet !

Cette nuit-là, elle fit un rêve bizarre. Seif lui lançait d'un ton menaçant :

« Mon ami Moustapha Kamel a la nostalgie du pays. Je dois lui venir en aide.

– Vous pourriez lui offrir une photo, répondait Doris.

– Une photo ?

– Oui, une photo de vous. »

Au bout d'un instant de réflexion, le jeune avocat disait :

« C'est une bonne idée. J'aimerais être photographié en compagnie de Bolbol. »

Doris était contrainte de s'exécuter. Elle les plaçait côte à côte sur l'ottomane. Seif, armé d'un fouet, exigeait comme décor le rocher et la mer déchaînée, mais c'était un temple grec qui apparaissait dans l'objectif. Il était tard, la lumière du jour ne suffisait plus. Bolbol se mettait dans un état hystérique chaque fois que surgissait l'éclair de magnésium.

# 22

Milo me regarda avec stupéfaction : « Réaménager ? Mais que veux-tu réaménager ? » Prudemment, je ne parlai que de la création d'un salon d'attente. C'était le seul moyen, expliquai-je, de mettre un peu d'ordre dans le magasin : les personnes qui accompagnaient le modèle cesseraient d'aller et de venir dans l'atelier de pose, perturbant le travail. Il fallait les installer quelque part, en leur offrant par exemple des albums de photos à regarder. La pièce dans laquelle Bolbol entreposait le matériel pouvait très bien faire l'affaire. « Jacquemart a un salon d'attente, Maloumian aussi », soulignai-je, sachant que c'était l'unique argument susceptible de faire fléchir mon mari. Il bougonna quelque chose et sortit de la pièce. C'était gagné.

Je négociai moi-même le prix avec un petit entrepreneur. Et, pendant que commençaient les travaux, je fis retapisser un canapé et deux vieux fauteuils achetés à un brocanteur du Mouski. Le futur salon était meublé. Il ne restait plus qu'à faire encadrer quelques portraits, réalisés par le studio Touta, pour égayer les murs.

La fermeture du magasin pour deux jours en raison d'une fête me permit de franchir une étape supplémentaire, à laquelle Milo n'avait aucune raison de s'opposer : le rangement du cabinet noir. Depuis un moment, je souffrais de la pagaille entretenue par mon mari, qui entassait une montagne d'accessoires sur deux malheureuses tables. A chaque développement, il fallait tout retirer pour pouvoir poser les différentes cuvettes. Des accidents survenaient régulièrement pendant le fixage ou l'alunissage : un flacon était vite renversé, et les jurons de l'opérateur trouaient alors les murs du laboratoire…

« Je te laisse avec les ouvriers, dit Milo en apprenant mon intention de m'attaquer au laboratoire. Je ne veux pas m'énerver. Ma mère sera ravie de me voir à Hélouan pour une petite visite. »

Avec l'aide de Bolbol et d'un ouvrier, je commençai par vider le cabinet noir de tous les meubles et objets qui s'y trouvaient. Certains recoins de la pièce étaient d'une saleté repoussante. La lourde commode qui servait à entreposer divers liquides n'avait probablement jamais été déplacée. Il fallut décoller le tapis de linoléum qui partait en miettes et avait fondu en plusieurs endroits. A ma demande, Bolbol balaya longuement le sol, puis le désinfecta deux fois à l'eau phéniquée. Quand la pièce fut enfin nette, j'appelai l'un des peintres, qui se mit aussitôt au travail.

A son retour, en fin d'après-midi, Milo n'en crut pas ses yeux : le cabinet noir était devenu d'un blanc éclatant. « Tu as perdu la tête ? cria-t-il. Comment allons-nous développer les clichés ? » Je lui expliquai, le plus calmement possible, qu'il était non seulement inutile mais désavantageux d'avoir un laboratoire aux murs sombres. Seule comptait la nature de la lumière émise par la lanterne : un mur noir ne pouvait en rien protéger contre les radiations actiniques d'un éclairage inapproprié, alors que des murs blancs permettaient de diffuser en tous sens la lumière et d'éviter des accidents… Il préféra ne pas entendre ces explications techniques auxquelles il ne comprenait rien. « Très bien ! me dit-il, comme à un enfant qui vient de commettre une grosse bêtise. Tu seras responsable de tous les développements ratés. Moi, je ne veux pas me mêler de cette affaire. Demain, je passerai la journée au café. »

Le lendemain, on entendit scier dans la cour jusqu'à midi. J'avais fait découper plusieurs plans de travail et de nombreuses étagères. L'un des rayons devait recevoir exclusivement la collection de produits chimiques. Un autre était réservé aux boîtes contenant les poudres à polir, les glaces, les châssis et les divers accessoires de la chambre noire. Un autre encore accueillerait les flacons vides, les entonnoirs, les filtres, les mesures graduées et tous les petits ustensiles servant à composer les mélanges.... Une partie de la table de travail fut garnie d'une feuille de zinc à rebords, formant une espèce d'évier, avec un tube de décharge pour éliminer les eaux sales. On fixa ensuite au mur une fontaine-réservoir munie d'un robinet sous laquelle seraient lavées les épreuves.

Je passai mon après-midi à étiqueter soigneusement bocaux et flacons. Sur du papier glacé, j'écrivis le nom de chaque liquide en gros caractères, à l'encre de Chine, en prenant soin d'indiquer la formule de préparation. Je collai ces étiquettes avec de la gomme arabique, puis les recouvris de paraffine fondue pour leur permettre de résister à l'humidité.

Le « rangement » du cabinet noir était terminé.

Je sais bien que tout cela – et ce qui allait suivre – peut apparaître comme un plan très élaboré, froidement mis au point. Certains ne se priveraient pas de le dire par la suite. Mais je n'avançais qu'intuitivement, m'adaptant aux circonstances. C'était la rencontre d'une difficulté, parfois un incident répété, qui me poussaient à modifier notre cadre de travail.

Un soir, je lançai à Milo : « Si on en profitait pour rénover, dans la foulée, l'atelier de pose ? » Il tomba des nues. Puis il décréta que l'atelier était très bien comme ça. Je répondis, de la voix la plus douce possible, qu'on pouvait l'améliorer, que j'avais fait un plan. Ne regardant même pas la feuille que je lui tendais, il se mit à crier : « Ce n'est pas fini, cette histoire ? Tu es folle ou quoi ? » Je saisis alors ma feuille à deux mains et, lentement, d'un geste un peu théâtral, la déchirai, une fois, deux fois, trois fois, jusqu'à en faire de petits morceaux. Puis j'éclatai en sanglots. Milo, furieux, sortit de la pièce en claquant la porte.

Quand il revint une heure plus tard, j'étais déjà couchée. Il se déshabilla et, sans un mot, s'allongea à côté de moi, bien décidé à recevoir des excuses que je n'avais aucune intention de lui présenter. A minuit et demi, nous serrions encore les dents l'un et l'autre, incapables de nous endormir. J'étais trop orgueilleuse pour faire le premier pas. Il finit par poser sa main sur mon ventre, de manière ambiguë : ce pouvait être aussi bien le geste d'un propriétaire que celui d'un amant. Au bout de quelques secondes, n'y tenant plus, il vint se blottir contre moi. Aussitôt nos bouches se cherchèrent. Il me couvrit de caresses à travers la chemise de nuit. Puis il me déshabilla fébrilement, et je sentis sa force et sa chaleur me pénétrer.

« Tu m'as fait de la peine tout à l'heure », dis-je, câline, quand la lampe à huile fut rallumée. Il protesta.

« Tu ne veux vraiment pas voir mon plan ? lui glissai-je à l'oreille.

– Mais tu l'as déchiré, ton plan !

– Je saurais peut-être le reconstituer. »

Je pris un crayon sur la table de chevet et, à la dernière page du carnet de pose dont je ne me séparais plus, griffonnai un dessin : « Avec la disposition actuelle, l'appareil n'a pas de recul suffisant. C'est très gênant pour les photos de groupe. En déplaçant ce bout de mur, je gagne trois mètres sur le débarras. » Milo hochait la tête d'un air consterné. « Et puis, ajoutai-je, il faudrait multiplier les sources lumineuses. Avec la portion vitrée du plafond, nous n'en avons qu'une seule. Je propose de sectionner le vitrage en zones obscures alternant avec des zones éclairantes, au moyen de rideaux opaques.

– Parole d'honneur, elle est folle !

– Et là, je fais une porte en verre dépoli, donnant sur la cour. Ce fond lumineux permettrait de magnifiques effets Rembrandt. »

Il recommençait à s'énerver, soulignant que toutes ces fantaisies coûteraient une fortune. Je l'assurai du contraire : l'entrepreneur m'avait fait un devis. Amolli par les gestes de l'amour, Milo se contenta de hocher la tête.

Dès le lendemain, les ouvriers s'attaquaient à l'atelier de pose.

C'est avec le maigre reliquat de la dot, complété par mes propres économies, que j'allais réaliser un autre de mes rêves : acheter divers accessoires pour faire de la photographie de qualité. Indifférente aux sarcasmes de Milo, je commandai à Paris deux réflecteurs à écran, un sténopé-viseur et une trousse-bésicles à foyers variables. Je me fis également envoyer un nouvel appareil appelé photomètre.

« Le photomètre permet de déterminer précisément le temps de pose », précisai-je à mon mari en déballant l'engin avec précaution. C'était une sorte de longue-vue en miniature, partiellement recouverte de maroquin et terminée par une œillère. « Après avoir mis au point, expliquai-je, tu te places sous le voile noir. Tu poses le photomètre contre le verre dépoli et tu mets ton œil exactement dans l'œillère. Puis tu tournes la bague, comme ça, jusqu'à ce que la tache lumineuse semble près de disparaître. Il ne te reste plus qu'à lire le nombre de secondes indiqué près de la flèche… »

Mais Milo avait ostensiblement tourné la tête : un professionnel comme lui n'avait pas besoin d'une longue-vue pour photographier ses clients.

# 23

J'améliorai beaucoup mes portraits au cours de ce début d'été 1895, grâce au nouvel aménagement de l'atelier. J'appris, en particulier, à doser l'éclairage de la verrière en fonction de la personnalité de chaque modèle. Pour respecter la douceur d'un visage, par exemple, j'équilibrais soigneusement les sources de lumière, alors que pour en souligner la virilité j'accentuais les contrastes, quitte à corriger l'effet obtenu au moment du développement.

Dans mes achats de matériel, j'avais hésité à adopter le fixe-œil, supposé détendre la personne qui posait et orienter son regard. Jacquemart, qui photographiait les enfants de la bonne société cairote, avait installé un oiseau mécanique émettant quelques notes quand on le remontait. Les adultes, eux, avaient droit à une petite glace mobile dans laquelle ils pouvaient se regarder pendant la pose et corriger leur expression. Maloumian, plus rustique, se contentait d'attirer le regard de ses militaires par un tableau de saint Georges terrassant le dragon. Pour les enfants, il avait installé un polichinelle qu'une main discrète agitait par-derrière.

Après réflexion, je renonçai au fixe-œil, craignant son caractère artificiel. Rien ne m'inquiétait autant que l'artifice. Ainsi, en réaction contre les méthodes de Milo, je m'étais fait un devoir de ne pas retoucher mes clichés. « C'est de la tricherie », soutenais-je.

Il faut dire que mon mari poussait la chose assez loin. Ne se vantait-il pas d'avoir « réveillé un mort » quelques mois après notre mariage ? Ce jour-là, il avait été appelé, dans le quartier de Faggala, au chevet d'un monsieur qui venait de décéder et dont la famille voulait une photographie avant la mise en bière. Il fut introduit dans une pièce sombre, éclairée par des cierges, où l'odeur de cire se mêlait au parfum des roses. Sans hésiter, Milo installa son appareil face au lit mortuaire, fit tirer les rideaux et ouvrir les volets. Puis il suggéra de ramener les aiguilles de l'horloge sur l'heure précise du dernier soupir de son client. Celui-ci avait été revêtu d'un costume noir, et toutes ses bagues lui avaient été enfoncées dans les doigts. Pour une fois, l'opérateur n'eut pas à dire : « Ne bougeons plus ! »

Recevant la photo le lendemain, la famille se montra déçue : le défunt ressemblait un peu trop à un défunt. Milo proposa alors de lui « faire les yeux ouverts », ce qui fut approuvé avec enthousiasme. Il retourna au magasin et s'enferma dans le cagibi avec crayons et pinceaux pour entreprendre l'opération. Quand je vis le résultat de sa retouche, je poussai un cri d'effroi. Mais la famille, ravie, paya sans discuter le supplément demandé...

Mes raisons de refuser le principe de la retouche s'évanouirent le jour où je lus un article signé par un photographe de talent qui avait été primé au Salon de Paris. L'appareil, expliquait cet artiste, ne voit pas comme nous : il voit trop bien en quelque sorte et, ce faisant, fausse la réalité. Sa précision excessive mérite d'être corrigée par certaines retouches. Pourquoi conserver, par exemple, des taches de rousseur invisibles à l'œil nu ? Ébranlée par cet argument, je recommençai à fréquenter le cagibi où je faisais naguère du coloriage.

« Je ne retouche que pour amoindrir les exagérations de la technique, disais-je avec l'air de m'excuser. Il faut protéger le modèle du regard trop révélateur de l'appareil. » Je me permettais ainsi, de temps en temps, d'effacer les crevasses d'une lèvre, d'atténuer une veine proéminente ou d'empêcher une fossette de se transformer en entaille obscure. Un cheveu échappé d'une coiffure n'avait pas besoin d'être maintenu. En revanche, je m'interdisais de relever les coins d'une bouche tombante ou même d'effacer l'ombre soulignant la paupière inférieure, comme le faisait systématiquement Milo au risque d'enlever à l'œil toute rondeur et d'aplatir la joue.

Je repensais au tableau de mon enfance. Je me demandais pourquoi le peintre avait agrandi ma bouche, épaissi et rougi mes lèvres. Car il m'avait caricaturée, comme je venais de m'en rendre compte en retrouvant finalement la fameuse miniature dans un débarras, chez mes parents. Mais cette image déformée de moi-même ne me gênait plus depuis que je me voyais belle dans les yeux de Milo. Je l'avais même accrochée près de ma table de toilette et la regardais parfois avec attendrissement.

Le photographe, comme le peintre, peut caricaturer un visage, expliquais-je à Lita. Mais il peut aussi le reproduire sous son meilleur aspect, avec l'éclairage le plus favorable, pour en souligner la beauté et cacher les défauts. « Tout le monde n'est pas beau, chérie ! » me répliquait-elle. Je lui répondais : « Il y a de la beauté dans chaque visage. C'est au photographe de la révéler. »

Cette valorisation de l'apparence me troublait pourtant. Embellir un visage n'était-ce pas trahir sa vérité ? La question me tourmenta quelque temps, puis je m'aperçus que c'était une fausse question. « Je ne cherche pas à embellir, mais à arracher un masque », griffonnai-je un soir dans mon carnet de pose. « Dénuder les visages en quelque sorte. »

Ce n'était pas toujours facile. Parfois, j'avais l'impression de devoir utiliser un marteau ou un burin pour briser l'écran derrière lequel se réfugiaient certains modèles. Je connus quelques échecs retentissants. Il m'arriva même, à deux ou trois reprises, d'hésiter à montrer à mes clients des photos que je trouvais consternantes. Mais mes goûts personnels ne rejoignaient pas forcément ceux du public. Et il se trouvait, en sens inverse, qu'un client refusât de payer parce qu'il ne se reconnaissait pas sans son masque...

Un matin, on m'amena deux enfants jumeaux pour une photo qui devait marquer leur huitième anniversaire. Ils étaient non seulement habillés et coiffés de la même façon, mais faisaient les mêmes gestes, souriaient en même temps, de manière parfaitement identique. Ils n'étaient que le reflet l'un de l'autre. Je demandai à la mère de bien vouloir attendre dans le salon et emmenai les deux garçons dans l'atelier de pose. Je fis en sorte de m'adresser à chacun séparément, ce qui les désorienta. Ils se regardaient, un peu perdus. Je revins plusieurs fois à la charge, m'obstinant à les distinguer. Ils finirent par réagir différemment, le premier s'amusant de cette situation inédite, le second paraissant y réfléchir.

Sur la photo, l'un sourirait, le visage épanoui, alors que l'autre aurait un regard profond, presque grave. « Qu'avez-vous fait là ! » s'exclama la mère quelques jours plus tard, en prenant connaissance du résultat. Elle était furieuse. Je tentai de défendre ma photo, mais elle s'énervait de plus en plus. A contrecœur, je finis par aller chercher un autre cliché, que j'avais éliminé lors du développement, et sur lequel les jumeaux se confondaient.

J'eus cependant une grande satisfaction en ce mois de juin 1895, grâce au portrait d'un universitaire français que nous avions croisé chez les Popinot deux ans plus tôt. C'était le professeur de l'École de droit qui voulait connaître l'origine du chapeau des prêtres grecs-catholiques et auquel Milo avait répondu n'importe quoi… Arrivé au magasin par l'intermédiaire de Solange, ce vieux monsieur ne reconnut pas mon mari et, Dieu merci, ne songea pas à lui demander quelle était sa confession religieuse. Prudemment, Milo préféra me le confier. En le faisant entrer dans l'atelier de pose, je fus frappée par son monocle. Je décidai de construire toute ma photo autour de l'œil contracté qui enserrait le verre rond. Devant son portrait, la semaine suivante, le vieux juriste resta silencieux plusieurs secondes. « Très bien, madame, très bien, finit-il par murmurer. Vous êtes une artiste. » Je me sentis rougir d'émotion.

Quand je rapportai le propos à mon mari, celui-ci se montra d'une désinvolture qui me surprit : « Avait-il au moins son monocle, ce vieux fou, quand il a vu la photo ? »

## 24

Ce soir-là, Milo sortit après dîner pour prendre l'air. Il s'arrêta au bar du Bavaria, où il était sûr de rencontrer son ami Ernest Zahlaoui, que Doris ne supportait pas. Cet employé aux écritures de la Société des Moulins d'Égypte y campait chaque soir, à partir de sept heures, été comme hiver. Il se vantait de pouvoir reconnaître n'importe quelle marque de bière, locale ou européenne, les yeux bandés. C'était à peu près sa seule qualification.

Milo poussa la porte de l'établissement, à la suite de deux militaires anglais passablement éméchés. La salle était enfumée et sentait le graillon. Il y régnait une animation continuelle. Aux cris des serveurs faisaient écho les rires sonores de plusieurs femmes outrageusement maquillées, assises côte à côte sur un banc. Un accordéoniste participait au chahut en torturant son instrument, dans l'indifférence générale.

Ernest Zahlaoui était installé à sa place habituelle, sous une grande torchère en zinc. A la vue de Milo, son visage de chèvre, au museau allongé, s'éclaira :

– Un revenant, ma parole ! Tu as bien choisi ton jour, *ya akrout* : une nouvelle bière vient d'arriver. De Munich, s'il vous plaît !

Il siffla dans ses doigts pour réclamer un verre et une autre bouteille.

Sur leur banc, les femmes aux épaules dénudées rirent un peu plus fort, en lançant des œillades à Milo. Il crut reconnaître l'une d'elles, qui faisait le tapin quelques années plus tôt dans les environs du New Hotel.

– Alors, qu'est-ce que tu dis de cette bière ? demanda Ernest, qui en avait déjà descendu plusieurs pintes.

Ils passèrent deux heures très gaies et très arrosées. De temps en temps, l'une des femmes venait boire dans le verre de Milo et s'asseyait sur ses genoux. Il la repoussait en riant. Les serveurs s'agitaient dans la salle puis hurlaient des ordres à la cuisine. Vers une heure du matin, un militaire anglais bouscula l'accordéoniste pour aller vomir dehors.

– Je dois rentrer, lança Milo un peu plus tard, d'une voix pâteuse. Ma femme m'attend.

– Je te raccompagne, déclara Ernest, après s'être muni de deux litres supplémentaires pour le voyage.

En sortant, ils évitèrent de justesse les vomissures britanniques. La température extérieure, beaucoup plus fraîche que dans l'établissement, les fit frissonner. Arrivé au magasin, Milo réussit péniblement à introduire la clé dans la serrure. Il saisit la lampe à huile qui restait allumée et la brandit pour éclairer le hall. Bolbol ronflait, comme à son habitude, sur un matelas le long du comptoir. Ernest s'approcha de l'employé endormi, déboucha l'une des bouteilles et, à un mètre de hauteur, lui versa un mince filet de bière sur le visage. Milo se tordait de rire. Bolbol, dressé sur sa couche, se trouva nez à nez avec son maître qui lui faisait « chut » du doigt en lui lançant un regard terrible. Il se réfugia sous la couverture, affolé.

Ernest Zahlaoui se dirigea vers l'atelier de pose. Milo le suivit en titubant. Assis côte à côte sur l'ottomane, ils vidèrent la première bouteille.

– Qu'est-ce que c'est ? demanda Ernest en saisissant un réflecteur.

– C'est pour la lumière, bafouilla Milo.

D'un geste brusque, l'autre lança le réflecteur qui alla se fracasser contre le volant de l'appareil de pose.

Ils partirent tous les deux d'un grand rire. Ernest Zahlaoui déboutonna son pantalon et alla se planter devant l'objet en miettes.

– Attends, attends ! fit Milo, qui le rejoignit.

Et ils pissèrent de concert, arrosant copieusement les débris de verre.

La deuxième bouteille se débouchait mal. Milo en brisa le goulot sur la manivelle mais elle se vida sur le tapis.

– Et ça, qu'est-ce que c'est ? demanda Ernest Zahlaoui en montrant du doigt le sténopé-viseur, posé sur une table haute.

– Ça, balbutia Milo, c'est le sté-sté-sténopé-viseur.

– Le sté quoi ?

– Le sté-sté…

Ils étouffaient de rire. Ernest saisit la lunette et mima un geste obscène.

– Non, pas comme ça, fit Milo, qui le lui prit des mains.

Et, avec le peu de forces qui lui restait, il lança l'engin à l'autre bout de la pièce, avant de s'écrouler lui-même sur le tapis humide.

Doris se réveilla à six heures du matin, inquiète de ne pas trouver Milo à son côté. Elle mit une robe de chambre, prit la lampe et descendit. Bolbol ronflait bruyamment. Intriguée par la porte ouverte, elle pénétra dans l'atelier de pose et poussa un cri.

Pendant une bonne minute, la jeune femme resta immobile à l'entrée de la pièce, comme pétrifiée. Des larmes lui montèrent aux yeux. Elle posa sa lampe et s'approcha de Milo pour le secouer. Comme il ne réagissait que par des grognements, elle alla chercher un seau d'eau dans la cour et en vida le contenu sur lui. Ernest Zahlaoui eut droit au même traitement. Les deux hommes se levèrent avec difficulté.

– Vous, vous prenez la porte et vous ne remettez jamais plus les pieds ici ! cria-t-elle à l'employé des Moulins.

Il partit, la braguette ouverte, en se cognant aux murs.

Milo, la tête lourde, se tenait à l'appareil de pose. La Mamelouka s'approcha tout près de lui, le regarda dans les yeux et dit d'une voix basse en serrant les dents :

– Ne me fais plus jamais ça.

Deux heures plus tard, alors que Bolbol avait fini de nettoyer l'atelier, Milo, dégrisé, se rendit chez le fleuriste de la place de l'Opéra. Il revint à la maison avec un énorme bouquet de fleurs, en guise d'excuses. Doris était trop furieuse pour le remercier : elle le laissa disposer maladroitement les roses dans un vase en se piquant aux épines.

Avec ses seaux et ses éponges, Bolbol ne pouvait effacer la souillure de la nuit. C'était un viol dont elle se sentait victime, commis par un minable et par son propre mari.

En remontant dans l'appartement, elle fit le rapprochement entre la beuverie et son succès de la veille. « Vous êtes une artiste », avait dit le vieil universitaire au monocle... La crise de Milo était-elle due à ce seul compliment ? Doris se demanda si le réaménagement du magasin ne l'avait pas atteint beaucoup plus qu'elle ne le croyait.

– Je ne suis plus chez moi ! s'était-il exclamé à plusieurs reprises, après la transformation du cabinet noir, qu'il appelait, avec une pointe d'amertume, le cabinet blanc.

Au cours des jours suivants, Milo fit de réels efforts pour se rendre agréable, dissipant peu à peu l'inquiétude de Doris. Il écrivit lui-même à un fournisseur parisien pour commander un réflecteur et un sténopé-viseur. En recevant son colis, quelques semaines plus tard, la Mamelouka eut la surprise d'y trouver aussi un écran-chariot pour agrandir et réduire les clichés.

# 25

C'est sur la plage de Fleming, un matin d'août, qu'ils revirent William Elliot. Dans son costume de bain noir lui moulant le torse, l'officier était aussi élégant qu'en uniforme. Doris eut un léger frisson quand il s'inclina pour lui baiser la main.

L'Anglais passait quelques jours de permission dans la villa de son père, cachée par la dune. Elliot bey, sous-directeur des douanes d'Alexandrie, avait fait construire cette maison en 1885, l'année où William l'avait rejoint en Égypte pour entrer dans l'armée. Depuis son veuvage, il y vivait seul, tout l'été, en compagnie d'un domestique et de son bouledogue noir. On ne l'apercevait que de loin, au crépuscule, marchant derrière son chien. « L'Anglais de la dune » était une sorte de marchand de sable, qui faisait peur aux enfants.

– Je repars malheureusement demain, dit le capitaine Elliot. Peut-être pourrions-nous prendre le thé ensemble cet après-midi au Casino San Stefano ? Il y aura le concours de bicyclettes fleuries.

Milo, toujours prêt à s'amuser, accepta avec plaisir :

– Ça me changera. Jusqu'à l'année dernière, j'allais photographier les concurrents. Mais, cet été, j'ai décidé de prendre de vraies vacances.

Il n'avait plus besoin de faire des photos de plage. L'extension de sa clientèle lui permettait même de louer deux chambres à l'hôtel Miramare, plutôt que de descendre chez son frère aîné.

Le regard du capitaine Elliot s'attarda sur les bras nus de Doris, adorable dans une tenue de plage bleue et blanche.

– Vous ne vous baignez pas ? demanda-t-il.

– Bien sûr que oui ! fit Milo, sans même consulter sa femme. On va demander à la petite Yolande de s'occuper des filles avec la bonne. Elle sera ravie.

Et il cria à tue-tête :

– Yola ! Yola !

Dix minutes plus tard, après s'être changés dans la cabine de toile, ils rejoignaient au bord de l'eau le capitaine Elliot, excellent nageur, qui avait déjà fait deux plongeons et une petite démonstration de crawl à un groupe de badauds épatés.

– Vous venez ? demanda l'Anglais, en relevant ses cheveux mouillés.

– Mon mari va vous suivre. Moi, je sais à peine flotter, dit Doris qui étrennait une nouvelle robe de bain.

– Si vous savez flotter, madame, vous pouvez parfaitement nager !

Et, se tournant vers le fournisseur des consulats :

– Me permettez-vous d'apprendre la brasse à votre épouse ?

– C'est une excellente idée ! s'exclama Milo. Avec moi, elle ne veut pas.

Doris, aussi émue qu'inquiète, avança dans l'eau jusqu'à la taille, devant un Milo hilare, tandis que les enfants accouraient pour le spectacle en criant : « La Mamelouka ! La Mamelouka ! » William Elliot était allé chercher une planche.

– Tenez-la fermement, dit-il. Appuyez vos bras. Non, pas comme cela...

Un peu raide, elle se laissa guider par les mains puissantes de l'officier. Elle eut l'impression étrange, à son contact, de commettre un acte défendu sous les applaudissements du public.

– Maintenant, poussez l'eau avec vos jambes, lança-t-il. Oui, poussez pour avancer !

Doris pensait moins à ses jambes qu'à la petite vague qui approchait. Le regard inquiet, elle relevait la tête au maximum, craignant de boire la tasse.

– N'ayez pas peur, dit l'Anglais. Je suis là.

– Il faudrait lui apprendre à nager avec les bras, lança Milo. Donnez-moi la planche.

Sans la planche, Doris était encore plus proche de l'officier. Accrochée à ses poignets, elle se sentait à sa merci.

– Laissez-vous aller ! dit-il avec douceur. Vous allez voir, ce sera très bien…

La leçon fut brusquement interrompue par des cris : la petite Gabrielle avait avalé un morceau de liège, que la bonne, affolée, tentait maladroitement de retirer. On se précipita.

– Il faut la secouer par les pieds ! cria Milo, joignant le geste à la parole.

Enfant, il avait lui-même été sauvé ainsi par sa mère, un dimanche à Hélouan, après s'être étranglé avec un boulon. Nonna racontait souvent cet épisode, qui lui avait valu les félicitations de son beau-frère, le docteur Touta : il ne fallait jamais se servir des doigts, on ne faisait qu'enfoncer davantage l'objet coincé dans la gorge…

A peine Gabrielle fut-elle empoignée par son père que le morceau de liège tomba à terre. Doris, en larmes, serra fébrilement la fillette contre sa robe mouillée.

La compagnie de Milo était très prisée à Fleming. Ils furent ainsi une bonne quinzaine, entre cousins et amis, à le suivre au San Stefano pour le concours de bicyclettes fleuries. La table pour trois, réservée par le capitaine Elliot, se transforma en une joyeuse et bruyante assemblée. Un peu inquiet tout d'abord, et agacé par cette bande de Levantins turbulents, l'Anglais se laissa peu à peu emporter par l'ambiance. Il fut vite enchanté d'avoir pris l'initiative d'une sortie aussi réussie.

Au Caire, il ne fréquentait que des compatriotes. Son appartenance à l'armée égyptienne plutôt qu'à l'armée d'occupation n'y changeait rien : officiers britanniques et officiers indigènes avaient chacun leur mess, et il était mal vu pour les premiers d'entretenir des relations personnelles avec les seconds. Chacun vivait de son côté, avec un statut différent : les *natives* ne pouvaient dépasser un certain niveau hiérarchique dans l'armée et, même à grade égal, ils avaient une solde inférieure à celle de leurs collègues anglais. L'obstacle de la langue ne facilitait d'ailleurs pas les conversations : rares étaient les officiers britanniques qui parlaient vraiment l'arabe. Il s'agissait, le plus souvent, d'un arabe littéraire, appris à Oxford avant d'arriver en Égypte, qui leur valait une prime mais ne permettait guère les contacts quotidiens.

C'était la première fois que William Elliot sortait avec des chrétiens d'origine syrienne. Il semblait désorienté par ces gens indéfinissables qui n'étaient ni européens ni vraiment indigènes.

– Comment peut-on être de nulle part ? demanda-t-il, après quelques verres de bière.

– Détrompez-vous, répondit Milo, amusé par sa remarque. Nous sommes des deux côtés. Chacun de nous est un cliché positif et un cliché négatif. Blanc et noir dans certains cas, noir et blanc dans d'autres.

Les bicyclettes défilaient, débordantes de fleurs. On commentait avec vivacité les prestations des concurrents. Ces messieurs, qui appartenaient à la bonne société alexandrine, avaient mis beaucoup de soin à décorer leurs machines. Parmi eux, Rizkallah bey Touta, membre du conseil d'administration du San Stefano, pédalait au milieu d'un buisson de roses.

– Celui-là en fait trop, remarqua le capitaine Elliot.

Milo se mit à rire :

– C'est un cousin. Le propriétaire des magasins *Touta et fils*. Il a épousé une juive très riche, une Aghion. Quel scandale ça a fait à l'époque ! Mais sa réussite a tout effacé. Peut-être nous fera-t-il l'honneur, cette année, de participer à notre photo de famille.

Rizkallah bey, qui avait de solides relations d'affaires dans le jury, obtint la troisième place. Milo s'approcha pour le féliciter. L'autre, très entouré, débordé par les compliments, lui serra la main sans donner l'impression de le reconnaître.

– Votre mari est vraiment très sympathique, dit le capitaine Elliot à Doris. Je serais ravi de vous inviter avec lui, le mois prochain au Caire, à une retraite aux flambeaux. Elle sera organisée à la caserne Kasr-el-Nil, avec les musiques des deux armées réunies.

– Une retraite aux flambeaux ? s'exclama Milo quelques minutes plus tard. C'est formidable ! J'aime beaucoup ce genre de démonstrations.

Sans doute aimait-il plus encore l'idée d'être invité par un officier anglais. Ces gens distants ne donnaient-ils pas toujours l'impression de vous éviter, sinon de vous mépriser ? Une semaine plus tôt, lors d'un déjeuner familial, Milo avait beaucoup amusé l'assistance en lisant un nouvel article du règlement de la police égyptienne : « Tout indigène évitera de s'approcher d'un soldat anglais en état d'ivresse, bien qu'il soit tenu cependant de lui porter secours en cas de nécessité. » Et il avait mimé un passant en train d'approcher à reculons d'un *red jacket* affalé sur le trottoir.

Alors que William Elliot, de plus en plus détendu, se laissait aller à des plaisanteries sur son propre gouvernement, Milo lui lança en aparté :

– Il y a une question qui me chiffonne et que j'aimerais vous poser… La première fois, quand vous êtes venu au magasin… Oui, la première fois… Pourquoi vous êtes-vous adressé à nous et pas à Maloumian ?

L'Anglais partit d'un petit rire :

– Vous voulez vraiment savoir pourquoi ? Eh bien, je me suis trompé, tout simplement. On m'avait indiqué Maloumian, sur la place de l'Ezbékieh. Arrivé devant votre vitrine, je n'ai pas regardé l'enseigne… Mais je ne le regrette pas, rassurez-vous !

Le regard discret qu'il lança à Doris, après avoir prononcé ces derniers mots, la troubla.

## 26

Cet été-là, comme les précédents, les Popinot partaient prendre le frais en Europe. Milo, Doris et les Tiomji les accompagnèrent jusqu'au bateau, les mains chargées de fleurs. Le quai évoquait un après-midi mondain : beaucoup de dames et de messieurs endimanchés se faufilaient entre des malles luxueuses pour saluer les beys, les pachas et les nombreux Européens qui allaient fuir la canicule de l'autre côté de la Méditerranée. On commentait la toilette de l'épouse du consul d'Autriche-Hongrie, dont le chapeau de velours fuchsia empanaché de plumes rares portait un oiseau aux ailes déployées. De son côté, le prince Fouad montrait à des amis la valisette spéciale qu'il s'était fait fabriquer à Paris, chez Vuitton, pour transporter ses tarbouches.

– Nous reviendrons le 30 septembre au plus tard, précisa Norbert à Milo. Surtout, n'hésitez pas à faire appel à mon cocher si vous avez besoin de lui.

Solange, très excitée par le voyage, très émue aussi, essuyait une larme entre deux éclats de rire. Elle faillit trébucher sur une ombrelle et se rattrapa à la veste d'un monsieur qui devait être le sous-directeur du Crédit foncier. Milo héla un marchand ambulant pour offrir des jus de tamarin à tout le groupe.

Peu après onze heures, le paquebot des Messageries maritimes s'éloigna lentement du quai, avec plusieurs coups de sirène en signe d'au revoir. Du deuxième pont, Solange jeta à ses amis une rose qui alla se noyer au milieu de l'écume.

– Ah, comme j'aimerais voir un jour l'Europe ! s'écria Doris.

– Toi, tu peux partir quand tu veux, plaisanta Milo. Le khédive, lui, doit faire des mains et des pieds pour obtenir une autorisation du sultan.

Dans le fiacre qui les ramenait à Fleming avec les Tiomji, il se fit un plaisir de raconter cette nouvelle affaire sur laquelle les journaux étaient bien discrets. Dieu sait comment il en connaissait les détails ! Peut-être venait-il seulement de les découvrir en laissant traîner une oreille sur le quai.

– Le sultan ne voulait pas qu'Abbas aille se dévergonder en Europe. Il craignait surtout que son vassal n'en profite pour rencontrer des chefs d'État étrangers et se poser en souverain indépendant. Mais notre khédive mourait d'envie d'aller à Venise et à Divonne, sans doute aussi à Paris. Il a envoyé à Constantinople l'un de ses médecins, le docteur Comanos pacha, pour plaider sa cause. Celui-ci a expliqué au sultan qu'Abbas avait grossi, qu'il souffrait de congestions à la tête et avait besoin d'un changement de climat. Le sultan a répliqué que son empire était assez vaste pour offrir tous les climats désirés : il mettrait à la disposition du khédive un palais sur la mer Noire.

– Moi, j'aurais pris le palais sur la mer Noire pour passer des vacances avec les autruches et avec Lita ! s'exclama Richard Tiomji en riant grassement.

– Devant l'insistance du médecin qui avait un peu d'argent de poche à offrir, le sultan a fini par céder, mais en fixant lui-même le parcours et les moyens de transport : le khédive partirait à bord de son propre yacht, le *Mahroussa*, il n'irait qu'en Italie et en Suisse ; et il voyagerait incognito.

– Même incognito je serais partie, dit Doris avec un sourire rêveur.

Le khédive alla donc passer quelques semaines en Europe, et quelques autres à Alexandrie : ne supportant pas la chaleur, il vivait une partie de l'année loin du Caire, le plus souvent au palais de Montazah qu'il avait fait aménager sur la côte. C'était un magnifique domaine, où poussaient déjà des milliers de palmiers, d'orangers, d'abricotiers et de mûriers. Seif eut le privilège de s'y rendre au cours de cet été 1895, pendant le séjour des Popinot en France. Il faisait partie d'un petit groupe d'anciens étudiants en droit conduits par son héros, Moustapha Kamel, devenu le chouchou du khédive et la bête noire des Anglais.

– Son Altesse nous attendait sur l'immense terrasse qui domine la baie, racontait l'avocat. Je ne l'ai pas reconnu tout de suite.

Le beau jeune homme qui avait visité leur école trois ans et demi plus tôt était devenu un monsieur corpulent. Abbas portait un costume de tweed et des bottines jaunes. Il accueillit Moustapha Kamel par une accolade, mais laissa Seif et ses camarades lui baiser la main.

Le khédive était très fier de son domaine. Il leur parla de ses pépinières, de ses lapinières, de ses menuiseries d'art et du fil spécial qui lui permettait de télégraphier dans toute l'Europe sans passer par les câbles anglais. Ce dernier détail était le seul qui avait intéressé Seif.

Ils déjeunèrent sur la terrasse dans un service de vermeil. Puis Abbas les emmena à bord d'une petite locomotive qu'il conduisait lui-même, suivie d'un wagon transportant les domestiques et les glaces pour le goûter. Cette ligne privée ne comptait encore que quelques kilomètres mais elle atteindrait bientôt le lac Mariout et, de là, rejoindrait la voie ferrée qui devait arriver un jour jusqu'à la frontière tripolitaine.

Tout au long du parcours, le khédive ne cessa de leur vanter ses plantations, ses écuries et ses ateliers. Seif eut l'impression d'avoir affaire à un souverain démissionnaire, replié sur son domaine. Ce n'est qu'au retour, dans le wagon-salon, que Moustapha Kamel réussit à engager une discussion politique. Abbas dit alors à ses invités tout le mal qu'il pensait de Lord Cromer et les incita à militer pour la fin de l'occupation anglaise. Seif, qui attendait beaucoup de cette visite, resta sur sa faim.

# 27

Les Popinot revinrent d'Europe en octobre, avec un cadeau pour chacun et une moisson d'histoires. Norbert était intarissable sur la condamnation du capitaine Dreyfus, Solange ne jurait plus que par la musique de Debussy. Ils animaient activement les rencontres du mercredi soir, auxquelles Seif avait pris l'habitude de venir en compagnie d'un camarade d'enfance, un certain Ibrahim, qui avait été subjugué par Doris. Bien en chair, portant toujours des vêtements de couleur vive, ce jeune homme rieur, dont un oncle était ministre, appartenait à une riche famille musulmane du Caire. C'était un amateur de peinture et de musique, de bon vin aussi. On se demandait comment l'avocat le supportait. Passant pour poète, Ibrahim n'avait qu'une seule activité déclarée : la composition d'une *Marseillaise égyptienne*. Seif le pressait d'achever cette œuvre dont il attendait beaucoup pour favoriser la cause de l'indépendance.

– Dès que tu auras fini, disait-il à Ibrahim, nous l'imprimerons à des milliers d'exemplaires. Peut-être faudra-t-il aussi la traduire en anglais.

Mais l'auteur ne semblait guère pressé d'aboutir.

– J'y travaille, j'y travaille, disait-il avec un sourire évasif chaque fois qu'on l'interrogeait sur le sujet.

Ne se prenant guère au sérieux, Ibrahim préférait composer de petits poèmes sans prétention, qu'il lisait à haute voix aussitôt après les avoir inscrits sur son calepin.

Comme souvent, ce soir-là, la discussion avait glissé sur Lord Cromer.

– Vous dites que le consul britannique est un despote, lança Richard Tiomji à Seif. Expliquez-moi alors pourquoi la presse en Égypte est aussi libre !

– C'est une tactique. Cromer maintient la liberté de la presse pour connaître l'état de l'opinion. Les journaux lui fournissent quotidiennement des renseignements précieux qu'il lui est facile de contrôler ensuite. Cela lui permet aussi de surveiller les agissements de l'administration.

– Vous voulez dire qu'il faudrait faire taire les journaux ?

– Je n'ai pas dit ça...

La discussion s'animait. Entre Richard et Seif, elle risquait toujours de dégénérer en incident. Au bout d'un moment, lassée par les arguments des uns et des autres, Solange joua une polka. Accoudé au piano, un verre de vin à la main, Ibrahim l'encourageait par des sourires. A la fin du morceau, il déclama :

*Cromer ne nous fait pas peur,*
*Nous avons un souverain*
*Qui sait arroser ses fleurs*
*Et jouer au petit train.*

– Toi, tu ferais mieux d'avancer ton travail ! fit Seif en lui lançant un regard désapprobateur.

Milo entonna alors gaiement :

*Allons enfants de la patrrr-i-i-e*
*Le jour de gloire eeeest arrr-ivé...*

Solange se boucha les oreilles puis, pour couvrir ces fausses notes, arracha à son piano une vibrante *Marseillaise*.

Un peu plus tard, Seif leur lut avec emphase une lettre que Moustapha Kamel avait adressée à Juliette Adam, la célèbre journaliste parisienne :

*Toulouse, le 12 septembre 1895*

*Madame,*

*Je suis encore petit mais j'ai des ambitions hautes. Je veux, dans la vieille Égypte, réveiller la jeune. Ma patrie, dit-on, n'existe pas. Elle vit, Madame. Je la sens vivre en moi avec un amour tel qu'il dominera tous les autres et que je veux lui consacrer ma jeunesse, mes forces, ma vie. J'ai 21 ans, je viens de conquérir ma licence de droit à Toulouse.*

*Je veux écrire, parler, répandre l'enthousiasme et le dévouement que je sens en moi pour mon pays. On me répète que je veux tenter l'impossible. L'impossible me tente, en effet.*

*Aidez-moi, Madame, vous êtes à tel point patriote que vous seule pouvez me comprendre, m'encourager, m'aider.*

*Agréez, Madame, mes respectueux hommages.*

*Moustapha Kamel.*

– Que c'est émouvant ! dit Solange Popinot. Et comment a réagi Mme Adam ?

– Elle a promis de le recevoir lorsqu'il arrivera à Paris.

– Votre ami Moustapha Kamel devrait fonder un parti politique, dit Norbert.

– Non, il y est fermement opposé. Son but est de rassembler tous les Égyptiens, sans distinction d'opinion.

– Alors, on en a pour un moment ! conclut Ibrahim, hilare.

Grand amateur de peinture impressionniste – il possédait deux Monet et un Sisley –, Ibrahim refusait de considérer la photographie comme un art.

– Avec un simple pinceau et des couleurs, le peintre donne la vie, dit-il un soir à Doris. La photographie, elle, n'est que le produit d'un dispositif mécanique et chimique.

Elle croyait entendre ses propres paroles, quelques années plus tôt, quand elle en débattait avec Milo. Mais les arguments assez pauvres que développait alors son mari ne lui étaient pas d'un grand secours : un esthète comme Ibrahim exigeait bien davantage.

– Ce qui fait l'artiste, répliqua-t-elle, ce n'est pas le procédé mais le sentiment.

Le jeune homme réfléchit quelques instants, puis hocha la tête :

– Non, la photographie est née de la science. Elle portera toujours cette tare originelle. Je crois même que son statut ne fait que se dégrader avec le temps. Plus elle se perfectionne techniquement, plus elle s'éloigne de l'art.

– Ce pourrait être le contraire…

– Mais non ! La photographie n'existe que grâce à un instrument bien compliqué. C'est un art sans artiste.

Voyant le regard de la jeune femme s'assombrir, il comprit qu'il était allé trop loin :

– Ne vous vexez pas. Disons que la photographie est un art, comme le sont la chasse et la navigation. Ce n'est pas l'un des beaux-arts. Qualifions-la d'art scientifique, si vous voulez.

Elle protesta :

– Pourquoi la photographie ne serait-elle pas un art complet, au même titre que la peinture, le dessin ou l'architecture ? Et, d'ailleurs, qu'est-ce que l'art, selon vous ?

Il haussa les épaules :

– L'art est une création. C'est ce qui fabrique de la beauté, ce qui provoque de l'émotion.

– Eh bien, la photographie répond parfaitement à cette définition. Ou, du moins, certaines photographies…

Le regard du jeune homme s'anima :

– Vous voyez, vous parlez de *certaines* photographies. Il ne viendrait à l'idée de personne de dire que *certains* tableaux sont des œuvres d'art.

– Ah bon ? répondit-elle du tac au tac. Vous pensez vraiment que *toutes* les toiles qui se vendent sur les étalages du Mouski sont des œuvres d'art ?

Il se mit à rire :

– Bon, d'accord. Je vous concède un point. Mais vous m'avez égaré… Revenons à notre sujet de départ. Pourquoi un appareil reproduisant mécaniquement la réalité donnerait-il à son opérateur le statut d'artiste ? C'est trop facile.

Doris commençait à prendre goût à cette joute oratoire.

– Si je comprends bien, dit-elle, vous définissez l'œuvre d'art par la difficulté à la réaliser ?

– Ah non ! Vous ne m'entraînerez pas sur ce terrain-là !

– Contrairement à ce que vous semblez croire, cher Ibrahim, le photographe n'est pas un copiste. Il ne fait nullement un calque de la réalité. C'est lui, et non l'appareil, qui choisit de mettre en valeur tel aspect de son modèle, de sacrifier tel détail qui lui paraît inutile, de distribuer la lumière comme ceci ou comme cela… Le photographe ne vous montre pas seulement ce qu'il a vu, mais comment il l'a vu.

Toujours sceptique, le poète se promit de lui répondre en vers à la première occasion.

# 28

– Feriez-vous un portrait de mon oncle ? demanda Ibrahim à Doris un mercredi soir à brûle-pourpoint.

Elle eut du mal à cacher son étonnement :

– Votre oncle, le ministre ?

– Oui. Je trouverais très drôle qu'il soit photographié par une femme.

– Mais il n'acceptera jamais !

– Il n'en saura rien. Il est très myope, vous savez.

Elle n'avait guère envie de se livrer à une mystification de ce genre. La proposition d'Ibrahim prouvait qu'il ne prenait pas la photographie au sérieux, et même qu'il la méprisait. Mais Milo, à qui elle en fit part, trouva l'idée très amusante. Tout l'amusait… Et il ne se tenait plus à la perspective de compter un ministre parmi ses clients :

– Un ministre, tu te rends compte ! D'accord, je sais bien qu'un ministre a beaucoup moins de poids qu'un consul européen, mais tout de même ! C'est un premier pas.

Ibrahim se proposa d'aller en parler dès le lendemain à son oncle. Ce pacha détenait le portefeuille de l'Instruction publique mais, comme tous les ministres, il était flanqué d'un conseiller anglais tout-puissant qui prenait la plupart des décisions. Son immense bureau, aux murs tendus de soie rose, était ouvert à tous les vents. Les visiteurs s'y entassaient à longueur de journée, sirotant des boissons chaudes ou fraîches, qu'un employé renouvelait en permanence. Le ministre, qui devait bien peser cent vingt kilos, était à demi allongé sur un sofa. D'un air ennuyé, il donnait la parole à l'un ou l'autre de ses solliciteurs, qui se levait et présentait sa requête au milieu de mille formules de politesse. Le pacha l'écoutait distraitement, puis se tournait vers quelqu'un d'autre. Le visiteur se rasseyait, prêt à reprendre sa démonstration au moindre geste de l'excellence.

De temps en temps, d'un froncement de sourcils, le ministre appelait l'un de ses assistants qui se tenait debout près d'une porte. Le fonctionnaire se précipitait, courbé en deux, pour recueillir l'auguste parole. Les regards de tous les visiteurs convergeaient vers lui, guettant un geste. Et le manège reprenait. Quand le conseiller anglais était en conférence avec le ministre, on expulsait tout ce monde et on fermait les portes.

Ibrahim, bien décidé à ne pas attendre, voulait obtenir sur-le-champ un accord pour le portrait. Mais quand il s'approcha de son oncle, un secrétaire était en train de présenter à celui-ci un décret à signer.

– Le conseiller anglais a-t-il paraphé ce texte ? demanda le ministre.

Le secrétaire répondit oui. Le pacha désigna alors mollement le sceau posé sur la table :

– Voici le ministre, faites-le signer.

Ibrahim prit son oncle par le bras pour l'introduire dans l'atelier de pose. Le pacha n'y voyait pas à un mètre, en effet... Ayant appris que c'était un homme très petit et très gros, Doris avait prévu de l'avantager en le photographiant près d'un meuble encore plus massif que lui : la commode du salon, que Bolbol avait descendue de l'étage avec l'aide du portier d'un immeuble voisin.

Pendant qu'Ibrahim et Milo tournaient autour du ministre, la Mamelouka faisait la mise au point. De temps en temps, elle chuchotait une consigne de pose à son mari que celui-ci transmettait avec force politesses à l'illustre client.

– Surtout pas de face ! murmurait-elle. Il apparaîtrait monstrueux.

– Excellence, susurrait le fournisseur des consulats, puis-je me permettre de vous suggérer de vous tourner légèrement vers la droite ?

– Efface-moi ce triple menton !

– Et si vous avanciez un peu la tête, Excellence, pour vous mettre à l'aise…

Doris accentua les ombres au maximum pour amaigrir les traits du pacha. Craignant cependant d'avoir exagéré, elle prit deux autres clichés avec des éclairages différents.

Dans la photo qu'elle sélectionna le lendemain, seule la moitié du visage était éclairée.

– C'est superbe ! s'exclama Ibrahim, venu voir le résultat de la séance de pose.

Il n'avait jamais trouvé son oncle aussi digne et, tout compte fait, aussi beau. Milo l'accompagna le jour même chez le ministre, avec les tirages. C'était malheureusement l'heure du conseiller anglais. Ils durent patienter quarante minutes dans le couloir au milieu d'une foule de visiteurs expulsés. Ibrahim réussit néanmoins à entrer avant tout le monde dès la réouverture des portes.

Le ministre se montra enchanté du portrait et félicita son neveu d'avoir pris une telle initiative :

– Ta première initiative intelligente ! crut-il devoir préciser.

Il était tellement content de la photographie qu'il en commanda une cinquantaine d'exemplaires. Et, pour remercier Émile Touta, il lui fit porter quelques heures plus tard, avec les honoraires, une caisse de cigares sud-américains.

Ibrahim se tordait de rire :

*Offrir des cigares à une dame !*
*Pourquoi pas un fusil, une épée,*
*Du savon à barbe ou un chausse-pied ?*
*Excellence, vous méritez un blâme.*

Mais l'affaire n'amusait plus Milo. Dans les jours suivants, il se montra nerveux et cassant avec Doris, comme s'il lui reprochait son succès. Elle ne s'en vantait guère, pourtant : cette affaire était close à ses yeux.

Un après-midi, alors qu'aucun client ne se trouvait dans le magasin et que les portes étaient ouvertes, les pleurs de Gabrielle parvinrent jusqu'au cabinet noir.

– La petite pleure, dit Milo d'un ton de reproche.

– J'ai entendu, fit Doris en continuant à ranger des plaques sensibles dans leur châssis.

– A force de ne pas voir sa mère…, maugréa-t-il d'une voix désagréable.

Elle se sentit rougir, comme prise en faute. Rien ne pouvait la toucher davantage, elle qui se jugeait régulièrement coupable de sacrifier ses filles à son métier. Il faut dire que personne dans son entourage ne cherchait à la rassurer. Lita Tiomji était la première à lui rappeler ses devoirs de mère.

– Oui, j'ai entendu, répéta-t-elle d'une voix incertaine, en se hâtant de ranger les plaques pour monter à l'appartement.

Au dîner, Milo afficha un visage fermé qu'elle ne lui connaissait pas. Avait-il fait exprès de souligner que la petite pleurait ? Doris s'interrogeait de plus en plus sur les pensées qui agitaient son mari et la manière dont il accueillait sa réussite. Certes, il était fier de sa femme, flatté de l'avoir convertie à la photographie, et ravi de voir sa clientèle augmenter. Mais elle le sentait, par moments, humilié et blessé, comme atteint dans sa virilité.

## 29

J'étais ébahie, une fois de plus, par la capacité de Milo à se créer un auditoire. En arrivant à cette réception chez l'un des frères de Richard Tiomji, il ne connaissait personne. Un quart d'heure plus tard, il était entouré d'une dizaine d'invités, passionnés par ses récits, qui ne le lâchaient plus.

« Comme me le disait l'autre jour le ministre de l'Instruction publique qui est mon client… » L'aplomb avec lequel Milo exploitait l'oncle d'Ibrahim me stupéfiait tout autant. Partagée entre l'admiration et l'agacement, je ne reprochais pas à mon mari de tirer toute la couverture à lui : c'était normal, après tout ; nul ne devait savoir que le pacha avait été floué, cela aurait pu revenir à ses oreilles et provoquer scandale. Mais je trouvais tout de même que Milo allait un peu loin en inventant purement et simplement les propos de l'excellence : « Le ministre est formel, il n'y aura pas d'opération militaire au Soudan dans un avenir prochain. »

Les questions fusaient. Il y répondait avec l'air évasif d'un porte-parole officiel, qui en savait long mais ne pouvait tout dire. Ce qui ne faisait qu'exciter la curiosité de l'assistance…

C'est à l'ouverture du buffet que je tombai inopinément sur le bourreau de mon enfance. Je le reconnus à ses grandes mains aux doigts carrés et aux ongles sales, qui étaient posées sur une nappe immaculée.

A douze ans de distance, le peintre n'avait guère changé : il affichait toujours la même carrure trapue, ce même air de bûcheron égaré dans un salon. Seule sa chevelure avait blanchi et contrastait avec des sourcils noirs en broussailles. « Vous êtes peintre ? » demandai-je après m'être approchée de lui. Il leva un regard étonné. « Je peins », grommela-t-il. Puis, de la même voix bourrue : « Comment le savez-vous ? » Je lui précisai que j'étais la fille de Léon Sawaya, rappelant qu'il avait fait naguère mon portrait.

Il me dévisagea d'un regard vide : « Ah oui ? C'est possible. » Visiblement, la miniature réalisée douze ans plus tôt ne lui avait laissé aucun souvenir. Qui sait combien de ces petits portraits, et combien de victimes, il avait faits au cours de sa vie…

L'homme approcha sa main de l'un des plats qui se trouvaient au centre de la table, saisit une feuille de vigne farcie et la porta à sa bouche. Il mâchait pesamment, avec des bruits de langue. « J'ai fait un peu d'aquarelle il y a quelques années, dis-je pour engager la conversation. Aujourd'hui, je suis photographe. » Le peintre continuait à mastiquer, l'air fermé. Un vrai mufle. Au bout de quelques instants, sans réfléchir, je lui lançai : « Si cela vous tente, je pourrais, à mon tour, faire votre portrait. »

Je me demanderais plus d'une fois par la suite ce qui m'avait pris à cet instant-là. Voulais-je le contraindre à parler ? Déchiffrer ce regard luisant et un peu oblique ? Ou avais-je été tentée d'inverser les rôles à douze ans de distance et d'effacer le traumatisme engendré par la miniature ?

Nous convînmes d'un rendez-vous pour le surlendemain.

L'homme était assis sur le siège, face à l'appareil, le corps penché en avant. Je l'observais à travers l'objectif, beaucoup mieux que je n'avais pu le faire à la réception de l'autre soir. Il devait avoir dans les cinquante-cinq ans. Son visage aux traits lourds exprimait une sorte de violence rentrée.

Je me souvenais de la séance au cours de laquelle j'avais moi-même posé devant lui. Il n'avait pas dit trois mots. De temps en temps, seulement, il s'approchait de moi pour me redresser la tête. Ses doigts rêches me saisissaient le menton sans délicatesse. « Monsieur va faire ton portrait, avait dit mon père. Tu es priée de ne pas bouger. » Deux semaines plus tôt, j'avais vu ma mère poser à la même place, dans un silence égal. Toute la famille défilerait-elle devant ce peintre si peu loquace ?

Dans l'objectif photographique, l'image brusquement se brouilla. Je n'eus même pas le temps de me demander pourquoi. L'homme s'était approché de moi et empoignait ma taille, l'air égrillard. « Mais enfin ! » m'exclamai-je, en me redressant vivement.

Nous étions face à face, à quelques centimètres l'un de l'autre. La main aux ongles noirs se crispa sur ma poitrine. J'eus brusquement très peur. « Mais enfin, lâchez-moi ! » criai-je en tentant de me dégager.

Le peintre affichait toujours le même sourire vulgaire. Voyant que je résistais, il plaqua sa main contre ma bouche pour m'empêcher de crier. Je me débattis et, dans cette échauffourée, mon bras heurta la manivelle. Il me rattrapa, d'un air mauvais, empoigna mon corsage et l'arracha en s'y reprenant à deux fois. Terrorisée, je saisis le premier objet qui me tomba sous la main. C'était le réflecteur. Je le brandis vers lui puis me mis à hurler, de toutes mes forces, comme jamais je n'avais hurlé... L'homme, désemparé, poussa un juron et se précipita hors de l'atelier de pose, bousculant Bolbol au passage.

« Qu'est-ce qui se passe ? » demanda l'employé. « Sors d'ici ! » lui criai-je, après m'être protégée la poitrine avec le voile noir de l'appareil. Bolbol, éberlué, resta les bras ballants. « Je t'ai dit de sortir ! »

A Milo, qui faisait sa partie de trictrac au café, je décidai de ne pas parler de l'incident, par crainte d'un scandale. Je me sentais responsable. N'avais-je pas invité cet homme à venir se faire photographier ? Sans doute s'était-il mépris sur mes intentions.

Montée à l'appartement, je commençai par me laver à grande eau. Puis je me parfumai et mis l'une de mes plus belles robes. En me remaquillant à ma table de toilette, j'aperçus la miniature qui se reflétait dans le miroir. Calmement, je la décrochai, l'enlevai de son cadre et l'approchai de la flamme de la veilleuse. L'objet se tordit avant de se consumer.

« As-tu eu un problème ? me demanda Milo ce soir-là. Bolbol m'a tenu des propos incohérents sur un client étrange, qui aurait brisé des objets dans l'atelier. »

« C'est Bolbol qui est étrange ! répondis-je. Rien n'a été brisé, que je sache. »

En remettant de l'ordre dans l'atelier un peu plus tôt, j'avais découvert sur le tapis un petit canif au manche jauni. Une image vieille de douze ans m'était revenue en mémoire : dans le salon de mes parents, le peintre reposant son pinceau pour se curer les ongles avec le bout d'une lame... Était-ce le même couteau ? Je faillis le garder puis, me ravisant, j'allai le jeter dans la poubelle de la cour.

Au cours de la semaine suivante, je fis deux fois le même cauchemar : le peintre quittait son chevalet, s'approchait de la fillette et écrasait sa bouche pour l'empêcher de crier. « C'est bien fait pour vous ! » disait Mère Marie des Anges en agitant son gros trousseau de clés. Mon père regardait la scène, sans intervenir. Il souriait.

J'eus pendant quelque temps une certaine appréhension quand je me trouvais seule dans l'atelier de pose avec un client. Il m'arrivait de garder la porte entrouverte, contrairement à tous mes principes. Mais, très vite, le souvenir de cette scène grotesque s'estompa. La victime du peintre était une fillette, non une jeune femme. Victime d'une tache de peinture, bien plus violente qu'une tentative d'agression dont il ne me restait qu'un léger hématome sur le bras.

« Tu t'es fait mal ? » demanda Milo en effleurant du doigt la marque brune. « C'est sans doute toi, répondis-je d'une voix coquine. La nuit, tu es une vraie brute. » Pour toute réponse, il me mangea le cou de baisers.

Qui avait introduit le peintre chez nous douze ans plus tôt ? Mon père n'était pas homme à fréquenter des artistes, même aussi frustes que celui-là. Seule ma mère pouvait être à l'origine de la fameuse miniature. Odette Sawaya, née Falaki, passait dans sa jeunesse pour une personne de goût, attachée à toutes les formes de l'art, et même une artiste. Lita Tiomji me disait : « Je n'oublierai jamais ta pauvre mère arrachant de si belles notes au piano pendant que nous jouions dans ta chambre. »

Elle en parlait comme d'une morte. Il est vrai que cette femme squelettique, dont le visage s'agitait à la moindre émotion, vivait en recluse depuis des années. Certains la croyaient folle. Elle était seulement ailleurs, passant des après-midi entiers à rêvasser sur un divan en suçotant son long fume-cigarette en ivoire. Ma mère pouvait déclamer des odes complètes de Ronsard ou de Musset au milieu des volutes de fumée bleue, indifférente à ceux qui l'approchaient.

Je ne dirais pas que je retrouvais ma famille avec beaucoup de plaisir. Mon père me paraissait incapable de me comprendre et ma mère ne m'entendait pas. Quant à mes frères et sœurs, je les connaissais mal, sans doute en raison de mes longues années passées au pensionnat. Aucun d'eux n'avait manifesté de réel intérêt pour mon activité photographique, ou alors seulement pour s'en étonner.

Apprenant que je passais une partie de la semaine dans l'atelier de pose, mon père s'était d'abord indigné. Mais j'avais coupé court à ses remarques, lui faisant comprendre que je n'envisageais nullement de revenir en arrière. Il s'était contenté de marmonner, le pauvre : le comportement étrange de sa propre épouse lui interdisait de donner à quiconque des leçons sur le rôle de la femme au foyer. J'aurais pu être plus persuasive et plus douce.

Avec ma mère, je tentais désespérément de nouer de vraies conversations. Venant lui présenter ma troisième fille, Marthe, née en février 1896, je m'attirai un vague sourire et quelques phrases curieuses sur la lune et le vent. J'en fus meurtrie.

A Hélouan, Nonna réagit de manière beaucoup plus classique, prenant sa petite-fille dans les bras pour s'exclamer : « *Wehcha ! Wehcha !* »

Encore une fille… « La quatrième fois sera la bonne »,

disaient à Milo ses tantes et ses belles-sœurs pour le consoler. Mais il ne semblait nullement déçu d'avoir reçu du ciel une nouvelle réplique de la Mamelouka. Il fallait le voir faire des risettes à la petite Marthe, ses deux autres filles agrippées à ses épaules !

# 30

Seif était hors de lui :

– Vous vous rendez compte ! Le khédive n'a été informé qu'à la dernière minute de la campagne du Soudan. On est venu lui apprendre qu'il avait déclaré la guerre aux mahdistes !

Pour réparer cet oubli volontaire, Lord Cromer était allé présenter des excuses de pure forme au palais. Abbas, furieux, se trouvait mis devant le fait accompli et n'avait plus qu'à saluer les troupes qui partaient au front. On lui laissait un seul régiment et sa garde personnelle : tout le reste de l'armée égyptienne, aidée de quelques bataillons anglais, irait se battre au Soudan sous les ordres du général Kitchener.

– Savez-vous, poursuivit le jeune avocat, que des rafles sont opérées dans les villages près de la frontière soudanaise ? Des fellahs sont emmenés de force dans les centres de recrutement. Là, on leur passe autour du cou une ficelle avec un sceau de plomb. On leur dit : « Désormais, tu fais partie de l'armée. Ce sceau est celui du khédive. Si tu le brises, si tu cherches à t'enfuir, tu seras puni comme déserteur. » Les mères et les épouses de ces malheureux se rendent sur place et trouvent porte close. Cramponnées aux grilles, elles pleurent, elles crient, se roulent par terre, se couvrent la tête de poussière. Les sergents recruteurs les écartent à coups de fouet.

– Le vrai scandale, dit Norbert Popinot, ce sont les 500 000 livres que Lord Cromer veut prélever sur les réserves pour financer l'opération. Tout le monde sait que ces réserves visent à garantir le remboursement de la dette égyptienne. Et qui sont les porteurs des titres de la dette, s'il vous plaît ? Des citoyens français principalement ! C'est avec notre argent que l'Angleterre veut reconquérir le Soudan, soi-disant pour le compte du khédive !

– Attendez, attendez, dit Richard Tiomji. Qui a parlé de reconquérir le Soudan ? Je vous rappelle que cette campagne militaire a été décidée pour venir en aide aux troupes italiennes du général Baratieri, en difficulté à Kassala.

– L'Angleterre se fiche bien du général Baratieri ! répliqua Popinot. Son objectif est de reprendre le Soudan. Il suffit de regarder la carte pour s'en convaincre. Moi, voyez-vous, pour aller à Kassala, je ne passerais pas par Dongola !

Et il expliqua la tactique des Britanniques :

– Plus de mille sept cents kilomètres séparent la frontière égyptienne d'Omdurman. Dans cet espace, le Nil fait deux boucles immenses et traverse six cataractes qui empêchent toute navigation. Kitchener va couper ces boucles à travers le désert, grâce à la voie de chemin de fer dont le prolongement vient d'être décidé. Les Anglais ont été vaccinés contre les opérations improvisées. Cette fois, ils avanceront pas à pas, comme les Romains, et seront constamment reliés à leurs bases d'approvisionnement.

Milo fit remarquer à Richard Tiomji que si le Soudan était reconquis, les caravanes reprendraient leur activité et fourniraient des plumes d'autruche à l'Égypte. La concurrence risquait d'être redoutable.

– J'emmerde toutes les autruches du Soudan ! rugit l'interpellé. Les miennes ont des plumes incomparables.

Et, arrachant un éventail des mains de Lita pour le mettre sous le nez de Milo :

– Je défie quiconque de produire au même prix des objets de cette qualité !

C'est un William Elliot surexcité qui passa au magasin :

– Je pars. Nous allons enfin venger Gordon.

L'officier leur confirma implicitement que l'objectif était de reconquérir tout le Soudan. Nommé à la tête d'un escadron de cavalerie de quatre-vingts sabres, il se voyait déjà à Omdurman :

– Slatin pacha part avec nous. Il saura nous indiquer la route.

Profitant de quelques instants d'absence de Milo, l'Anglais demanda à Doris :

– Me permettez-vous de vous écrire ?

Stupéfaite, elle ne sut pas répondre, et il prit son silence pour un encouragement.

Ibrahim, accoudé au piano, un verre à la main, intervint nonchalamment :

– On nous a toujours dit que le contrôle des eaux du Nil était essentiel. Depuis les pharaons, l'Égypte n'a cessé d'occuper le Soudan et d'en être chassée. Je ne vois pas pourquoi nous ne chercherions pas aujourd'hui à reconquérir ces provinces perdues.

– Tous les patriotes désirent la reprise du Soudan, répondit Seif d'une voix solennelle. La vallée du Nil ne peut avoir en effet qu'un seul et unique gouvernement. Mais nous n'avons jamais voulu et ne voudrons jamais reprendre le Soudan sous le commandement des Anglais.

– Qu'est-ce que ça change ? demanda le poète.

– Ça change tout ! Par leur présence à la tête de l'armée, ils vont creuser un abîme entre les Soudanais et nous. Ce qui vient d'être mis en route, c'est une opération anglaise sous pavillon égyptien.

Norbert enchaîna sur un ton ironique :

– L'Égypte et l'Angleterre sont si étroitement unies, voyez-vous, que les droits de l'une se confondent avec les ambitions de l'autre.

Mais Ibrahim insistait, se faisant l'avocat du diable :

– Expliquez-moi alors pourquoi les Anglais ont attendu tout ce temps pour intervenir au Soudan. Cela fait onze ans que Khartoum a été conquise par les mahdistes.

– C'est simple, cher ami, fit Popinot. Toutes ces dernières années, l'Angleterre avait intérêt à ne pas reprendre le Soudan : en agitant la menace mahdiste, cet épouvantail à moineaux, elle se posait en protectrice de l'Égypte et justifiait ainsi la poursuite de l'occupation. Mais, depuis que d'autres armées européennes sont intervenues en Afrique, la donne a changé. Cette campagne militaire vise à prendre de vitesse les autres puissances. Sous prétexte de porter secours à Baratieri, l'Angleterre veut barrer la route aux Français, aux Belges, aux Allemands, aux Italiens eux-mêmes. Qu'est-ce que vous croyez ! La reine Victoria voit bien au-delà d'Omdurman ! Elle rêve d'une Afrique anglaise qui irait d'Alexandrie au Cap. S'il a été décidé de prolonger la ligne de chemin de fer, ce n'est pas seulement pour ravitailler les troupes du général Kitchener !

Solange Popinot, qui commençait à trouver cette discussion un peu longue, joua les premières notes de *La Marseillaise*. C'était un clin d'œil à Ibrahim, qui se mit à rire :

– Oui, oui, mon œuvre avance. Vous verrez…

Milo entonna :

*Contre nous de la tyrrr-annie-eu*
*L'étendard sanglant-t-élevé*
*L'étendard san-anglant-t-élevé*

– Arrêtez, arrêtez ! cria Solange en faisant mine de se boucher les oreilles.

Mais Seif, d'un ton grave, poursuivait sa pensée :

– En 1884, l'Angleterre avait contraint l'Égypte à abandonner le Soudan. C'était illégal : seul le sultan pouvait ordonner une telle retraite au khédive. Aujourd'hui, l'Angleterre oblige l'Égypte à arroser le Soudan du sang de ses enfants. C'est encore illégal : seul le sultan peut décider d'une opération militaire. En réalité, l'Angleterre voulait que l'Égypte renonce au Soudan pour reconquérir un jour ces territoires à son seul profit.

– Je m'y perds complètement ! fit Solange.

– C'est pourtant simple, dit Milo d'un air faussement sérieux. Le Soudan est à l'Égypte, donc il est à l'Angleterre. Mais comme l'Égypte appartient à l'Empire ottoman…

# 31

La première lettre de William Elliot fut discrètement apportée au magasin par un militaire en civil. Doris la glissa dans son corsage, sans en parler à Milo. Elle attendit le soir pour la lire, à la lueur de la veilleuse, en berçant la petite Marthe.

*Firket, le 10 juin 1896*

*Chère amie,*

*Si cette lettre vous amenait à penser, ne serait-ce qu'une minute, à un officier couvert de poussière dans la fournaise du Soudan, je serais comblé.*

*Laissez-moi vous dédier notre première victoire qui, je l'espère, sera suivie de beaucoup d'autres.*

*Nous avions concentré nos forces à Akasheh, à quelque 90 miles au-delà de la frontière. Il y avait là dix bataillons d'infanterie, sept escadrons de cavalerie, dont le mien, ainsi que les méharistes. En face de nous, 30 000 derviches étaient signalés ! Sans hésiter, le général Kitchener a formé deux colonnes. La première, sous ses ordres directs, devait remonter le Nil, tandis que la nôtre avait pour mission de gagner par le désert les hauteurs qui dominent Firket pour couper la retraite à l'ennemi. Le 7 juin, nous marchions vers le camp des derviches. Au cours d'un bref engagement, de nombreux Arabes furent tués. Parmi eux, l'émir Hammouda, dont le corps a été identifié par Slatin pacha. Savez-vous qu'à elle seule cette victoire accroît le territoire égyptien de 450 miles ?*

*Je vous remercie de ne pas m'oublier.*

*Vôtre,*

*William Elliot.*

Il n'était pas question de montrer cette lettre à Milo. Doris aurait pu la détruire aussitôt, mais elle choisit de la conserver le temps d'une relecture, et l'enferma dans un coffret de velours bleu dont elle gardait la clé. Elle n'avait rien à se reprocher, après tout. Aurait-elle pu empêcher cet Anglais de lui écrire ? Elle n'était même pas en mesure de lui interdire de recommencer.

Trois mois plus tard, à son retour de Fleming, elle reçut une deuxième lettre, par le même messager. Le ton en était plus direct, plus familier.

*Dongola, le 23 septembre 1896*

*Chère Doris,*

*Me pardonnerez-vous de n'avoir pas donné de mes nouvelles plus tôt ? Aucun courrier n'était autorisé jusqu'à la prise de Dongola qui, grâce à Dieu, s'est déroulée selon les plans du sirdar. Depuis hier, le pavillon égyptien flotte sur la ville.*

*Le franchissement de la deuxième cataracte a été un véritable exploit. Figurez-vous que, pour traverser les eaux rapides du Nil, chacune de nos canonnières était tirée par 2 000 hommes accrochés à d'immenses câbles ! Ils se remplaçaient par moitié tous les quarts d'heure.*

*Nous nous sommes dirigés ensuite vers Sadin-Funti à travers le désert sous une chaleur atroce. La tempête de sable laissait craindre un désastre. Heureusement, les derviches ne se sont pas montrés.*

*Après diverses péripéties, le corps expéditionnaire au complet s'est retrouvé non loin d'Asbara où voiliers et vapeurs apportaient des vivres, du matériel et des munitions. Notre marche sur Dongola pouvait commencer.*

*Le 19 septembre, les derviches étaient débusqués d'Hafir, puis écrasés par les obus de nos canonnières. La colonne entière franchissait alors le Nil pour passer sur la rive droite. Le 4^e^ escadron, commandé par le capitaine Adams, a chargé des cavaliers baggaras. Adams a lutté corps à corps avec leur chef. Tous les deux ont roulé à terre et l'escadron est passé sur eux. Adams n'a pas été blessé !*

*La bataille de Dongola a été relativement facile, malgré le feu continu des derviches qui étaient mieux armés que nous ne le pensions. Poursuivis par la cavalerie égyptienne, ils ont abandonné leurs enfants dans le sable. Un peu plus tard, nos fourgons d'artillerie arrivaient à Dongola au petit trot chargés de bébés noirs !*

*Chère Doris, je pense souvent à la retraite aux flambeaux à laquelle nous avions assisté, en compagnie de votre mari, devant la caserne Kasr-el-Nil. Vous étiez éblouissante dans cette cape de velours émeraude. C'est cette image qui m'a porté pendant l'assaut de Dongola. Je voulais simplement que vous le sachiez.*

*J'espère que vous avez passé de bonnes vacances à Fleming, dans la fraîcheur. Que ne donnerais-je pas pour un bain de mer ! Je vous écrirai à la première occasion. C'est promis.*

*Vôtre,*

*William.*

# 32

La guerre contre les mahdistes n'avait rien changé à la vie artistique et mondaine du Caire. L'opéra, en particulier, y était plus actif que jamais. Si la saison théâtrale ne durait que quelques mois, elle occupait la colonie européenne toute l'année. Dans les journaux comme dans les salons, c'étaient des débats sans fin sur les programmes, la qualité des artistes, le dynamisme de l'imprésario... Aucune activité n'était plus sérieuse que le théâtre ; aucune autre ne suscitait une telle passion.

Abonné à l'Opéra khédivial, où les loges étaient chères et l'habit noir de rigueur, Norbert Popinot dissertait longuement sur les mérites comparés des troupes d'Alexandrie et du Caire :

– Les Alexandrins sont privilégiés. Ils possèdent le Zizinia, l'Alhambra, l'Alcazar et le théâtre Abbas. Et, tout ça, pour moins de six mille personnes susceptibles de comprendre Verdi ou Bizet ! Nous, au Caire, nous n'avons que le Khédivial et ce malheureux théâtre sur planches de l'Ezbékieh. Il est normal que nous soyons plus exigeants sur la qualité.

Chacune des deux villes possédait son comité de théâtre, dans lesquels figuraient plusieurs pachas. Ces messieurs allaient régulièrement prospecter en France et en Italie pour obtenir les meilleures troupes. Il arrivait aux plus frivoles – ou aux plus généreux – de prendre sous leur aile quelque jolie artiste désireuse de mieux découvrir l'Égypte pendant la saison.

Aux soirées du mercredi, Popinot ne manquait jamais de rendre compte en détail des représentations auxquelles il avait assisté avec son épouse. Il décrivait les costumes, la musique, les vivats ou les sifflets du public.

– Ah, cette scène ! s'exclamait-il. Le quatuor du troisième acte a soulevé les transports de la salle entière, et on a pleuré au quatrième à la mort de la pauvre Mimi.

Cela faisait rêver Doris qui, d'opéra, ne connaissait que les solos en fausset de Milo. Elle se laissait bercer par les remarques de Norbert qui étaient celles d'un vrai connaisseur :

– La voix de Mme Lacombe a quelques faiblesses, dans le registre supérieur notamment.

Le Français était sévère pour certains artistes dont il attendait beaucoup mieux :

– Comme ténor, M. Bucognani se défend. Son organe est aussi fluide qu'un hautbois. Mais s'il chante bien, il ne sait pas jouer. Ce n'est pas un comédien.

Pour d'autres, il savait se montrer indulgent :

– Un peu enrhumée hier soir, Mlle Labarrère n'avait pas tous ses moyens. Mais elle a courageusement lutté et elle est restée victorieuse.

Au Caire, l'imprésario du Khédivial, le célèbre Morvand, essuyait de nombreux reproches. Norbert Popinot n'était pas le dernier à réclamer son remplacement pour cette charge très convoitée :

– M. Morvand se donne beaucoup de peine pour courir après l'insuccès. Il a engagé des acteurs au hasard de la fourchette. Ce *Werther* n'était ni fait ni à faire. Des mouvements désordonnés, du bruit, de la confusion, et pas de musique. La claque avait beau se démener, le public n'a même pas essayé de réagir. Son Altesse s'est retirée à la fin du premier acte, ce qui n'est pas bon signe. A la sortie, plusieurs personnes cherchaient M. Morvand pour lui demander des explications.

Le programme de la saison était critiqué par certains abonnés du Khédivial.

– Depuis des années, on ne choisit que des œuvres tirées du répertoire français, disait Ibrahim, dont la famille louait l'une des loges à rideaux réservées aux dames musulmanes. C'est un genre à peu près épuisé. On ferait bien d'aller chercher du côté des opéras italiens avec grands ballets.

Deux pétitions concurrentes se mirent à circuler, l'une pour l'opéra français, l'autre pour l'opéra italien. Norbert Popinot était partagé entre ses sentiments patriotiques et son désir de changer de programme et d'imprésario. Plusieurs de ses amis connaissaient le même déchirement : au Cercle français, l'affaire du Khédivial provoquait des drames de conscience plus compliqués que pour l'affaire Dreyfus où chacun avait spontanément choisi son camp.

Dans ce moment difficile, Milo apporta à Popinot un peu de réconfort, avec une souplesse tout orientale :

– Mon cher Norbert, vous défendez l'opéra français, et c'est normal. Vous réclamez de l'opéra italien, et le répertoire mérite en effet d'être renouvelé. Où est le problème ? A votre place, je signerais les deux pétitions.

Popinot le regarda avec des yeux ronds. Mais, à la réflexion, ce compromis lui parut séduisant. Il y fit allusion autour de lui. Timidement d'abord, puis avec de plus en plus d'assurance à mesure de l'écho qu'il rencontrait.

– L'art n'a pas de patrie, allait-il jusqu'à murmurer, avec une audace qui l'impressionnait lui-même.

Plusieurs membres du Cercle français décidèrent de signer les deux pétitions. Et l'opéra italien l'emporta d'une courte tête.

Le nouvel imprésario, Luigi Gianoli, inscrivit quarante spectacles au programme de la saison suivante, parmi lesquels plusieurs œuvres de Puccini, Rossini et Verdi. Les abonnés du Khédivial se montrèrent plutôt satisfaits du répertoire et des artistes, mais une nouvelle controverse les agitait : ne fallait-il pas interdire aux dames de porter des chapeaux trop volumineux pendant le spectacle ?

– C'est inadmissible ! dit Popinot un mercredi. L'autre soir, une monstrueuse corbeille de fruits, fixée Dieu sait comment sur la tête de la présidente du bal de charité, m'empêchait de voir les trois quarts de la scène.

La petite taille de Norbert – il avait plusieurs centimètres de moins que son épouse – ne suffisait pas à expliquer cette gêne visuelle, partagée par beaucoup d'autres spectateurs du parterre et de l'orchestre. Solange aussi se plaignait des coiffures de ses voisines, elle qui détestait les chapeaux.

Certains abonnés du Khédivial avaient pris l'habitude de se munir d'un coussin pour se hausser sur leur siège. Ils en apportaient même deux, pour plus de sécurité, mais cela n'était guère apprécié des spectateurs qui se trouvaient derrière eux. Au conflit des chapeaux risquait de s'ajouter une bataille de polochons...

Au milieu de la saison, le bruit courut qu'un groupe de seize messieurs, plutôt jeunes, envisageaient des représailles : ils avaient commandé des tarbouches de trente-sept centimètres de hauteur et menaçaient de les porter à la première représentation de *Rigoletto* si ces dames n'obtempéraient pas. Le nom des conjurés devait rester secret jusqu'au dernier moment, mais Norbert assurait connaître plusieurs d'entre eux.

La menace ne se confirma pas. *Rigoletto* fut un succès, et la saison put se poursuivre sans trop d'énervement grâce au sens diplomatique de M. Gianoli, très apprécié du sexe féminin, qui sut convaincre les dames récalcitrantes de remplacer leurs pièces montées par de modestes bibis.

– M. Gianoli, déclara Norbert, a montré dans cette affaire une lucidité et un courage exceptionnels. Il est beaucoup question, au Cercle français, de constituer un comité pour lui faire obtenir la rosette de la Légion d'honneur. Nous devons nous réunir la semaine prochaine pour en décider.

– Vous allez encore vous fatiguer, remarqua de sa voix chantante et un peu molle Lita Tiomji, qui avait l'art de ces politesses de pure forme.

Depuis sa création en 1871 pour célébrer l'ouverture du canal de Suez, *Aïda* était joué tous les ans dans l'un des théâtres d'Alexandrie. Les abonnés ne se lassaient pas de revoir l'œuvre de Verdi, inspirée par l'égyptologue Auguste Mariette, avec de nouveaux artistes recrutés en Europe. C'est ainsi que Mlle Valentine Mendorioz déchaîna l'enthousiasme du public du Zizinia, au cours d'une soirée mémorable pour laquelle Ibrahim se rendit spécialement à Alexandrie.

Les ovations se succédèrent pendant toute la représentation. Dès le premier acte, les gerbes de fleurs affluaient. Au troisième, la scène en était couverte. La diva reçut pendant l'entracte nombre de petits poèmes, portant les initiales de notables connus.

Le public l'attendait à la sortie. Des porteurs de torches entourèrent sa voiture et une musique d'amateurs l'escorta jusqu'à son hôtel. Le lendemain, elle se vit remettre de nombreux cadeaux : une bague, des bracelets, des tasses de café en argent ciselé, et même quelques enveloppes contenant des chèques. On racontait que Rizkallah bey, le propriétaire des grands magasins *Touta et fils*, lui avait fait porter un superbe miroir monté sur bronze de deux mètres de hauteur… Le jour de son départ, Mlle Mendorioz reçut un album contenant tous les vers composés en son honneur. Ceux-ci notamment, signés « Ibr » :

*Que tu sois Aïda, que tu sois Desdémone*
*Ou la triste Mimi que la toux sombre étreint,*
*C'est à l'enchantement de ton art souverain*
*Que le public ravi, tous les soirs, s'abandonne.*

– Bravo, vous vous êtes surpassé ! s'écria Solange Popinot quand Ibrahim leur lut son poème.

– Et ta *Marseillaise* ? demanda Seif, que tous ces divertissements agaçaient.

# 33

– Ah non ! Cette fois je te le laisse, dit Milo en voyant Oscar Touta traverser la place pour venir jusqu'au magasin.

Quand le sexagénaire, enveloppé d'une cape noire, poussa la porte avec sa canne, il lui lança de sa voix la plus suave :

– Aujourd'hui, mon oncle, c'est Doris qui photographie. Oui, oui, Doris, ma femme. Tu verras, elle fait de très beaux portraits.

Oscar Touta, qui avait à peine entendu, se dirigeait déjà vers la glace pour ajuster d'un doigt sa mèche rebelle. Laissant Bolbol à l'accueil, Milo en profita pour aller faire une partie de trictrac au café d'à côté. Il était toujours sûr d'y trouver un partenaire parmi les oisifs en tarbouche, attablés midi et soir devant un narguileh. En cas d'urgence, on savait où le trouver.

– Une journée sans trictrac, disait-il, c'est comme une messe sans communion.

Sauf qu'il prenait beaucoup plus au sérieux le trictrac que la communion… Chacun de ses coups de dés était accompagné de commentaires graves, presque théologiques, s'il gagnait ; et de jurons gros comme la main si cette foutue chance lui manquait. Il y avait toujours un petit attroupement autour de la table basse pour ces parties à 3 piastres. Certains joueurs déplaçaient leurs pions de nacre silencieusement, en les faisant glisser. Milo, lui, ne concevait le trictrac que dans le fracas et les exclamations : il prenait le pion entre ses doigts et l'abattait sur le bois comme s'il donnait un coup de fouet.

Dès que le fournisseur des consulats pénétrait dans le café, le cireur borgne se précipitait vers lui. Il s'accroupissait et délaçait ses chaussures qu'il emportait, le laissant en chaussettes sur le sol parsemé de sciure de bois. Les souliers revenaient au bout d'un quart d'heure, luisant comme des soleils.

Bolbol vint appeler son patron au milieu de la deuxième partie, car Oscar Touta le réclamait au magasin.

– Combien dois-je pour la photo ? dit le sexagénaire.

– Quelle photo ? demanda Milo.

– Mais la photo que t'a femme m'a faite, voyons !

– Comment, mon oncle ? Elle t'a fait une photo ?

Oscar Touta s'énerva :

– Et que voulais-tu qu'elle fasse, imbécile ? C'est quoi, ici ? Un salon de coiffure ? Un bain turc ?

Milo n'en revenait pas. L'air stupide, il empocha le billet que l'autre lui tendait. Doris sortit peu après de l'atelier de pose, en se retenant pour ne pas rire.

– Je rêve, parole d'honneur ! s'exclama Milo après qu'Oscar Touta eut refermé posément la porte du magasin derrière lui. Comment as-tu fait ?

– J'ai fait une photo, pourquoi ? dit-elle d'un air faussement étonné.

– Allez, raconte !

Dans l'atelier de pose, maudissant Milo de lui avoir fait ce cadeau, Doris avait dit sans trop réfléchir à Oscar Touta que l'appareil était en panne et qu'elle ne pouvait donc pas le photographier. Il avait eu l'air soulagé. Elle se mit alors à lui expliquer le principe des plaques sensibles. Il n'y comprit pas grand-chose et ne l'écoutait d'ailleurs qu'à moitié, mais ses tics avaient cessé. Elle « répara » l'appareil sous ses yeux, puis fit une photo. Il semblait ravi.

– Je crois qu'il reviendra, dit-elle à Milo.

Les aventures photographiques d'Oscar amusaient la famille Touta depuis des années. Milo faisait littéralement pleurer de rire tout le monde lorsqu'il mimait les séances de pose avortées avec son oncle. La « guérison » de celui-ci risquait de priver l'auditoire d'un élément précieux du folklore familial. Mais le fournisseur des consulats n'était jamais à court d'histoires : ses récits désopilants se multipliaient à mesure qu'augmentait sa clientèle. On aurait dit que tous les cinglés du Caire défilaient devant son objectif. Le salon de photographie apparaissait aux enfants de la famille comme un lieu magique, une véritable cour des miracles. Doris elle-même riait à gorge déployée quand Milo racontait, par exemple, les histoires de Zozo et de Gigi.

Il fallait dire Zhozho et Giggi, le premier ayant un cheveu sur la langue, qui ne le rendait que plus séduisant aux yeux du second. Ce couple de quinquagénaires partageait depuis des années un appartement de la rue Emad-el-Dine, en face de la Compagnie du télégraphe. Ils se faisaient régulièrement photographier côte à côte sur l'ottomane, mais chacun d'eux redoutait le résultat de la photo.

– Non, zhe ne veux pas me voir ! disait Zozo. Zhe suis trop laid.

– Arrête ! faisait Gigi. Si j'avais la chance d'avoir un nez comme le tien…

Milo avait trouvé une bonne manière de leur présenter leur double portrait, grâce à un petit cache en carton. A Gigi, il ne montrait que la partie du cliché où l'on voyait Zozo, et à Zozo, la seule partie où l'on voyait Gigi. C'étaient des cris d'enthousiasme.

– Mon Dieu, comme il est réussi ! disait l'un.

– *Ayou !* faisait l'autre. Il est aussi ravissant que le soprano de l'autre soir à l'Opéra.

Venait le moment un peu difficile où chacun devait découvrir son propre visage sur l'autre moitié de la photo. Milo, alors, sortait le grand jeu :

– Parole d'honneur, monsieur Gilbert, en huit ans de carrière, je n'ai jamais vu un regard aussi pénétrant… Monsieur Alphonse, je n'en reviens pas : on dirait le prince de Galles.

Milo savait introduire les enfants et les jeunes gens de la famille dans son univers. Ils avaient le sentiment de connaître chacun de ses clients ou de ses amis, sans les avoir jamais rencontrés. C'étaient des références, des repères, parfois même, à la manière des anges et des saints, d'invisibles surveillants qui pouvaient les juger ou être déçus par leur comportement. Seif, en particulier, les impressionnait. Yolande dit un jour à l'un de ses cousins :

– Ce n'est pas devant Seif qu'il faudrait tenir des propos aussi favorables aux Anglais !

L'avocat ne les connaissait pourtant pas, et eux-mêmes auraient été bien en peine de le reconnaître dans la rue.

Les neveux de Milo avaient un faible pour Ibrahim. Ce mauvais élève, dissipé et moqueur, les rassurait. Ils parlaient volontiers de lui à leurs camarades, précisant avec fierté que leur oncle fréquentait le parent d'un ministre. Un poète, par-dessus le marché, qui composait *La Marseillaise égyptienne*. Ils avaient inventé un jeu qui consistait à se répondre en vers. Yolande excellait dans cet exercice. Sans le dire, elle était très amoureuse d'Ibrahim.

Les Popinot occupaient une place spéciale dans l'imaginaire familial. Grâce à eux, par l'intermédiaire de Milo, les jeunes Touta apprenaient une France gaie et frivole, sinon grivoise, que n'enseignaient évidemment ni les Très Chers Frères des Écoles chrétiennes ni les religieuses des diverses congrégations auxquels étaient confiées leurs chastes âmes. La patrie de Charlemagne et de Jeanne d'Arc s'élargissait ainsi au Moulin-Rouge, à Réjane, à la belle Otéro...

Milo n'était jamais allé en Europe. Il suivait la vie parisienne à travers ce que lui en disaient Norbert et Solange Popinot. Avec quel enthousiasme ne racontait-il pas ensuite à ses neveux ce qui lui avait été raconté ! Les arcades de la rue de Rivoli, le dernier triomphe de Sarah Bernhardt, la préparation de l'Exposition universelle, la fête des fleurs au Bois de Boulogne, l'élégance folle de Boni de Castellane... Ses neveux buvaient ses paroles. Pour eux, ce Paris de troisième main était un enchantement.

Les Popinot apprenaient en retour une Égypte des coulisses et des arrière-boutiques ignorée de la plupart des Européens. Accompagnant Norbert dans les banques ou les ministères, Milo lui enseignait la science du bakchich :

– Ce n'est pas un hasard si le tiroir du fonctionnaire est ouvert. Vous l'offenseriez en lui glissant une guinée directement dans la main…

Solange avait l'impression délicieuse de se dévergonder au contact de ce petit monde. Les jurons poussés par Richard Tiomji et dont elle exigeait une traduction immédiate l'amusaient follement.

– Que Dieu le pende ! s'exclamait-elle en riant à gorge déployée. Que le poivre de l'envie le brûle !

Elle fut la première à applaudir quand Seif invita tout le groupe à venir assister au mariage d'un de ses frères, qui serait célébré cinq semaines plus tard.

– Un mariage musulman ! répétait-elle ravie.

L'entremetteuse sollicitée par la famille du jeune avocat avait été d'une efficacité remarquable. Au bout de quelques jours, elle était venue présenter le résultat de ses recherches, vantant les mérites d'une jeune personne exceptionnelle, élevée dans de la soie, discrète comme une ombre et belle à couper le souffle. On l'écouta avec méfiance. La mère de Seif, accompagnée de cinq de ses sœurs et belles-sœurs, alla vérifier ces renseignements sur place, au cours d'une réception organisée par les femmes de la partie adverse. Elle en revint édifiée, décrivant à son fils, avec force adjectifs, les mérites de l'intéressée, âgée de quinze ans révolus. Et la signature du contrat fut décidée.

– Mais votre frère n'a toujours pas vu sa future épouse ! s'étonna Solange.

– Il la verra le jour des fiançailles, répondit Seif. Ce sera sans doute une belle surprise.

La mère du fiancé parcourait la ville du matin au soir pour rendre visite aux dames de sa connaissance. Chaque fois, elle était couverte de compliments, questionnée, embrassée.

Les fiançailles eurent lieu un jeudi. Le jeune avocat raconta comment la corbeille de mariage avait traversé tout le quartier, escortée par des agents de police à cheval et précédée de musiciens : la voiture découverte contenait une vingtaine de coffrets aux parois transparentes, permettant à chacun d'apercevoir l'argenterie, la porcelaine, les robes brodées, les chemises de soie, les ombrelles, les éventails, les pantoufles garnies de perles, mais aussi les fruits confits, les fondants et les douceurs de toutes sortes…

– Dans le *salamlek* de la maison, précisait Seif, le fiancé et le représentant de la jeune fille se sont déchaussés avant de s'asseoir face à face sur le tapis et faire à tour de rôle leur demande en mariage. Sur leurs mains réunies, le *cadi* a posé la sienne et récité des versets du Coran. Puis on a signé le contrat, fixant le montant de la dot.

– Ah, la dot, au moins, c'est comme chez nous ! fit Norbert.

– Oui, sauf qu'elle est versée par le mari, glissa Ibrahim d'un ton goguenard.

# 34

J'arrivai à la soirée du mariage vers vingt et une heures, au bras de Milo. La petite place que Seif nous avait indiquée était entièrement occupée par une tente multicolore, haute d'une dizaine de mètres, devant laquelle des joueurs de flûte et de tambourins accueillaient les invités. A l'intérieur, les mâts disparaissaient sous les lampes, les fleurs et les branches de palmier. Une estrade, garnie de deux fauteuils dorés, était adossée à l'une des parois de toile.

Les Tiomji, déjà attablés avec Ibrahim et les Popinot, nous firent de grands signes. Seif arriva au bout d'un moment, très élégant. « Je vais vous présenter mon frère », nous dit-il. Le jeune marié, en stambouline noire et gilet blanc, faisait le tour des tables. Il vint nous serrer la main, nous remercia de nos cadeaux et proposa aux dames de monter au premier étage de la maison pour admirer la corbeille de mariage. Solange Popinot se leva aussitôt, tout excitée, nous entraînant, Lita et moi.

Il n'y avait que des femmes à l'étage. Plusieurs d'entre elles entouraient la mariée, une enfant au bord des larmes, à qui on ajustait sa robe de satin blanc. Pour entrer dans la maison de son époux, quelques heures plus tôt, elle avait dû enjamber une mare de sang : le sang encore fumant du buffetin égorgé en son honneur.

Nous eûmes droit à la visite de la chambre des jeunes mariés, sous la conduite d'une tante de Seif. Un énorme lit à baldaquin occupait une partie de la pièce. Deux paires de pantoufles neuves, sagement alignées, attendaient leurs propriétaires. Plusieurs robes de nuit en fine batiste étaient étalées sur des divans, ainsi que les chemises, caleçons et chaussettes offerts par la fiancée à son futur maître. « C'est original, vraiment original », fit Solange, qui cherchait ses mots.

En notre absence, le marié était allé à la mosquée, accompagné de ses amis, pour y faire une prière. Le cortège traversa les ruelles du quartier à la lumière de torches et de fanaux. Quand il revint, une heure plus tard, la grande tente était traversée d'un fumet de viande grillée. Les invités étaient assis par groupe de huit ou dix autour de tables basses, recouvertes chacune d'un vaste plateau de cuivre portant un agneau entier.

Richard Tiomji, affamé, avança ses gros doigts et arracha un morceau de viande, qu'il jeta galamment dans l'assiette de Solange Popinot. Elle poussa un petit cri, mais était ravie. « Attendez, on va vous apporter des fourchettes », dit Seif qui passait devant notre table. « Non, non, surtout pas ! » fit la Française qui mordait déjà dans la viande à pleines dents.

Nous nous lançâmes, Lita et moi, un regard en coin : une fourchette nous aurait tout de même bien arrangées… Richard essuyait de temps en temps ses mains poisseuses sur une serviette brodée d'or, avalait une gorgée de jus de fruit, puis repartait à l'assaut. Norbert Popinot aurait volontiers rincé sa bouche d'un verre de bourgogne ou de bordeaux, mais il se résigna à l'eau fraîche, faisant même l'effort de la boire à la gargoulette.

On apporta un entremets, puis du poisson. Plats salés et sucrés se succédaient. Quand arriva enfin le riz au lait, je déclarai forfait et allai me savonner les mains dans l'une des cuvettes de cuivre portées par des domestiques.

Un joueur de cithare arracha quelques plaintes à son instrument. Puis un chanteur entonna une mélodie nasillarde, dont le refrain était repris en chœur par un groupe de femmes :

*Ya leïli, ya layali*
*Ya leïli, ya layali...*

« Et vous, le mariage ne vous tente pas ? demandai-je à Ibrahim.

– Je suis trop occupé, répondit-il gaiement. Ma *Marseillaise...* »

Popinot posa une question sur la polygamie. Seif, qui nous avait rejoints, étonna les Français en prenant la défense de cette pratique : « En Orient, toute femme est pourvue d'un mari, alors que chez vous, en Europe, les vieilles filles encombrent les maisons. La polygamie a été instituée pour assurer un foyer à la femme, et aux enfants une paternité toujours certaine. N'est-ce pas mieux qu'une polygamie masquée, comme en Europe, où les hommes cachent leurs maîtresses ? »

On imaginait mal Seif au milieu de plusieurs épouses. Et même avec une seule, à vrai dire. Ni les plaisirs du sexe ni les joies de la famille ne semblaient pouvoir le détourner de son combat politique.

Une agitation se manifestait au fond de la tente, du côté de la maison. C'était la jeune mariée qui arrivait, au milieu des hululements de femmes en noir. « Regardez, dit Ibrahim avec amusement. On lui jette des pincées de sel sur la tête pour conjurer le mauvais sort. »

Je reconnus à peine l'enfant de tout à l'heure, couverte de bijoux, qu'on devinait fortement maquillée sous son voile de tulle. Elle baisa la main de sa belle-mère, puis gravit les marches de l'estrade, pour rejoindre son époux qui occupait déjà l'un des fauteuils dorés, tandis que la foule, accompagnée par les sons rauques de la musique, reprenait de plus belle :

*Ya leïli, ya layali*
*Ya leïli, ya layali...*

Des danseuses du ventre s'agitaient au rythme endiablé des *daraboukas*. Une femme habillée en paysanne se joignit à elles et commença à se trémousser en faisant des gestes obscènes. L'assistance éclata de rire, tandis que la jeune mariée baissait pudiquement les yeux.

Le couple ne tarda pas à descendre de l'estrade pour gagner son appartement. Il y eut encore quelques roucoulements, quelques *ya leïli,* puis les invités commencèrent à prendre congé. Il était près de minuit. « Je vous offre un cognac au *Shepheard's* pour faire passer tout ce festin », nous lança Popinot. Lita n'eut pas le temps de protester.

Le célèbre hôtel venait d'être rénové et doté de la lumière électrique. J'y pénétrais pour la première fois, ne connaissant jusqu'alors que la terrasse aux deux petits sphinx que tout le monde pouvait observer de la rue. Au milieu de tous ces Européens, qui étaient comme chez eux, on n'avait plus l'impression de se trouver en Égypte. Nous nous attablâmes dans un salon luxueux, sous un plafond de bois sculpté.

« J'ai appris quelque chose d'incroyable, dit Popinot après avoir commandé une bouteille du meilleur cognac. Figurez-vous que cette année le programme de l'agence Cook comportait une invitation au bal khédivial ! Rien que ça ! Naturellement, les maîtres de cérémonie du palais ont refusé de délivrer des cartons d'entrée. Les touristes anglais sont furieux. Certains ont fait parvenir une protestation écrite à Lord Cromer.

– Ce n'est pas si incroyable que ça, répondit Milo. Sous le précédent khédive, l'agence Cook avait inclus dans son tour du Caire une visite à la vice-reine. Une audience était demandée, et le consulat britannique s'arrangeait pour la faire accepter. Les dames et les demoiselles anglaises se rendaient en troupeau au harem. On les présentait à la khédiva. Elles promenaient leurs regards partout, tâtaient l'argenterie et les rideaux de soie. Puis elles couraient à de nouvelles distractions, dans les bazars, aux pyramides ou au musée. »

Popinot hocha la tête d'un air consterné : « C'est l'agence Cook qui gouverne ce pays. Il suffit de passer devant ses bureaux, rue Kamel, et de regarder les *drogmans* en faction pour s'en rendre compte. Avec leur pelisse de soie violette, leur turban et leur sabre recourbé, ils sont autrement plus imposants que ces misérables policiers égyptiens aux semelles trouées ! »

On reparla du mariage, des chemises de nuit et des caleçons exposés dans la chambre à coucher. Dès le troisième cognac, la conversation commença à déraper. « Savez-vous, dit Norbert, pourquoi tous les obélisques sont sur la rive droite du Nil, et toutes les pyramides sur la rive gauche ? » Personne n'avait remarqué ce détail. Les Français étaient d'ailleurs les seuls à avoir visité la Haute-Égypte. « Comment, vous ne savez pas ? Mais parce que l'obélisque est un phallus et que la pyramide symbolise la femme !

– Je ne vois pas en quoi la pyramide ressemble à une femme », fit Richard Tiomji, la langue pâteuse.

Norbert et Milo éclatèrent de rire.

« La pyramide, c'est le sein d'Isis, dit le Français. Mais ce pourrait être aussi une partie plus cachée…

– Une pyramide renversée, si tu préfères, dit Milo à Richard.

– Parlez-nous des obélisques, c'est plus intéressant ! » s'exclama Solange, l'œil allumé.

Lita avait du mal à cacher sa gêne. J'observais, amusée, son visage de biche aux abois, comme naguère au pensionnat quand elle me voyait lire en cachette un livre défendu. Devant son verre de cognac à peine entamé, elle n'était pas très différente de l'adolescente d'alors. Mince, tirée à quatre épingles, portant des bracelets d'or aux poignets, Lita avait le charme un peu glacé d'une personne qui ne devait guère trouver de plaisir aux jeux de l'amour. « Avec ce gros singe de Richard, ce n'est pas étonnant », me dis-je, l'esprit un peu embrumé par les vapeurs d'alcool.

La conversation sur le sexe des monuments se poursuivait au milieu des exclamations. Richard Tiomji tira Popinot par le gousset : « Savez-vous que les autruches mâles l'ont très grosse ? Vous verriez l'engin ! C'est ce qui permet un véritable accouplement, contrairement aux autres oiseaux. »

Lita ne savait plus où se mettre. Commençant moi-même à être gênée, je fis remarquer à Milo qu'il était près de deux heures du matin et que nous avions laissé Marthe à la maison avec un peu de fièvre.

A notre retour, la fillette paraissait agitée. La bonne, à côté d'elle, dormait à poings fermés, et la lampe à huile fumait dangereusement. Quand je la pris dans mes bras, elle fit une sorte de convulsion et perdit connaissance. Ce n'était pas la première fois que cela lui arrivait. « Va vite chercher de l'éther sulfurique au laboratoire ! » lançai-je à Milo.

La lampe à la main, il faillit tomber dans l'escalier. Il se rua vers l'une des armoires du cabinet noir, y saisit une bouteille, s'aperçut en remontant que ce n'était pas la bonne, redescendit en jurant… Quand il revint enfin dans la chambre, la petite avait repris ses esprits. Je lui préparai une infusion de camomille. Un quart d'heure plus tard, elle semblait tout à fait calme et sa fièvre était un peu tombée.

« Ce ne sont pas des convulsions mais de simples spasmes, avait dit le docteur Touta. Cette enfant est très sensible. Je crois qu'elle cherche à attirer votre attention. »

Milo veilla sa fille jusqu'à l'aube. De temps en temps, il la prenait dans ses bras pour la bercer. Dans mon demi-sommeil, je l'entendais chantonner :

*Ya leïli, ya layali*
*Ya leïli, ya layali…*

# 35

Il n'était pas donné à tout le monde d'avoir un père comme Milo. Ses neveux, charmés par lui depuis l'enfance, enviaient ses filles, les imaginant en récréation permanente. Et sans doute n'étaient-ils pas loin de la vérité.

Une fois par mois, si elles avaient été sages – mais Milo trouvait toujours les enfants sages, trop sages même –, il emmenait les deux aînées, Nelly et Gabrielle, faire « un tour de swaress ». Rien ne plaisait autant aux fillettes qu'un voyage dans ces omnibus, qui devaient leur surnom à leur propriétaire, le comte Suarès.

Après chaque arrêt, le cocher, haut perché, fouettait ses chevaux en leur lançant un gros juron. Le *swaress* passait devant le tribunal mixte et longeait le quartier Rossetti. Puis il faisait tout le boulevard Clot-bey, jusqu'à la gare. Ayant franchi la voie ferrée, il s'engageait dans la belle avenue de Choubra, bordée de sycomores géants. C'était la campagne.

– Nous descendons ici, disait Milo au cocher.

Nelly et Gabrielle admiraient les équipages endimanchés qui se pavanaient sur l'avenue jusqu'au crépuscule. Parfois, le khédive lui-même y faisait une apparition, précédé de cavaliers à ceinture d'or. Milo se lançait alors dans un véritable conte de fées, sur le jeune prince rappelé en Égypte à la mort de son père, devant affronter la tempête à bord d'un vieux rafiot autrichien, puis tombant amoureux d'une belle esclave, tandis que le sultan lui destinait sa fille en mariage. Gabrielle, âgée de deux ans, ne pouvait comprendre grand-chose, mais Nelly adorait cette histoire. De toute manière, le conteur y prenait lui-même un plaisir fou...

Un autre omnibus les ramenait à leur point de départ, devant le jardin de l'Ezbékieh. Et la promenade se terminait immanquablement par une glace aux pistaches à la pâtisserie Mathieu.

Doris laissait les petites partir avec leur père, sachant qu'il s'amuserait autant qu'elles.

– Je me dis parfois que Milo est la mère de mes filles, confiait-elle à Lita avec un attendrissement mêlé de mauvaise conscience.

Son amie évitait de répondre, les yeux fixés sur sa broderie. Ou alors elle poussait un léger soupir et changeait de conversation.

Le magasin était fermé le dimanche. La bonne s'occupait de Marthe. Ce moment de solitude permettait à la Mamelouka d'achever quelque travail dans le cabinet noir ou d'aller rêver sur la terrasse. Elle avait besoin de se retrouver ainsi avec elle-même, alors que Milo ne vivait pas sans les autres. Même à la messe, le dimanche matin, il était incapable de tenir cinq minutes sans chuchoter quelque commentaire à l'oreille de ses voisins.

Sur la terrasse, Doris parcourait son carnet de pose. C'était encore l'époque où, fidèle aux consignes de *L'Amateur photographe*, elle y esquissait chaque jour des croquis, pour bien se souvenir d'une perspective, d'une attitude, voire d'un simple effet de lumière. Cette application de bonne élève agaçait Milo. Elle faisait semblant de ne pas s'en apercevoir. Sans doute même en rajoutait-elle, de temps à autre, avec une certaine provocation qui n'était pas le moindre de ses défauts.

Milo se désintéressa du *swaress* à partir de l'automne 1896 : il n'avait d'yeux que pour le tramway, dont la première ligne venait d'être inaugurée entre la place Ataba-el-Khadra et la Citadelle. Toute la ville du Caire était fascinée par ce serpent sur rail, nourri à l'électricité, pour lequel des ingénieurs belges avaient fait percer d'interminables rigoles dans les chaussées.

A chaque passage du tramway, les badauds s'attroupaient. Ces machines étincelantes, dont la sonnerie tintait joyeusement, occupaient toutes les conversations, au Turf Club comme dans le dernier café arabe.

A Solange, qui trouvait le sujet lassant, Ibrahim répondit :

*C'est le progrès, chère madame !*
*Un nouveau Dieu est parmi nous,*
*Plus grand que Bouddha et Vichnou.*
*C'est le progrès que l'on acclame,*
*La chrétienté et même l'islam*
*Sont prosternés devant le Tram.*

Dès l'année suivante, on était en pleine polémique. Les journaux publiaient des lettres furibondes dénonçant la légèreté des *wattmen* qui se fichaient éperdument des horaires. Leurs sautes d'humeur s'exprimaient par des coups de frein intempestifs ou de brusques accélérations, tandis qu'aux arrêts facultatifs ils passaient outre aux signes du client dont la tête ne leur revenait pas.

– J'ai agité désespérément ma canne et mon chapeau, disait Norbert Popinot, outré. Pensez-vous que ce sacripant se serait arrêté ?

Il était encore plus indigné par les passagers qui montaient en pleine course ou s'entassaient sur le marchepied, agrippés les uns aux autres. Leurs mauvaises manières l'insupportaient :

– Figurez-vous que l'autre jour l'un de mes voisins, enfonçant ses coudes dans mes reins, mangeait de cet écœurant poisson séché qui sent si fort…

– Du *fessikh*, précisa Milo en s'esclaffant.

– Ce n'est pas drôle du tout, je vous assure. Et je ne parle pas des voyageurs assis en tailleur pour mieux tripoter leurs pieds…

Norbert décida de ne plus jamais prendre le tramway. Mais l'horrible bête semblait le poursuivre. Un matin, son cocher avançait au milieu du boulevard Mohammed-Ali, suivi par une machine tintinnabulante qui descendait de la Citadelle. Le cheval fut effrayé par la sonnerie. Il s'énerva, puis s'emballa et, dans sa course, renversa un passant. Popinot fut à deux doigts de se retrouver sous les roues de sa voiture.

Milo, lui, avait accueilli le tramway avec le même enthousiasme que le cinématographe. Les premières œuvres des frères Lumière, présentées dans un café du Caire, l'emballaient. Trois fois, il avait vu *L'Arroseur arrosé*, *Les Chutes du Niagara* et d'autres saynètes du même genre. Trois fois, il en était revenu les yeux allumés, avec des adjectifs plein la bouche.

Même les innovations techniques susceptibles de concurrencer directement son métier de photographe l'enchantaient. La société Eastman faisait alors une réclame insistante pour l'appareil Kodak : « Il n'y a que deux mouvements nécessaires pour prendre chaque vue. Premièrement, pousser un levier. Deuxièmement, tourner une clef. Si vous pouvez remonter votre montre, vous pouvez vous servir du Kodak. »

Dès qu'il en eut la possibilité, Milo commanda un Kodak. La boîte assez lourde qui lui fut livrée gardait jalousement son mystère. Il n'était pas question de l'ouvrir pour voir le châssis intégré, sous peine de détruire la partie sensible. Celle-ci n'était pas constituée de plaques mais d'une pellicule, entraînée par un remontoir.

Milo étrenna son Kodak au jardin de l'Ezbékieh, photographiant sa famille et les Tiomji qui les avaient accompagnés avec leurs enfants. Puis, comme cela était prévu, il renvoya l'appareil en Europe pour obtenir le développement des clichés.

– Ce n'est pas très pratique, remarqua Doris.

Le Kodak revint au bout de plusieurs semaines, avec quelques photos bien sombres sur lesquelles les enfants ne se reconnurent pas.

– Et Lita a l'air d'une autruche, remarqua Richard avec son tact habituel.

Milo était très déçu. La révolution kodakienne avait encore des progrès à faire ! Mais, finalement, cela le rassurait :

– Les presseurs de bouton ne menacent pas des professionnels comme nous.

De toute manière, le Kodak n'était qu'un jouet. Jamais le fournisseur des consulats n'aurait imaginé la photo annuelle de famille avec un objet de ce genre. Les photographiés eux-mêmes se seraient sentis floués. Célébrait-on une telle cérémonie sans voile noir, sans plaques sensibles et sans trépied ?

# 36

Cet été-là cependant, la famille Touta n'eut pas droit à une photo mais à deux. L'annonce en fut faite par Milo :

– Si Doris me remplace tout à l'heure, je pourrai venir poser avec vous…

Les cris d'enthousiasme des enfants couvrirent la suite de son propos.

Procédant comme d'habitude, il disposa une soixantaine de personnes en rangs d'oignon devant le perron de la villa du docteur. Tous les moins de douze ans étaient assis par terre, à l'avant. Suivaient une série de fauteuils en rotin pour les personnes âgées. Le reste de la famille s'étageait sur les marches, dans une parfaite symétrie.

Ne tenant pas en place, Maguy, la petite sœur de Yolande, se retournait sans cesse et parfois se levait pour voir ce qui se passait dans son dos. D'autres enfants s'étaient mis à l'imiter. Il fallut toute la persuasion de Milo pour les amener à se tenir tranquilles et à regarder devant eux.

Un certain désordre régnait aussi chez les adultes : la tante Angéline, ne supportant pas le siège trop étroit qui lui avait été destiné, se proposait de changer de place avec sa fille Rose, qui se trouvait à l'autre bout du perron. Ce changement risquait de remettre en question tout le bel agencement du photographe. Finalement, c'est le fauteuil en osier de Marguerite, vaste comme une baignoire, qui eut le privilège d'accueillir le postérieur en difficulté.

Il y eut encore quelques négociations, quelques ultimes ajustements. Milo surgissait régulièrement du voile noir pour demander à l'un de se rapprocher du groupe, à un autre de se déplacer légèrement sur la gauche ou sur la droite...

– Attention, lança-t-il finalement. Ne bougeons plus !

Le clan Touta se figea dans un rictus qui sembla durer une éternité.

Doris prit la relève au milieu des exclamations, des rires et du désarroi de deux vieilles tantes qui n'avaient pas été informées de la suite du programme.

– Tout le monde reste à sa place ! cria Milo, les mains en porte-voix.

Quoique assez émue, la jeune femme n'était pas mécontente du désordre intervenu.

– Les enfants, vous pouvez vous disperser dans le groupe, dit-elle en s'adressant au premier rang.

Pour renouveler le genre, elle aurait volontiers installé l'appareil en haut des marches de la villa, et même au premier étage pour les prendre du balcon. Mais c'était sa première photo de famille et elle n'osait pousser l'originalité trop loin. Naturellement, elle y avait beaucoup réfléchi. Son carnet de pose était plein de ces schémas un peu étranges où les sommets des silhouettes formaient des courbes, des triangles ou des plans inclinés... Elle disposa la famille en demi-cercle, invitant plusieurs messieurs en costume sombre à se grouper d'un côté, tandis que des dames aux toilettes claires se tiendraient devant eux. Ces instructions inattendues égayaient l'assistance. C'était comme une récréation après la photographie officielle. Le fils aîné d'Albert, qui aimait plaisanter, monta même sur une chaise, le temps de déclencher des rires.

Un bruit de sabots ramena brusquement le silence. Toutes les têtes se tournèrent vers le chemin d'où approchait un luxueux landau.

– Parole d'honneur, c'est Rizkallah ! s'écria Milo.

En effet, le propriétaire des établissements *Touta et fils*, qui s'était annoncé la veille mais dont on n'espérait plus la présence, arrivait. C'était la première fois qu'il participerait à la photo de famille. La portière s'ouvrit, et le grand homme apparut dans un superbe costume de satin mordoré. Aussitôt, plusieurs personnes se précipitèrent à sa rencontre.

De tous les membres de la famille, Rizkallah bey était le plus choyé et le plus sollicité. Il se trouvait toujours un oncle ou une tante pour le prendre à part : « Rizkallah *habibi*, est-ce que tu vends par hasard de la mantille noire (ou de la douillette rose, ou de la cretonne ajourée…) ? »

Le propriétaire des établissements *Touta et fils* sortait alors de son gousset une carte de visite, y inscrivait quelques mots de sa grande écriture pointue et la tendait au solliciteur avec un sourire supérieur : « Bien sûr que j'en vends ! Va au rayon lingerie (ou bonneterie, ou mercerie…), ils te feront une belle remise. »

Le vieux docteur Touta était l'un des seuls à ne pas être impressionné par son neveu, qu'il avait connu, à vingt ans, simple *drogman* au consulat général de France à Alexandrie. Il ne pouvait s'empêcher de le houspiller : « Méfie-toi, marmonnait-il. L'or alourdit. »

Pour la photo, plusieurs messieurs tenaient à céder leur place à Rizkallah. Ils insistaient, en faisant des manières. Ou alors ils prenaient un ton autoritaire, faussement familier, en ponctuant leurs phrases de jurons :

– Assieds-toi là, je te dis ! Que Dieu te pende !

Un parfum puissant se dégageait de la personne de Rizkallah. Un parfum poivré, à base de benjoin, qui annihilait tout sur son passage et que seul un homme de cette importance pouvait se permettre de porter.

Le propriétaire des grands magasins alla saluer le docteur qui grommelait sur son fauteuil, au milieu du perron. Puis il s'assit à côté de lui, à la place d'honneur en quelque sorte, sur le siège qui s'était libéré.

Doris s'impatientait. Elle demanda aux messieurs debout de ne pas regarder tous dans la même direction, mais de se tourner les uns vers les autres, comme pour une conversation.

– Ne vous tournez quand même pas le dos ! lança-t-elle à Aimé et à Albert. Vous auriez l'air brouillés.

Rizkallah s'exclama à haute voix :

– Mais, ma parole, c'est une jolie femme qui nous fait la photographie !

De bruyants éclats de rire saluèrent ce bon mot. La Mamelouka commençait à être agacée.

– Vous seriez mieux debout, lui dit-elle un peu sèchement. Oui, oui, mêlez-vous aux autres messieurs, s'il vous plaît, ce sera mieux.

– J'obéis toujours aux jolies femmes ! fit Rizkallah galamment, ce qui lui valut de nouveaux rires.

Doris disparut sous le voile noir. Sitôt la glace sensible substituée à la glace dépolie, elle déclencha l'obturateur.

Sur sa photo, Milo réussit à inclure Rizkallah bey, grâce à une habile retouche. Comme il n'hésitait pas à le faire pour un absent, désireux de s'associer quand même au rite familial, il s'était arrangé pour glisser son important cousin dans un espace vacant, entre deux tantes. Sur l'exemplaire qui lui fut envoyé, le propriétaire des grands magasins *Touta et fils* se retrouvait même au premier rang, à la place du bijoutier Alfred Falaki, chassé pour la circonstance.

La différence entre les deux photos est saisissante. Celle de Milo montre un groupe de personnes épouvantées, regardant fixement l'objectif, comme si un terrible événement était en train de se produire sous leurs yeux. Le cliché est parsemé de taches claires : toutes ces mains que l'on ne peut rattacher à des visages et qui auraient dû être cachées.

Sur la photo de Doris, seuls Aimé et Albert ont l'air constipé. Leurs épouses, en revanche, semblent en grande conversation, et Maxime Touta échange des confidences avec Nada Mancelle. Même Alfred Falaki, d'ordinaire figé comme une vitrine avec sa grosse bague scintillante et sa chaîne de montre en or, a eu un moment d'abandon…

Lorsqu'elle vit les deux clichés développés côte à côte dans le cabinet noir, Doris en fut bouleversée. Sa gêne confinait à la panique, et elle se demanda, l'espace d'un instant, si elle ne devait pas abandonner la photographie. Milo, lui, se contenta de lancer une plaisanterie. La supériorité de l'œuvre de sa femme était trop éclatante pour lui échapper. Regrettait-il d'avoir pris l'initiative de cette double photo, appelée à se renouveler l'année suivante à la demande des petits et des grands ? C'était la première fois que le fournisseur des consulats se mesurait à l'abonnée de *L'Amateur photographe*.

# 37

Dans le nord du Soudan, les troupes anglo-égyptiennes, conduites par le sirdar Kitchener, avançaient lentement mais sûrement, à la manière d'un rouleau-compresseur. Des centaines de soldats avaient été affectés à la construction de la voie ferrée qui coupait les boucles du Nil à travers le désert. Un kilomètre et demi de rails était posé chaque jour, même au plus chaud de l'été.

– Tout cela est très beau, disait Norbert Popinot, mais qui va payer ?

Ayant voulu prélever les frais de la campagne militaire sur la caisse de la Dette, l'Angleterre s'était heurtée à la France et à la Russie qui avaient traduit le gouvernement khédivial devant le tribunal mixte du Caire.

– C'est la meilleure ! fulminait Seif. Les Anglais décident d'envahir le Soudan sans même consulter le khédive. Et voilà qu'on poursuit en justice le gouvernement du khédive pour le financement de l'opération !

Le fameux « procès de la Dette » devait être âprement commenté aux soirées du mercredi. Popinot déboucha deux fois le champagne : en première instance, puis en appel. Mais, aussitôt l'arrêt rendu, l'Angleterre contourna l'obstacle en octroyant un prêt spécial de 800 000 livres à l'État égyptien pour financer la guerre du Soudan. Seif était au bord de l'apoplexie :

– 800 000 livres, auxquelles s'ajouteront les intérêts ! Comment pourrons-nous rembourser ? Par ce prêt, nous sommes enchaînés à l'occupant. L'expédition du Soudan, c'est la mainmise indéfinie de l'Angleterre sur l'Égypte.

– Vous n'êtes jamais content ! maugréa Richard Tiomji. Même quand on vous prête de l'argent, vous protestez.

Il ne croyait pas si bien dire : deux ans plus tard, lorsque le gouvernement britannique annula la créance, dans un geste qui se voulut magnanime, le jeune avocat publia un article au vitriol dans deux journaux de langue arabe. Cette remise de dette, expliqua-t-il, est le pire piège que pouvait nous tendre l'occupant…

*Abou Hamed, le 10 août 1897*

*Chère Doris,*

*Nous sommes arrivés le 7 sous les murs d'Abou Hamed. Un millier de derviches résistaient comme des lions, et il a fallu donner l'assaut. Notre victoire, nous l'avons achetée au prix de 21 tués, parmi lesquels mon bon ami Edward Callaghan qui servait sous les ordres du général Hunter. Il est mort sur le coup.*

*L'occupation d'Abou Hamed va permettre de prolonger jusqu'ici la voie ferrée et de nous ravitailler en conséquence. Mais, déjà, nous ne manquons de rien. Seule l'absence de nos amis est dure à supporter…*

*J'ai aperçu l'autre jour la voiture photographique qui suit le quartier général. C'est en pensant à vous que j'ai posé quelques questions à l'officier commissionné, lequel est assisté de cinq hommes sortis de l'École du génie militaire de Chatham. Ils photographient des fortifications, des retranchements, des vues diverses, mais aussi les troupes et les prisonniers de guerre. On leur demande également d'agrandir, de diminuer ou de copier les plans et les cartes dont il faut distribuer un certain nombre d'exemplaires. La voiture est installée en chambre noire. L'un des deux appareils est disposé de telle façon qu'il peut être paqueté sur le cheval de bât ou sur un mulet, avec ses plaques et ses lentilles, quand la voiture ne peut avancer sur un terrain trop accidenté. Le procédé employé pour les épreuves est, paraît-il, le bain chaud au platinotype ( ??). Je ne pense pas vous livrer là un secret militaire...*

*Le courrier nous parvient assez facilement. J'ai reçu des nouvelles de ma famille, d'Alexandrie et d'Angleterre. Mais rien de vous. Puis-je espérer un petit mot ? Le messager qui vous apportera cette lettre pourrait aussi bien acheminer la vôtre dans l'autre sens.*

*Je vous baise les mains.*

*William.*

# 38

Non, je ne pouvais répondre à William Elliot. Recevoir des lettres que je ne sollicitais pas était une chose ; en écrire était une autre. J'aurais eu l'impression de trahir Milo.

Par moments, j'avais mauvaise conscience, me demandant si je n'aurais pas dû informer mon mari dès la première lettre de l'officier. Il était un peu tard maintenant. Je sentais que cela ne pouvait faire que du mal. Milo aurait demandé à voir les lettres, et je n'aurais pas supporté qu'il les lise. Comment lui prouver au demeurant que je n'y avais jamais répondu ? De toute manière, il aurait fait un esclandre, ne manquant pas de se retourner contre l'officier.

Soyons juste, je trouvais quelque plaisir à cette situation. Les lettres du capitaine Elliot me faisaient rêver, un peu comme au pensionnat lorsque je m'étais inventé un prince charmant. Ce chevalier wisigoth, à la crinière dorée, occupait une telle place dans mes pensées que j'avais fini par m'en accuser en confession, m'attirant pour pénitence trois dizaines de chapelet…

Après tout, les lettres de William Elliot relevaient de ma vie intime. Tout le monde a droit à des secrets. Dans un couple, on n'est pas obligé de tout se dire. « Lorsqu'on se dit tout, c'est qu'on n'a plus rien à se dire », avais-je lu quelque part. Je m'accrochais à cette phrase ambiguë, comme aux ombres du passé de Milo. Il restait très vague sur ses conquêtes de jeune homme, avant notre mariage. Avait-il résisté aux avances de ces délurées qui hantaient les halls des grands hôtels ? En apercevant l'une d'elles au Shepheard's le soir où Popinot nous avait invités, je n'avais pu contrôler un mouvement de jalousie.

Non, dans un couple, on ne pouvait pas tout se dire. Je n'avais d'ailleurs avoué qu'à demi-mot le drame de mon adolescence. Cette bouche… Aujourd'hui encore, je ne voulais pas l'évoquer, de crainte que Milo n'en parle autour de lui. Et ç'aurait été alors comme si cent paires d'yeux dévisageaient mes lèvres en permanence.

L'arrivée d'une lettre de l'officier me procurait chaque fois une forte émotion. Je gardais l'enveloppe plusieurs heures sans l'ouvrir, pour faire durer le plaisir. Puis, après l'avoir lue et relue, relevé avec attendrissement quelques fautes d'orthographe bien excusables de la part d'un Anglais, je la rangeais dans le petit coffret de velours bleu.

*Abou Hamed, le 20 septembre 1897*

*Chère Doris,*

*Les heures s'égrènent sous un soleil dévorant. L'oisiveté me pèse. Il m'arrive de galoper seul dans le désert, au petit matin ou au crépuscule, pour tuer le temps. Nos chefs ont décidé de ne prendre aucun risque. Cette méthode a été parfaitement payante jusqu'ici, mais vous connaissez mon impatience. La connaissez-vous, à vrai dire ? Que savez-vous de moi ?*

*Et que sais-je de vous ?*

*Nous avons été rejoints par un bataillon soudanais. J'observe tous les jours ces soldats nègres qui haïssent les mahdistes et n'ont pas leur pareil au combat. Nul ne les égale en bravoure et en endurance. On n'a aucun mal à les enrôler, en leur promettant un uniforme, une arme et 15 piastres par mois. Vous verriez avec quel amour ils prennent possession de leur pistolet ! Ils le palpent, le serrent dans leurs bras, le pressent sur leur poitrine en dormant. Mais ces hommes simples n'imaginent pas de partir à la guerre sans une femme. Le premier souci de l'autorité militaire est donc de les marier. Ainsi, après avoir recruté des hommes, les enrôleurs vont recruter des femmes ou saisissent celles-ci dans des caravanes.*

*Elles sont rassemblées au camp. Les hommes sont appelés un à un, en commençant par les gradés, et ils font leur choix. Puis on convoque un cadi qui les marie en bloc. Toute femme a droit à la demi-ration. Le soldat nègre prend ses repas et passe la nuit dans sa tente, avec son épouse. Il est plus heureux que nous !*

*Aucune nouvelle de vous, chère Doris. Pas un seul mot. Dois-je croire que mes lettres vous ennuient ? Dites-moi au moins si je ne dois plus vous écrire...*

Cette fois, je faillis confier un mot au messager en civil qui s'arrangeait toujours pour me remettre discrètement l'enveloppe.

Il m'arrivait, dans la journée, de m'évader par la pensée et d'imaginer la vie de William Elliot dans la fournaise du Soudan. Le visage de l'officier ne m'apparaissait plus très clairement. J'allai consulter un portrait de lui dans les archives du studio, et le trouvai beau.

En avril suivant, c'est un William requinqué qui m'écrivit. Je me demandai avec une pointe de jalousie si les Soudanaises du bataillon voisin ne servaient pas aussi au repos du guerrier anglais. La lettre était datée d'Atbara, à peine conquise, qu'il appelait « Fort-Atbara » :

*... après avoir bivouaqué dans le désert, nous sommes arrivés à l'aube en face du camp derviche de Chendi. Deux heures plus tard, nous le bombardions. L'ennemi a déclenché alors une vive fusillade et il a fallu donner l'assaut. Égyptiens et Anglais faisaient la course : c'était à qui arriverait le premier dans le camp fortifié ! Cet honneur était réservé aux Cameron Highlanders qui ont repoussé les derviches tranchée par tranchée. La cavalerie égyptienne n'avait plus qu'à poursuivre les fugitifs. Nous avons fait un millier de prisonniers. Parmi eux, l'émir Mahmoud lui-même, qui était caché sous un lit.*

*Ces sauvages ont laissé sur le terrain plus de 3 000 morts.*

*En comparaison, nos pertes sont infimes : 14 morts et 200 blessés. Je ne me compte pas dans le lot, malgré une éraflure au bras, provoquée par la pointe d'un sabre, qui mettra quelques semaines à se cicatriser...*

# 39

Les victoires anglaises étaient commentées avec ironie par Norbert Popinot. Il déclarait attacher beaucoup plus d'importance à une mission française envoyée dans le Haut-Nil, sous les ordres d'un certain capitaine Marchand, qui ne comptait que cent cinquante tirailleurs sénégalais. En deux ans, cette expédition avait déjà parcouru des milliers de kilomètres à travers des territoires insoumis et réussi l'exploit de transférer un vapeur, le *Faidherbe*, du bassin du Congo à celui du Nil. Popinot se rendait tous les jours au Cercle français pour consulter les derniers journaux parisiens et suivre pas à pas le périple du capitaine Marchand.

– Nous, clamait-il, nous n'avons pas besoin d'une armée de vingt mille hommes pour étendre notre influence en Afrique !

Situé en face du jardin de l'Ezbékieh, le Cercle français comprenait une salle de lecture, une salle de jeu, une salle de billard, un salon et une grande terrasse. Ce lieu de détente était devenu, selon les termes de Norbert, « un centre de résistance contre les efforts adverses », à savoir l'Angleterre, accusée de récolter sans vergogne tout ce que la France avait semé en Égypte depuis Bonaparte.

– La perfide Albion, disait Popinot, n'a jamais mieux mérité son nom que sur les bords du Nil.

Pour le prouver, il lui suffisait de brandir n'importe quel numéro de son quotidien préféré, *Le Journal égyptien*, dirigé par le Français Barrière bey, qui rappelait chaque jour, en tête de première page, l'engagement non tenu de la Grande-Bretagne à évacuer l'Égypte.

– Ces gens-là n'ont pas de parole, répétait Norbert.

Il se délectait en lisant à son épouse la chronique intitulée « Moustiques », consacrée aux méfaits britanniques.

– Écoutez ça, ma chère. Les insectes se sont encore distingués…

Le moindre grain de sable dans la machine anglaise le mettait en joie :

*C'est l'amiral Hopkins qui a présidé hier à Port-Saïd l'inauguration de la statue de la reine Victoria. Toutes les huiles étaient réunies sur le quai Eugénie. L'amiral a fait un signe et le voile est tombé. On a vu alors une chose pitoyable, en plâtre, d'un mètre de hauteur à peine, qui ressemblait davantage à la statuette d'une sainte qu'à l'effigie d'une souveraine. Tandis que la fanfare maltaise entonnait le* God save the Queen, *un coin du voile s'est enroulé autour du bras droit de Victoria et lui a emporté la main. L'amiral Hopkins a contemplé avec effroi sa reine mutilée…*

Élevée par des religieuses françaises, appartenant à un milieu qui considérait la France comme la protectrice naturelle des chrétiens d'Orient, Doris était sensible aux remarques acerbes de Popinot sur les Anglais. Mais elle avait du mal à le suivre quand il les accablait de tous les péchés. L'irruption de William Elliot dans sa vie avait embrouillé un peu plus l'idée qu'elle se faisait d'eux. Vis-à-vis de l'occupant, elle s'était toujours montrée ambivalente, comme la plupart des membres de la communauté syrienne, et d'ailleurs la plupart des Égyptiens.

La Mamelouka trouvait plutôt sympathique la création, par des dames anglaises du Caire, d'une Société protectrice des animaux. Elle avait été révulsée par la mésaventure d'un pauvre chien, qui avait eu deux pattes sectionnées par la roue d'un tramway et dont des gamins rieurs s'étaient emparés pour le déposer, dégoulinant de sang, devant la porte des tribunaux mixtes.

L'infirmerie organisée par ces dames abritait jusqu'à cent vingt patients. Tout animal trouvé en mauvais état sur la voie publique pouvait y être conduit. La Société était devenue la terreur des âniers de la capitale, menacés à tout moment d'être emmenés au poste de police. Même la concurrence du tramway ne les gênait pas autant.

– Les Anglais feraient mieux de s'intéresser aux humains ! maugréait Seif.

– C'est quand même grâce aux Anglais que l'esclavage a été supprimé en Égypte, lui fit remarquer Doris.

Le jeune avocat répliqua sombrement :

– A quoi sert-il d'abolir l'esclavage des individus si c'est pour établir celui des nations ?

Aux soirées du mercredi, elle écoutait les arguments des uns et des autres avec une certaine perplexité. Les charges de Popinot et de Seif contre l'Angleterre entraînaient souvent des ripostes ironiques d'Ibrahim dont on ne savait jamais ce qu'il pensait exactement. Richard Tiomji, lui, défendait l'occupation britannique avec son gros bon sens, faisant valoir que jamais l'Égypte n'avait été aussi stable et aussi prospère :

– On peut raconter ce qu'on veut. Seuls les chiffres comptent. Le recensement vient de montrer que nous sommes passés de six millions et demi d'habitants en 1882 à neuf millions et demi aujourd'hui. Un tiers de plus ! Sans les mesures sanitaires imposées par Cromer, jamais ce résultat n'aurait été obtenu.

Richard hochait la tête avec effarement chaque fois que Seif partait dans des considérations politico-humanitaires. Il était particulièrement agacé quand le jeune avocat citait les propos de son héros, Moustapha Kamel, dont la notoriété ne cessait de croître en Égypte, mais aussi en France grâce à l'appui de Juliette Adam. Aux soirées du mercredi, Seif ne manquait jamais de lire à haute voix les lettres de la célèbre journaliste française à Moustapha Kamel et les réponses très lyriques de celui-ci.

*Madame chérie,*

*J'embrasse très respectueusement vos deux mains et dépose à vos pieds mes hommages très respectueux...*

– Tu ne trouves pas que les mains auraient suffi ? lançait Ibrahim, sarcastique.

Un mercredi soir, alors qu'il venait à peine d'entrer dans le salon, Seif vit Richard Tiomji se ruer vers lui, les yeux exorbités :

– De quel droit cet orateur de basse-cour se permet-il de nous injurier ?

Quelques jours plus tôt, dans un discours remarqué, Moustapha Kamel s'était déchaîné contre « les intrus, à la solde de l'occupant », les accusant de cracher sur le pays qui les avait si bien accueillis. Les Syriens n'avaient eu aucun mal à se reconnaître dans ce portrait insultant, commenté par plusieurs journaux.

D'abord surpris par la sortie de Richard, puis furieux d'avoir été accueilli de la sorte, Seif reprit sans un mot le chemin de la porte. Mais l'autre le rattrapa par la manche, prêt à le frapper.

– Arrête ! cria Lita, tandis que Milo s'interposait.

– Allons, allons, fit Norbert Popinot, d'un ton conciliant. Si je devais me battre, moi, avec mon voisin écossais chaque fois que les moustiques sévissent…

Un peu plus tard, alors que la tension était retombée, Milo dit à Seif :

– Vous devez comprendre que le discours de Moustapha Kamel nous a beaucoup émus. En Égypte, les Syriens ont créé des journaux, des commerces, ils occupent des fonctions nombreuses dans l'administration.

Seif s'énerva :

– Mais Moustapha Kamel n'a pas dénoncé tous les Syriens d'Égypte ! Il ne pensait qu'à certains profiteurs. D'ailleurs, il va le préciser dès demain dans un article.

– Les profiteurs comme moi, peut-être ? cria de l'autre bout de la pièce l'éleveur d'autruches, à qui Popinot venait de verser un grand verre de saint-émilion.

– Je t'en prie, Richard ! dit Milo. Si Moustapha Kamel remet les choses au point dans un article, l'incident sera clos. A propos, je ne vous ai pas raconté l'incroyable voyage d'Eldon Gorst dans la province de Guirgheh…

– C'est qui, ce Gorst ? demanda Lita, prête à tout pour voir la tempête s'éloigner.

– Eldon Gorst est l'homme fort du ministère de l'Intérieur. L'autre jour, le gouverneur qui devait le recevoir à Guirgheh n'était pas au rendez-vous. L'Anglais, mécontent, est remonté sur son bateau. C'est alors que le sous-moudir est arrivé en courant et, de la rive, a fait de grands signes avec son mouchoir. Gorst a donné l'ordre d'accoster de nouveau pour embarquer le petit homme transpirant qui se confondait en excuses. Un peu plus loin, il a fait arrêter le bateau à une petite île déserte, au milieu du fleuve. Il a ordonné au fonctionnaire indigène de descendre. Et il l'a laissé là, au milieu du fleuve !

– Ces gens-là n'ont pas de manières, commenta Popinot.

# 40

La seule fois sans doute où Norbert approuva les autorités anglaises, ce fut au printemps 1898 à l'occasion du pèlerinage musulman.

– On ne joue pas avec la peste, disait-il gravement à Milo.

Badaud dans l'âme, celui-ci ne manquait jamais d'assister au départ du Tapis sacré pour La Mecque. Chaque année, au mois d'avril, il emmenait une partie des jeunes gens de la famille à cette cérémonie un peu étrange qui attirait des foules considérables.

La caravane des pèlerins mettrait trente-sept jours pour franchir le désert. Elle reviendrait au bout de trois mois, un peu moins nombreuse qu'au départ, ayant perdu en route les plus fragiles de ses membres, victimes de la chaleur, de la fatigue ou des épidémies.

– Pour un musulman, il n'y a pas de plus belle mort ! remarquait Ibrahim, qui s'amusait de cela comme du reste.

La mort rôdait particulièrement en ce printemps 1898, avec des nouvelles alarmantes. On disait que l'épidémie de peste, qui sévissait depuis quelque temps aux Indes, avait atteint le Hedjaz et risquait de se propager parmi les pèlerins. Leur retour en Égypte pourrait faire des ravages. Réunies d'urgence au Caire, les autorités sanitaires avaient suggéré une interdiction du pèlerinage, et Popinot leur donnait raison :

– Cette affaire nous concerne tous. Les colonies étrangères ont le droit de s'inquiéter : l'Égypte a toujours été la porte d'entrée des épidémies asiatiques.

Seif défendait avec force le maintien du pèlerinage, soutenant qu'on ne pouvait empêcher des musulmans d'aller remplir le plus sacré de leurs devoirs.

Popinot s'énervait :

– Mais enfin, il y a des risques d'épidémie ! Vous n'allez pas laisser la peste se propager !

– La peste est en Inde, répliqua l'avocat. Pas au Hedjaz. Les Anglais, qui sont maîtres de l'Inde, n'ont qu'à fermer la frontière de ce pays. Le sultan, commandeur des croyants, n'interdit pas aux Turcs de se rendre à La Mecque cette année. Il ne peut y avoir deux règles dans l'Empire : ce serait violer les traités que d'interdire à certains sujets ottomans ce qui est permis à d'autres.

Le Français haussa les épaules, nullement convaincu par ces arguties.

Seif s'emporta à son tour :

– Méfiez-vous ! Une interdiction du pèlerinage sèmerait la haine dans le cœur des musulmans. Ils en voudraient à tous les Européens, à tout ce qui est chrétien...

Dans les journaux du Caire, la polémique enflait au fil des jours. Le Conseil des ministres, bien embarrassé, finit par publier une ordonnance ménageant la chèvre et le chou, dans laquelle les pèlerins étaient mis en garde contre le danger encouru. Pour obtenir un passeport, les candidats au voyage devaient s'engager à ne pas rentrer en Égypte avant la disparition complète d'une éventuelle épidémie au Hedjaz. On leur demandait donc de prouver qu'ils étaient en mesure de subvenir à leurs besoins durant six mois au moins.

– C'est raisonnable, fit Popinot, un peu soulagé.

– Vous voulez dire scandaleux ! s'exclama Seif. Avec ce règlement, seuls les riches pourront aller aux Lieux saints.

Dans les jours suivants, le danger ne fit que se préciser. Alors que l'épidémie provoquait des émeutes à Bombay, plusieurs cas de peste étaient signalés au Hedjaz.

– Vous voyez ! dit Popinot.

– Le chérif de La Mecque assure que c'est faux, rétorqua l'avocat.

– Mais le chérif de La Mecque a tout intérêt à nier l'épidémie pour ne pas voir diminuer ses recettes !

Milo rapporta du Bazar oriental des informations inédites :

– Dès leur arrivée à Djeddah, tous les pèlerins seront enfermés dans le lazaret pendant douze jours. Après cette « quarantaine », ils seront emmenés à bord d'embarcations spéciales jusqu'à un point désertique sur la côte. De là, des chameliers indemnes, ayant des bêtes désinfectées, les conduiront à La Mecque.

– Charmant voyage ! fit Solange.

Ibrahim déclama :

*On dit que partir, c'est mourir un peu.*
*Mourons un peu, beaucoup, passionnément.*
*Pèlerin, si tu joues avec le feu,*
*Tu peux gagner le ciel dès à présent.*

Le 10 avril, une foule immense se pressait dans les rues du Caire. Milo avait emmené son petit monde de bonne heure sur la place Roumeileh, au pied de la Citadelle, mais sans Doris qui préférait finir un travail à l'atelier. C'était la première fois que les jeunes Touta voyaient les Popinot. Norbert, inquiet, avait hésité à venir jusqu'au dernier moment, comme s'il soupçonnait les pèlerins en puissance d'être déjà porteurs de la maladie. Mais sa femme, toujours avide de sensations, affichait une grande gaieté. Les jeunes gens de la famille tournaient autour de cette Française aguichante qui, en l'honneur du Tapis sacré, avait cru devoir inaugurer une robe profondément décolletée. Aux fenêtres, des femmes voilées l'observaient avec stupéfaction.

Milo avait loué pour quelques heures un balcon un peu branlant, au premier étage d'une maison occupée par un empailleur.

– Il n'y a pas de meilleur poste d'observation, expliqua-t-il à Popinot. Nous serons exactement à la hauteur du Mahmal, la fameuse litière.

– Et pourquoi une litière ? demanda le Français, qui jetait des regards inquiets sur la foule.

– C'est à la mémoire d'une très belle femme, Chagaret el Dorr, qui devint sultane après la mort de son mari, au début de l'ère mamelouke. Elle gouverna l'Égypte pendant quatre-vingts jours avant de trouver un nouvel époux et de partir en pèlerinage dans une splendide litière portée par des chameaux. Depuis lors, le Mahmal accompagne la Kiswa.

– C'est quoi la Kissmoi ? lança Solange Popinot, provoquant un éclat de rire général.

Milo répondit en souriant :

– La Kiswa est une tenture de soie, brodée de versets du Coran. Chaque année, le souverain d'Égypte l'envoie au chérif de La Mecque pour recouvrir la Kaaba. Mais vous allez me demander ce qu'est la Kaaba...

Les membres du gouvernement et les dignitaires religieux attendaient le khédive sur une estrade abritée par des tentures multicolores. L'arrivée d'Abbas fut saluée par vingt et un coups de canon. On aperçut son landau, encadré par les cavaliers de la garde.

Solange s'amusait beaucoup en regardant la foule. Les jeunes Touta, eux, regardaient plutôt ses épaules nues, joliment arrondies. On devinait ses seins sous le corsage. Et quand elle levait le bras pour désigner quelque curiosité dans la foule, on voyait son aisselle rasée, qu'un peu de sueur faisait briller.

Le cortège déboucha peu après sur la place, ouvert par des soldats en uniforme blanc qui étaient coiffés du tarbouche. De grands chameaux, affublés pour la circonstance de branches de palmiers, portaient les tentes, les outres d'eau et les tapis de prière des pèlerins. Sur l'un d'eux était fixée la caisse devant assurer les dépenses de la caravane. Suivaient des groupes de derviches, aux turbans de diverses couleurs, qui enflammaient la foule par leurs danses bizarres, au rythme des fifres et des tambourins.

Il y eut des cris pour accueillir le chef des chameaux, un homme gras, au torse nu, qui se balançait mollement sur le dos de son animal orné de draperies et de plumes. D'autres cris encore pour saluer le conducteur des pèlerins, sur un cheval au harnachement splendide, qui ouvrirait la marche dans le désert. L'escorte militaire de la caravane suivait, avec ses uniformes rutilants et ses armes toutes neuves.

Un bourdonnement grossissant parvenait du bout de la place :

– *El Mahmal, El Mahmal !*

La litière au toit oblique, portée par un chameau, s'avançait en brinquebalant, au milieu des cris de la foule. Chacun voulait s'en approcher, la toucher, y poser ses lèvres, pour s'attirer Dieu sait quel bienfait. Protégé par un double rang de policiers à cheval, l'objet sacré fit trois fois le tour de la place, au milieu des coups de canon et de la musique militaire.

– Ce vieillard que vous voyez en dernier, expliqua Milo aux Popinot, c'est Aboul Halaouat, le père des douceurs. Son fouet ne le quitte pas. C'est lui qui est chargé, chaque matin à l'aube, de réveiller les pèlerins récalcitrants.

Le cortège s'engagea dans l'une des rues, suivi par une foule joyeuse et désordonnée. Au passage, des femmes tentaient d'effleurer le Tapis sacré en faisant descendre, du haut de leurs moucharabiehs, un morceau de tissu attaché à une corde.

Les jeunes Touta avaient engagé la conversation avec Solange Popinot. Elle posait diverses questions sur les fêtes musulmanes : le Ramadan, le Mouled, le Petit et le Grand Baïram... Ils répondaient un peu au hasard, en riant. Elle riait aussi, apparemment ravie. Le plus audacieux d'entre eux réussit à lui prendre la main pour l'aider à descendre quelques marches boiteuses. Elle s'appuya même sur son épaule, après avoir failli trébucher, en poussant un petit cri. Cette histoire de marches occuperait les jeunes gens de la famille pendant des semaines...

– Si le départ des pèlerins est une fête, imaginez alors le retour ! dit Milo aux Popinot. Certaines familles emportent des vivres et des vêtements neufs pour aller au-devant de la caravane, en plein désert. Elles errent de chameau en chameau, à la recherche de leur bienheureux parent, auréolé désormais du titre de *hagg*. Parfois, la place est vide, et le regard désolé des autres pèlerins leur fait comprendre qu'un malheur est arrivé… D'autres se contentent d'aller accueillir le nouveau *hagg* aux portes de la ville, pour l'accompagner en musique, avec des drapeaux, jusqu'à son domicile... Le khédive reviendra spécialement d'Alexandrie dans trois mois pour le retour du Mahmal. Il y aura une autre cérémonie sur cette place, encore plus joyeuse que celle d'aujourd'hui.

– Le khédive reviendra peut-être, répliqua Norbert d'un air pincé, mais pas moi. Pour la peste, non merci !

# 41

C'était le lundi suivant. Un lundi d'avril exceptionnellement pluvieux, qui transformait les rues du Caire en une vaste mare.

Milo grimpa l'escalier quatre à quatre et fit irruption dans la chambre des filles en criant à Doris :

– Il nous arrive un événement extraordinaire, extraordinaire… Une catastrophe !

Et, sans reprendre son souffle, avec le même air bouleversé :

– Un émissaire du palais était là, en bas. Il vient de partir…

– Du palais ?

– Mais oui, du palais !

Il en balbutiait :

– Figure-toi que le khédive a vu le portrait de l'oncle d'Ibrahim, qui lui a beaucoup plu. Il voudrait que je le photographie aussi !

Doris mesura en un instant l'étendue du désastre. Milo ne réussirait jamais le portrait du khédive aussi bien que celui du ministre. Contrairement à elle, il ne savait jouer ni sur l'éclairage ni sur le temps d'exposition. Il était incapable de sentir le bon angle ou de souligner la personnalité du modèle. Et il s'en rendait bien compte, malgré ses rodomontades.

– Qu'allons-nous faire ? se lamentait-il.

– Eh bien, j'irai au palais, dit la Mamelouka après quelques minutes de réflexion.

– Tu es folle ? Toi, une femme !

– Je ne serai pas une femme.

Il la regarda d'un air effaré.

– Oui, je me déguiserai en homme.

L'instant de stupéfaction passé, il explosa :

– Ce n'est vraiment pas le moment de plaisanter !

– Je ne plaisante pas, dit Doris. Je t'accompagnerai au palais. Je serai ton opérateur.

– C'est complètement stupide ! Il suffirait qu'une seule personne t'interroge pour que tu sois démasquée.

– Je serai muette. Oui, sourde et muette. En attendant, il ne faut en parler à personne. Ni à Richard ni à Seif. Et encore moins à Ibrahim.

Milo était désemparé. Non seulement par ce qui lui arrivait, mais par l'impossibilité de le crier à tue-tête. Lui, le journal ambulant, le colporteur de nouvelles, il était condamné à taire un événement incroyable.

Après en avoir discuté une partie de la nuit, ils convinrent de mettre dans le secret Norbert et Solange Popinot, pour avoir au moins un avis.

Le Français se montra préoccupé :

– Vous risquez gros, mes amis. On ne joue pas avec ces choses-là.

Mais il ne voyait aucune autre solution à leur proposer. Solange poussait des cris d'enthousiasme. Elle les aurait volontiers accompagnés au palais, déguisée en homme elle aussi.

– Réfléchissons encore jusqu'à ce soir, dit Norbert.

Ce n'était heureusement pas un mercredi, jour de réunion de leur petit groupe. Le soir, ils se retrouvèrent tous les quatre au-dessus du magasin. Milo, qui en temps normal aimait tant les plaisanteries et les mystifications, était dans tous ses états. L'hésitation de Popinot l'affolait. Mais la Mamelouka intervint d'emblée, d'une voix ferme, en masquant sa propre inquiétude : elle avait bien réfléchi, elle était décidée à se déguiser en homme pour photographier le khédive. Solange lui sauta au cou, puis se mit au piano pour jouer quelques accords d'une marche triomphale.

Le couple répéta son numéro dans les moindres détails. Il fut convenu que Doris s'occuperait elle-même de toutes les manipulations qui n'exigeraient pas la collaboration du khédive, comme l'ajustement de l'éclairage. Pour le reste, elle donnerait ses consignes à Milo par des gestes ou par de petits grognements.

La jeune femme étudia les photographies officielles d'Abbas, réalisées par Jacquemart. Elle les trouva techniquement parfaites, mais sans âme. La veille de la séance au palais, elle nota dans son carnet de pose, sous forme de résolution :

*Surtout ne pas chercher à faire majestueux. Oser le naturel. L'air boutonné d'A. est superficiel. Ses yeux ne demandent qu'à sourire.*

Milo passa une nuit blanche. La remarque de Popinot ne cessait de tourner dans sa tête : « Vous risquez gros, mes amis. On ne joue pas avec ces choses-là. » Le khédive avait la réputation d'être colérique et même violent. Ne l'accusait-on pas de faire fouetter certains de ses domestiques ? Milo se voyait déjà prisonnier, bagnard... Il songeait avec effroi aux forçats d'Abou Zaabal cassant des pierres le long du Nil et qui n'avaient même pas le droit de voir passer leur souverain. Quand le bateau khédivial arrivait à leur hauteur, ils devaient se mettre en rang, tourner le dos au fleuve et baisser la tête en signe de soumission.

Ce matin-là, Bolbol fut envoyé faire une course à l'autre bout du Caire. On ferma le magasin sous prétexte de travaux, avec une petite pancarte. Les Popinot étaient arrivés de bonne heure. Solange, très excitée, ajustait le déguisement sous l'œil un peu inquiet de son mari. La veste, le pantalon et les bottines allaient parfaitement à Doris, et des gants légers, couleur beurre frais, cachaient ses jolies mains. On lui avait collé une fine moustache et grossi les sourcils. Ses cheveux étaient relevés et noués en chignon sous le tarbouche qu'elle ne quitterait pas.

– C'est pratique, le tarbouche ! remarqua Norbert pour détendre l'atmosphère. Nul n'est tenu de l'ôter, contrairement au chapeau. Il est même très mal élevé de se séparer de son tarbouche. En Europe, ma chère, l'homme que vous êtes aurait dû se découvrir, surtout devant un souverain.

Le cocher des Popinot les conduisit, avec tout leur matériel, jusqu'au palais d'Abdine. Doris sentait ses lèvres trembler. Les gestes un peu trop énergiques dont elle fit preuve, à l'arrivée, pour transporter les réflecteurs et le trépied ne rassurèrent Milo qu'à moitié.

On les fit monter au premier étage par un escalier latéral, puis ils traversèrent plusieurs couloirs et salons somptueux, avant d'être introduits dans une sorte de vaste boudoir flanqué de deux portes-fenêtres. L'éclairage plut tout de suite à la jeune femme, d'autant que d'épais rideaux pouvaient permettre de le moduler.

– Je vous laisse vous installer, dit le chambellan qui les avait accompagnés. Son Altesse sera là dans une demi-heure.

Doris respira profondément à deux reprises pour dominer son angoisse. Une angoisse venue s'ajouter au trac habituel qui la saisissait avant chaque portrait. Mais elle n'en laissa rien voir.

Tandis que Milo déballait l'appareil, elle déplaça à plusieurs reprises le siège d'ébène sur lequel devait s'asseoir le khédive. Elle décida finalement de le tourner vers la lumière, à trois mètres environ d'une des portes-fenêtres. Puis elle installa son réflecteur et tira les cordons des rideaux, dans un sens et dans l'autre, jusqu'à arriver exactement à l'effet souhaité.

– Assieds-toi sur le siège, murmura-t-elle à Milo.

Il refusa d'un hochement de tête énergique, mais elle insista. Et elle put alors mettre au point.

Quand le khédive pénétra dans la pièce, Émile Touta se précipita, s'inclina, fit des politesses. L'opérateur en tarbouche était debout près de l'appareil, impassible.

– Tout est prêt, Altesse, dit le fournisseur des consulats. Quand il plaira à Votre Altesse…

Abbas prit place dans le fauteuil d'ébène et Doris se pencha vers l'appareil. Elle fit de petits gestes à Milo concernant la pose, que celui-ci traduisit très cérémonieusement.

Elle avait déjà pris quatre clichés, conformément à son plan, mais n'en était qu'à moitié satisfaite : en fin de compte, c'était l'autre profil du khédive qu'elle préférait. Elle le signala à Milo, qui ne comprit pas le changement de programme. Quand elle revint à la charge, avec des grognements, il lui jeta un regard consterné. Doris se donna alors deux ou trois petites tapes sur la joue pour qu'il comprenne, ce qui fit malencontreusement glisser la moitié gauche de sa moustache.

– Je crois que Madame a une petite difficulté, dit le khédive.

Milo se figea. Son regard affolé rencontra celui du chambellan. Il balbutia quelque chose d'incompréhensible.

La Mamelouka détacha lentement ce qui restait de sa moustache. Elle retira son tarbouche et agita la tête pour dénouer ses cheveux. Puis, d'une voix qui tremblait à peine :

– Pardonnez-nous, Altesse. Au studio, c'est moi qui fais les portraits. Mon mari est spécialiste des photos de groupes et des paysages.

Milo fixait d'un air hébété le visage chiffonné de colère du chambellan. C'est alors qu'il entendit le rire du khédive – un rire joyeux qui éclairait son regard.

– S'il vous plaît, Altesse, regardez vers moi, dit Doris.

Et elle appuya sur la poire.

Des cinq photographies que Milo alla lui porter dans un portefeuille en maroquin, c'est la cinquième que le khédive préféra. Il y livrait de lui-même un visage inattendu. Ce n'était plus le vice-roi d'Égypte, mais un jeune homme espiègle de vingt-quatre ans, de belle allure malgré son embonpoint. On avait l'impression de le voir pour la première fois.

– Présentez mes plus vives félicitations à Mme Touta, dit Abbas.

Dans l'après-midi, un cavalier du palais vint remettre au magasin un écrin de velours à l'intention de Doris. Elle y trouva un collier serti de diamants, que la bijouterie Falaki estimerait à plus de 400 livres égyptiennes.

# 42

En quelques jours, tout Le Caire fut au courant de l'affaire du portrait. *Le Journal égyptien* y consacra un écho, racontant à sa manière comment un couple de photographes avait tenté de piéger un « haut personnage de l'État ». Ni le nom du khédive ni celui des Touta n'étaient cités, mais cela ne pouvait que piquer la curiosité du public et l'amener très vite à identifier les acteurs de cette heureuse mystification.

Plus d'une dizaine de nouveaux clients se présentèrent au magasin le lundi suivant. Milo dut, pour la première fois, refuser des séances de pose et ouvrir un agenda de rendez-vous. Ces personnes venaient souvent sans demande précise, cherchant surtout à approcher le photographe et son épouse.

– Parole d'honneur, nous devenons célèbres ! constatait le fournisseur des consulats, émerveillé de ce qui leur arrivait.

L'affluence continua les jours suivants. Doris et Milo, épuisés de travail et de questions, ne suffisaient plus à la tâche. Ils décidèrent d'embaucher un laborantin. On leur recommanda un copte d'une trentaine d'années qui avait été employé pendant quelque temps au studio Jacquemart. Cet homme discret et précis fut affecté au développement des clichés. Il passait toutes ses journées dans le cabinet noir – « mon nègre », disait Milo –, recevant de temps en temps la visite de Doris qui lui donnait ses instructions.

C'est Milo qui eut l'idée d'exploiter le fameux portrait.

– Pourquoi ne tirerions-nous pas des photos-cartes du khédive ? lança-t-il un dimanche soir, dans le train qui les ramenait de Hélouan.

Doris le regarda d'un air étonné.

– Mais oui ! fit-il avec animation. Des photos-cartes, comme celles de Napoléon III par Disdéri.

La jeune femme haussa les épaules d'un air perplexe. Elle avait appris à se méfier des enthousiasmes de son mari, qui le conduisaient souvent dans de coûteuses impasses. Ne s'était-il pas lancé tête baissée, deux ans plus tôt, dans l'impression de « cartes de vœux personnalisées » dont personne ne voulait ? Trois caisses pleines pourrissaient sous l'appentis de la cour...

Cette fois, avec les photos-cartes du khédive, Milo était sûr de son idée. Il lui fallait néanmoins l'accord de l'intéressé. Craignant d'essuyer un refus en se rendant lui-même à Abdine, il pensa y envoyer sa femme.

– Pas question ! dit la Mamelouka. J'aurais l'impression de me prostituer.

Milo insista, s'énerva, mais elle resta inébranlable. Renonçant à la convaincre, il songea alors à solliciter Seif, qui avait de bons contacts au palais. Il le connaissait trop bien cependant pour lui présenter l'affaire sous un angle commercial.

– Le khédive, expliqua-t-il le lendemain au jeune avocat, a besoin de se rapprocher de son peuple. Et le peuple a besoin de se rapprocher de son khédive. Y a-t-il un lien plus fort qu'une image qu'on range dans son portefeuille ou qu'on pose sur sa table de nuit ? Napoléon III avait fait de sa photo-carte un instrument de gouvernement. Moi, je peux commercialiser celle d'Abbas à 10 piastres seulement. Tout le monde la voudra. Même Bolbol...

Seif s'enthousiasma. Il courut au palais pour plaider en faveur de la photo-carte. Ne s'attirant que des grommellements, il demanda une audience au khédive. Celui-ci le reçut entre deux portes, la semaine suivante, sans manifester plus d'intérêt que ses collaborateurs. Mais Seif obtint une lettre, signée de sa main, autorisant la mise en vente du portrait.

Milo remercia chaudement l'avocat, au nom du peuple égyptien, et commença aussitôt à s'organiser. Il avait prévu des cartes épaisses, de six centimètres sur neuf, avec une petite marge blanche sous la photo qui comporterait un « T » stylisé de couleur rouge. Il expliqua à Doris que le célèbre Nadar, en France, marquait ainsi toutes ses photos-cartes :

– Le « N » de Nadar est devenu aussi fameux que celui de Napoléon !

Le studio Touta n'avait nullement les moyens de tirer les centaines d'exemplaires envisagés. Milo eut l'idée de faire appel à Maloumian qui, en temps que photographe de l'armée d'occupation, disposait d'un important matériel. Il se rendit chez l'Arménien, s'abîma en compliments sur les portraits qui ornaient sa vitrine, prit le café, évoqua les massacres de Turquie avec des larmes dans les yeux, puis s'engagea dans un éprouvant marchandage. Maloumian exigeait 4 piastres par photo imprimée. Milo en offrait 2. L'Arménien jura sur la tête de sa femme que, même si toute l'armée d'occupation lui passait sur le corps, il n'accepterait pas ce prix-là. L'affaire se conclut à six heures du soir par un compromis honorable : 3 piastres et 10 millièmes, sans la fourniture du carton.

– Mais Seif va s'étrangler, fit Doris, s'il apprend que le portrait du khédive est imprimé par le photographe de l'armée d'occupation !

– Ne t'inquiète pas, je vais lui expliquer, dit Milo.

Et il alla voir le jeune homme pour lui faire part de la victoire qui venait d'être remportée sur l'Angleterre :

– Un combattant efficace se sert des armes de son ennemi…

La vente des photos-cartes démarra difficilement. Le fournisseur des consulats avait beaucoup de mal à placer sa marchandise chez les commerçants du Caire. Or, Maloumian exigeait d'être payé d'avance.

– Tu devrais abandonner ce projet, dit Doris.

– Abandonner si près du but ? Tu n'y penses pas !

Quand il lui fit part de son intention de vendre le collier offert par le khédive, elle se montra furieuse :

– Il est à moi, ce collier, après tout !

Le visage de Milo se ferma. Elle se rendit compte qu'elle l'avait profondément blessé.

– Pardonne-moi, dit-elle en fondant en larmes.

Le lendemain matin, Milo emporta l'écrin chez le mari de sa tante, le bijoutier Alfred Falaki. Celui-ci lui en offrit 300 livres, affirmant lui faire un « prix de famille ». Ce fut une scène orageuse.

– Mais enfin, oncle Alfred, criait Milo, tu avais toi-même évalué ce collier à 400 livres il y a quelques mois !

– En effet, il y a quelques mois, *habibi*. Il y a quelques mois. La situation du marché a changé...

L'embellie se manifesta autour de Noël. Les six cents photos-cartes imprimées avaient toutes été vendues, et il fallut en tirer d'urgence un millier d'autres. Maloumian exigea un tarif plus élevé, sous prétexte qu'il devait engager un employé supplémentaire.

Fin avril, plus de six mille photos-cartes du khédive avaient été écoulées. Plusieurs commerçants d'Alexandrie en réclamaient. Une commande parvint même d'Assiout et une autre de Mansourah. Milo avait gagné son pari.

– On pourrait peut-être racheter le collier, dit-il un soir à Doris.

Elle se jeta dans ses bras.

Milo se rendit à la bijouterie Falaki avec 300 livres en poche. Le vieil Alfred l'accueillit, les larmes aux yeux. Plein d'attentions, il le fit asseoir sur le meilleur fauteuil du magasin et insista pour lui offrir deux cafés.

– Ah, si j'avais su ! dit le bijoutier d'un air désolé. J'ai malheureusement promis le collier à un client. Il doit m'apporter 400 livres cet après-midi...

Furieux, Milo dut en payer 350 pour récupérer son bien.

# 43

Le récit de cette scène épique, au cours de laquelle Alfred Falaki faillit recevoir deux cafés *mazbout* à la figure, amusa follement la famille Touta.

– Je disais à ce maquereau : « Mais enfin, oncle Alfred, tu m'avais toi-même acheté le collier à 300 livres, m'assurant qu'il ne valait pas plus ! » Et il me répondait, ce chien, avec sa bouche tordue : « *Habibi*, comme j'aurais aimé te donner satisfaction ! Je t'offrirais gratuitement ce collier si je ne l'avais promis à un client »...

Milo était capable de faire pleurer de rire la même assistance, avec la même histoire, plusieurs semaines d'affilée. Mais il n'eut pas le temps de revenir sur la scène de la bijouterie. Une affaire bien plus spectaculaire, survenue au cours de ce printemps 1898, le mobilisa entièrement : la tentative d'assassinat contre la personne du prince Fouad, appelé à devenir un jour roi d'Égypte. Nul ne suivit l'épisode aussi bien que lui, dès les premières heures. Et nul ne sut le raconter avec autant de talent.

Une brise délicieuse enchantait cette fin d'après-midi de mai. Norbert Popinot était accoudé à son balcon de la rue Manakh, regardant frétiller les feuilles des acacias. En l'absence de Solange, qui se trouvait pour quelques jours à Ismaïlia chez des amis, il avait prévu d'aller dîner au Cercle français, avant d'y faire une partie de whist. Sans doute le dîner serait-il, comme la veille, marqué par l'une de ces discussions au couteau sur l'affaire Dreyfus dont la colonie ne se lassait pas.

Une détonation le fit sursauter. Deux autres, coup sur coup, survinrent quelques secondes plus tard. Norbert entendit aussitôt des cris, provenant du Club khédivial qui se trouvait de l'autre côté de la rue.

– Arrêtez-le ! Arrêtez-le ! hurla en arabe un homme qui surgit au balcon du premier étage.

Norbert, stupéfait, regardait la rue quasi déserte. Le Club khédivial, rendez-vous de la meilleure société du Caire, était le dernier endroit où du tapage pouvait se produire. Il décida de descendre, après avoir pris soin de changer de veste, d'ajuster sa cravate et de se parfumer.

Un petit attroupement s'était formé devant la porte du bâtiment. Des *chaouiches* en uniforme emmenaient déjà un jeune homme, menottes aux poignets, vers le commissariat d'Abdine.

– C'est le prince Seiffedine, expliqua quelqu'un. Il a tué son beau-frère, le prince Fouad.

– Qui est le prince Fouad ? demanda Popinot, qui se perdait parmi tous ces dignitaires égyptiens.

– C'est l'un des oncles du khédive.

Norbert courut héler un fiacre au bout de la rue. Sans trop savoir pourquoi, il demanda au cocher de le conduire au studio Touta, sur la place de l'Ezbékieh.

Quand il informa Milo de ce qui s'était passé, celui-ci le remercia :

– Vous avez bien fait de m'alerter.

Comme s'il était le correspondant de l'agence Havas ou le responsable de la sécurité de la ville du Caire...

– Allons-y ! ajouta-t-il, en sortant précipitamment du magasin.

Le Club khédivial n'avait jamais connu une telle agitation. Des personnes y entraient d'un pas pressé, d'autres en sortaient en courant. La foule était tenue à l'écart par un cordon de policiers armés de fouets.

Milo, suivi de Popinot, réussit à se faufiler jusqu'aux premiers rangs. Haussé sur la pointe des pieds, il se dévissa le cou pour voir arriver les officiels à qui un passage était réservé.

Il aperçut l'oncle d'Ibrahim – le ministre – et s'empressa de le saluer chaleureusement. Le *chaouiche* de faction, le voyant en si bonne compagnie, le laissa passer.

– Je vais peut-être vous quitter, cria Norbert qui était resté dans la foule. Je suis attendu à mon Cercle.

– Allez-y, dit Milo. Je vous raconterai.

Et il pénétra dans le Club khédivial, à la suite du ministre qui ne l'avait pas reconnu. On l'empêcha de monter à l'étage, mais il put interroger plus d'un visiteur qui en descendait. Les informations ne coïncidaient pas toujours. Milo en retenait les plus frappantes, à la manière d'un conteur professionnel songeant déjà à son auditoire. Deux heures plus tard, de retour chez lui, il en savait beaucoup plus que les Cairotes n'en liraient le lendemain dans leurs journaux.

Le prince Fouad n'était pas mort. Il avait cependant reçu deux balles, l'une dans la cuisse, l'autre dans la poitrine. Son état ne permettait pas de le déplacer du salon de lecture où l'attentat s'était produit.

– Le prince se trouvait au balcon en compagnie de Nicolas bey Sabbag, racontait Milo, quand il vit son beau-frère Seiffedine arriver au Club khédivial. « Viendrait-il pour me tuer, par exemple ? », lança Fouad en plaisantant. Il ne croyait pas si bien dire…

A défaut d'appartenir au Club, le prince Seiffedine appartenait à la famille du khédive, et le portier se garda bien de lui interdire de monter. Arrivé à l'étage, il sortit de sa poche un revolver à cinq coups.

– Fouad était entré dans l'une des salles de lecture. Voyant son beau-frère armé, il se cacha derrière Abani pacha, le ministre de la Guerre, en lui tenant les épaules. Puis il chercha à s'enfuir dans la salle de poker. C'est là qu'une première balle l'atteignit à la fesse. Oui, oui, à la fesse, pas à la cuisse comme on l'a écrit dans les journaux ! Il tomba sur le plancher. Seiffedine tira deux autres coups, et Fouad fut touché à la poitrine. « *Finished !* » commenta l'agresseur, avant de rejoindre le rez-de-chaussée. Mais, ayant entendu crier « Arrêtez-le !

Arrêtez-le ! », le portier, avec beaucoup de présence d'esprit, avait barricadé la porte d'entrée du Club.

Milo racontait les gémissements du prince Fouad, un gros jeune homme de trente ans, qui répétait :

– Je suis mort, c'est fini. Je suis mort, je vais être enterré.

Sa mère, accourue au Club avec plusieurs médecins, avait essayé de le raisonner :

– Tu es soldat, Fouad, et tu voulais prendre part à la guerre du Soudan. Suppose que tu aies été blessé dans une bataille. Console-toi en pensant que tu n'es pas soigné sous une tente, par une chaleur étouffante, mais dans une chambre confortable, entouré de l'amour de tes parents et de tes amis...

Le lendemain matin, la rue Manakh était encombrée d'équipages de harems. Plusieurs princesses venaient s'enquérir de l'état du blessé, au chevet duquel se succédaient dix médecins de diverses nationalités.

– Le Club est transformé en véritable pharmacie, précisa Milo, qui passa presque toute la journée sur les lieux avec une foule de badauds.

Il déjeuna même sur place, chez Norbert Popinot, pour ne rien perdre de l'événement. Doris trouva qu'il en faisait un peu trop, mais évita de le lui dire.

Au magasin, comme au café, les jours suivants, Milo prononça de véritables conférences, devant des auditoires passionnés par l'affaire. Il expliqua que Fouad maltraitait son épouse, la princesse Chivekiar, et que celle-ci envoyait des messages de détresse à son frère Seiffedine pour qu'il la libère du palais où elle était confinée.

– Seiffedine adore sa sœur. Il a frappé à toutes les portes pour dénoncer les agissements du pacha, disait Milo. Il est même allé se plaindre au consulat britannique.

– Est-il vrai, monsieur Touta, qu'à son arrivée au Club, Seiffedine a été insulté par son beau-frère en arabe et en turc ?

– Je ne peux pas le confirmer. Mais si Seiffedine a crié « *Finished !* », c'est qu'il avait bien l'intention de tuer son beau-frère, et pas seulement de le blesser comme il l'affirme depuis lors.

– Et comment va le prince Fouad, monsieur Touta ?

– Mieux, beaucoup mieux. (C'était tout juste s'il ne disait pas : je vous remercie.) Les médecins ont extrait la balle qui s'était logée dans la fesse, mais ils ont renoncé à récupérer celle qui se trouve dans la poitrine. Fouad ne la sent pas et pourra vivre ainsi. Mais la présence de cette balle provoque chez lui, de temps en temps, une sorte d'aboiement.

Et Milo aboyait, au grand plaisir de l'assistance.

Le procès Seiffedine eut lieu le mois suivant au tribunal indigène de Bab el-Louk. La salle étant petite, il fallut délivrer des billets spéciaux, réservés aux notabilités et aux membres de la presse. Malgré tous ses efforts, Milo ne put y accéder. Cela ne l'empêchait pas de rendre compte de chaque audience avec une multitude de détails qui avaient dû échapper aux journalistes présents.

Les avocats français des deux parties réclamaient de pouvoir plaider dans leur langue. Le président du tribunal s'y opposa, répliquant que, « dans une cause indigène, tout devait être indigène ». L'ensemble des débats serait donc en arabe.

– En arabe ! s'indigna Popinot. Mais où est-on ?

Lors du procès, le président du tribunal demanda à Abani pacha, principal témoin du drame, de mimer la scène de l'attentat. On vit alors le ministre de la Guerre s'emparer du revolver et le braquer vers les juges. Une princesse mal informée faillit s'évanouir de peur. Il y eut ensuite un moment de franche hilarité quand Abani pacha, derrière lequel la victime s'était réfugiée au moment du drame, s'entendit demander par un avocat :

– L'inculpé a-t-il dit à Votre Excellence : « Ôtez-vous de devant Fouad pacha ? »

Les défenseurs de Seiffedine firent valoir les antécédents héréditaires de ce jeune homme un peu dérangé, « l'absence de toute éducation morale dans son enfance, capable de lui former la conscience du bien et du mal », ainsi que « des habitudes vicieuses dénotant chez lui la perversion des sens génériques ». Il fut condamné à sept années de détention et au paiement de 1 845 livres, représentant les émoluments des dix médecins qui avaient renoncé à extraire la balle de la poitrine de Fouad.

– Le procès en appel aura lieu après les grandes vacances, précisa Milo.

On était déjà le 28 juin. Il faisait chaud au Caire, et tous les notables étaient pressés de prendre le train pour Alexandrie ou le bateau pour l'Europe.

– S'il y a du nouveau, je vous écrirai, assura Milo à Norbert Popinot sur le quai, avec l'air d'un avocat chargé du dossier.

# 44

Le moins qu'on puisse dire est que l'affaire Seiffedine ne passionna pas Doris. Pour elle, ce printemps 1898 fut marqué par des faits bien plus émouvants, où famille et métier se mêlaient étroitement.

Il y eut d'abord le portrait de son père. Léon Sawaya avait complètement changé d'attitude depuis le cadeau du khédive. Félicité par plusieurs de ses clients, il leur laissait entendre qu'il avait toujours encouragé les dons artistiques de Doris, lui offrant un matériel de peinture dès sa quinzième année.

Le courtier était donc venu au studio. Il avait posé, la mine avantageuse, la main dans le gousset, sans tenir compte des suggestions de l'opératrice. Cette photo banale, dont la Mamelouka avait honte, fut agrandie, encadrée sous verre et exposée dans le salon des Sawaya, en bien meilleure place que la miniature de sinistre mémoire.

Odette Sawaya, pour sa part, ne demandait rien. Elle avait appris le succès de sa fille avec l'indifférence qui la caractérisait. Sans doute aurait-elle accepté sans sourciller d'être photographiée sur son divan. Ce visage évanescent, au milieu des volutes de fumée, pouvait être superbe. Mais Doris s'y refusait : elle aurait eu l'impression de dérober cette image. Elle prit prétexte du refus de sa mère de se rendre au studio pour ne pas la photographier.

L'excuse était d'autant moins valable qu'elle venait de provoquer un événement dans sa belle-famille en emportant l'appareil de campagne à Hélouan, un dimanche. Les enfants, ravis, crurent à une photo de groupe, avant d'apprendre que c'était pour Nonna seulement.

Jusque-là, la mère de Milo s'était toujours refusée à se laisser photographier :

– Je suis trop vieille… Je ne veux pas me voir dans un tel miroir.

Nonna était d'ailleurs la grande absente de la photo de famille annuelle. Il est vrai qu'elle n'allait jamais au bord de la mer, ayant décrété une fois pour toutes la supériorité des eaux sulfureuses de Hélouan sur celles, trop salées, de la Méditerranée.

L'activité professionnelle de Doris la gênait certainement vis-à-vis des dames de son voisinage qui en faisaient des gorges chaudes. En famille, elle évitait d'en parler : Doris n'était que l'épouse de Milo et la mère de ses « trois poupées ». Mais elle ne traitait pas la Mamelouka comme ses autres belles-filles : bien que plus jeune, celle-ci essuyait moins de reproches et avait droit à moins de familiarité. Entre les deux femmes demeurait une distance que les années n'effaçaient pas. On aurait dit qu'elles se retenaient l'une et l'autre de rompre la glace.

Qu'est-ce qui décida Nonna à accorder à Doris ce qu'elle avait toujours refusé à son fils préféré ? En fait, Milo ne s'était jamais montré très insistant : il connaissait trop les surprises de la chambre noire, et mesurait suffisamment ses propres limites, pour risquer de donner de sa mère une image déformée.

Doris, elle, savait tout ce qu'elle pouvait tirer de ce regard vif, toujours en éveil. Cette photo, elle l'avait déjà faite cent fois dans sa tête. Photographier Nonna était une manière de lui témoigner une affection grandissante qu'elle ne savait guère exprimer.

A la grande déception des enfants, la séance de pose n'eut pas lieu ce dimanche, mais le lendemain matin, sans témoins. Doris, qui voulait opérer dans le calme, avait décidé de passer la nuit à Hélouan. Elle dîna avec Nonna, en tête à tête pour la première fois.

– Milo n'était pas fait pour être photographe, dit la vieille dame au détour d'une phrase.

Surprise et un peu gênée, Doris lui lança un regard interrogatif.

– Il aurait fait un très bon commerçant. Ou un avocat. Tu ne trouves pas ?

Ne lui laissant pas le temps de répondre, elle enchaîna sans transition :

– Milo a failli mourir quand il était petit. Il avait avalé un boulon. Je l'ai pris par les pieds…

– Oui, je sais.

– De temps en temps, il faudrait secouer les gens par les pieds pour les libérer de ce qui les bloque. Tu ne trouves pas ?

Elles se regardèrent, puis éclatèrent de rire.

L'appareil était installé dans le jardin, sous la tonnelle. Levée de bonne heure, Doris avait tout prévu, même une ombrelle au cas où un soleil trop fort aurait réussi à percer les bougainvilliers.

– J'étouffe ici. Apporte-moi un verre d'arak, dit Nonna à l'un des domestiques.

Elle s'agitait sur son fauteuil de fer forgé, ne tenant pas en place. Pour une fois, Doris s'entendit dire : « Attention, ne bougeons plus ! » Aussitôt la photo faite, Nonna se leva. Non, elle ne voulait pas d'autre pose. C'était bien suffisant comme cela.

– Par précaution, dit Doris, je prendrais bien un deuxième cliché.

– Non, ma petite, je t'en prie, je n'en peux plus.

La photo de Nonna, souriante, un verre d'arak à la main, allait faire scandale dans une partie de la famille. Les belles-sœurs s'indignaient. Montrait-on ainsi une dame respectable ? Milo semblait partagé.

Le seul avis qui importait à Doris était celui de Nonna. Mais elle ne sut pas exactement à quoi s'en tenir. En se voyant, la vieille dame eut un sourire un peu perplexe. Elle embrassa la jeune femme sur le front et emporta la photo.

C'est le docteur Touta, de passage à Hélouan, qui se montra le plus enthousiaste :

– Tu es, sur cette photo, comme je t'ai toujours connue, dit-il à sa belle-sœur avec un accent de sincérité qui ne trompait pas.

Doris se sentit un peu soulagée. Elle était contente à l'idée de retrouver le vieux médecin à Fleming quelques semaines plus tard.

– Si vous me photographiez aussi, lui lança-t-il malicieusement, je vous avertis : j'exigerai d'être en tenue de bain.

# 45

Ayant reçu le renfort d'une deuxième brigade anglaise, le général Kitchener disposait maintenant de vingt-sept mille hommes, appuyés sur le Nil par dix canonnières et quatorze vapeurs. Son magasin d'Atbara regorgeait de vivres et de matériel. La crue étant favorable, l'armée anglo-égyptienne pouvait commencer sa marche tant attendue vers Omdurman, la capitale du mahdisme.

Le sirdar passa ses troupes en revue. Ce fut une cérémonie grave, presque silencieuse, qui émut le capitaine Elliot. Puis l'ordre de lever le camp fut donné. Les hommes marchaient le long du fleuve, la flottille suivait au pas. Des milliers de derviches étaient signalés aux alentours, mais nul ne les voyait.

L'excitation de William Elliot croissait au fil des jours. Il s'étonnait, une fois de plus, que le gouvernement de Sa Majesté eût mis tant de temps à reconquérir le Soudan et à venger Gordon. Cela faisait treize ans que Khartoum était tombée aux mains des mahdistes. Treize ans que la capitale, saccagée, abandonnée, n'existait plus et avait cédé la place à Omdurman, de l'autre côté du fleuve.

William eut l'occasion de rencontrer Slatin pacha, un soir, au coin du feu, dans un camp improvisé. L'Autrichien racontait quelques souvenirs de captivité qui ne figuraient pas dans son livre. Il précisait que pour construire le mausolée du mahdi à Omdurman on s'était servi de blocs de grès du palais de Gordon à Khartoum. La coupole du mausolée blanc, dominant la ville aux maisons basses, se voyait à plusieurs kilomètres à la ronde.

– Ce sera une cible parfaite pour nos canons ! s'exclama un colonel d'artillerie qui se chauffait les mains au-dessus du feu.

William accueillit cette remarque d'un petit rire nerveux.

Le 1er septembre 1898, les forces anglo-égyptiennes prenaient position à dix kilomètres au nord d'Omdurman. Elles étaient adossées au Nil, face à l'immense plaine de Kerreri bordée de collines. Les bateaux amarrés avaient pointé leurs canons vers le mausolée du mahdi qu'on apercevait assez distinctement à la jumelle. Selon les estimations du sirdar, quelque cinquante mille derviches, peut-être davantage, se préparaient au combat et pouvaient à tout moment envahir la plaine.

Le capitaine Elliot ne réussit pas à fermer l'œil au cours de cette nuit. Ses hommes se dressaient au moindre bruit, prêts à bondir sur leurs chevaux. Les rayons électriques des vapeurs balayaient continuellement la plaine pour débusquer un éventuel assaut et pour impressionner les hommes du khalife qui ne disposaient pas d'un tel équipement.

A trois heures et demie du matin, bien avant l'aube, le réveil fut décrété dans le plus grand silence. William Elliot était quasiment prêt, n'ayant pas ôté son uniforme. Il attacha son ceinturon, glissa son sabre dans le fourreau et vérifia que son revolver était bien chargé. Puis il se couvrit la tête du casque kaki, éclairé d'un croissant et d'une étoile en métal doré. Son second l'attendait devant la tente.

Les troupes du sirdar ajustèrent leurs positions en demi-cercle. Sur la gauche, surveillant le djebel Surgham, s'alignaient des brigades anglaises aux noms prestigieux : Werwick, Seaforths, Camerons, Lincolns... Les Égyptiens étaient déployés sur la droite, face aux collines de Kerreri.

– Nous risquons d'attendre longtemps, remarqua William, qui tenait son cheval en bride. Ils ne seront pas assez fous pour se jeter dans la gueule du loup.

Le jour venait à peine de se lever quand des ombres se détachèrent du djebel Surgham. Dix hommes, puis vingt, puis cent... C'étaient eux ! Une lointaine rumeur commençait à envahir la plaine. Du côté anglo-égyptien, des ordres brefs coururent le long de la ligne de front. Le capitaine Elliot invita ses hommes à se mettre en position de combat.

Les derviches avançaient au pas de course, en rangs serrés, au son du tambour de guerre, encadrés par des cavaliers brandissant leurs bannières. Les forces anglo-égyptiennes, protégées par des murets construits la veille, essuyèrent une grêle de balles. Le sirdar laissa les assaillants approcher à moins de deux mille mètres avant de donner l'ordre de tirer. Ce fut aussitôt un déluge de feu, le bruit sourd du canon venant s'ajouter au crépitement des mitrailleuses Maxims.

Le premier rang des derviches fut presque entièrement fauché. Les survivants continuaient leur course, bientôt rejoints par d'autres combattants armés de fusils ou de lances qui enjambaient les corps de ceux qui étaient tombés.

– Ces barbares se battent courageusement mais ne savent pas faire la guerre ! cria l'officier qui secondait William.

Le capitaine Elliot et ses hommes tiraient sans discontinuer. Leurs fusils, trop chauds, durent être remplacés, tandis que les artilleurs vidaient leurs gourdes sur les canons brûlants pour les rafraîchir. Assourdi par tout ce bruit, William n'entendait pas siffler les balles de l'adversaire. Il fut stupéfait de voir s'effondrer son second, atteint à la tempe. Il hurla alors un ordre, que personne n'entendit, puis fit de grands gestes pour demander à ses hommes de se mettre à l'abri.

En face, les assaillants continuaient à avancer et à tomber, sous le crépitement implacable des mitrailleuses. Pas un seul n'était en mesure d'arriver jusqu'aux forces anglo-égyptiennes. Les centaines de bannières, vertes, rouges ou blanches, portées par les cavaliers du khalife, disparaissaient l'une après l'autre.

A huit heures, la fusillade cessa. Et, pendant plusieurs minutes, il ne se passa rien. William, hébété, observait la plaine fumante, tandis que derrière lui des secouristes armés de brancards s'affairaient autour des quelques blessés.

La bataille reprit de manière inopinée un peu plus tard quand une nouvelle marée humaine dévala des collines. Des cavaliers anglais, qui s'étaient imprudemment avancés, durent battre en retraite, protégés par l'artillerie. Mais, très vite, on assista au même scénario que précédemment, avec des rangs entiers de derviches fauchés en pleine course.

Il y eut de nouveau un grand silence. La plaine était parsemée de robes blanches ensanglantées. On aurait dit un champ de neige, au pied des collines de sable. Les troupes anglo-égyptiennes reçurent l'ordre d'avancer vers Omdurman. Les premiers rangs enjambèrent les cadavres. C'est alors que des mahdistes blessés se dressèrent, dans un ultime sursaut, pour jeter leurs lances vers l'adversaire. A partir de ce moment-là, peu d'hommes à terre survécurent : la plupart des blessés étaient achevés à coups de fusil ou de baïonnette.

Un colonel à cheval s'approcha à vive allure de William Elliot :

– Des derviches sont en fuite derrière les collines. Il faut les empêcher d'atteindre Omdurman. Avec votre escadron, rejoignez les lanciers du 21e régiment !

William enfourcha aussitôt sa monture en criant à ses hommes de le suivre.

Ils étaient quelque quatre cents cavaliers à galoper ainsi vers les collines. Arrivés de l'autre côté, ils eurent la surprise de se retrouver en face de trois mille derviches, cachés dans un repli du terrain, qui les reçurent par une fusillade nourrie. William perdit plusieurs de ses hommes et son cheval faillit le désarçonner.

Les Anglo-Égyptiens, encore sous le choc, avaient du mal à reprendre l'initiative. Fallait-il battre en retraite ? Le commandant du 21e lanciers ordonna de charger. Sans hésiter, William fonça, suivi de son escadron, pour affronter des cavaliers ennemis qui avaient surgi de divers côtés. Le choc fut très violent. On se battait au sabre, les chevaux étaient couverts de sang. Un brigadier anglais, atteint à la poitrine et vacillant sur sa selle, reçut l'ordre de quitter les rangs. Il brandit sa lance tordue en hurlant :

– Jamais ! Formez-vous, le 2 !

Les Anglo-Égyptiens réussirent à se regrouper quelques centaines de mètres plus loin et se remirent en position, comme à la parade, prêts à charger de nouveau. Mais le commandant leur ordonna de mettre pied à terre et de tirer, en attendant des renforts.

Une heure plus tard, alors que les derniers derviches s'étaient enfuis, William traversa la plaine qui n'était plus qu'un immense charnier. Beaucoup de ces morts en robe blanche donnaient l'impression de dormir. D'autres, à genoux, la tête penchée en avant, semblaient avoir été surpris dans leur prière. Des corps déchiquetés et des membres épars gisaient sur le sol qui exhalait une odeur de poudre et de sang.

– A Omdurman ! cria une voix.

Le sirdar Kitchener, coiffé de son casque et tenant à bout de bras la bannière noire du khalife, passa au petit trot devant William. En face, toute résistance avait cessé.

C'est dans une cité déserte que l'état-major anglo-égyptien fit son entrée, guidé par Slatin pacha. Seuls quelques prisonniers européens étaient là pour accueillir les vainqueurs : un Autrichien, un Allemand, des Grecs… On retrouverait par la suite plusieurs religieuses italiennes, qui avaient été contraintes de se marier pendant leurs années de détention.

William fut frappé par la puanteur qui se dégageait de cette ville immense, parsemée d'ordures et de cadavres d'animaux. Mais était-ce bien une ville ? Omdurman ressemblait à un interminable village poussiéreux, au sol rougeâtre, recouvert de sable par endroits. Dans le centre, des masures basses étaient accroupies au pied de la grande mosquée. Seul le palais du khalife disposait d'un étage. Des potences étaient dressées sur plusieurs places, pas très loin de sinistres cahutes sans fenêtres, aux lourdes portes chargées de chaînes, qui servaient de prison.

La coupole du mausolée d'Omdurman avait été fortement endommagée par les obus. Les gardiens étaient toujours à leur poste. Ils préférèrent mourir plutôt que de laisser entrer des infidèles. Le général Kitchener fit alors ouvrir la tombe du mahdi et ordonna de disperser ses restes dans le Nil, à l'exception du crâne, qui fut remis au neveu de Gordon en attendant d'être brûlé dans un cimetière musulman.

Le surlendemain, le sirdar franchit le fleuve pour se rendre à Khartoum, accompagné de ses généraux, de délégations des divers régiments, avec les cornemuses des highlanders, les fifres et les tambourins des grenadiers de la garde. William Elliot savait qu'il découvrirait une ville en ruine, inhabitée depuis 1885. Mais les arbres le surprirent : cette cité morte regorgeait de fruits. Il cueillit quelques figues, l'air pensif.

Dans son message de félicitations au sirdar, la reine Victoria l'informait qu'il était désormais Lord Kitchener of Khartoum. William apprit, le même jour, sa propre promotion au grade de major.

*Une cérémonie poignante a été organisée à la mémoire de Gordon. Je ne trouve pas de mots, chère Doris, pour vous la décrire. Une garde d'honneur, dans laquelle étaient représentés tous les régiments, a pris position devant l'ex-palais du gouverneur. Vingt et un coups de canon ont été tirés, puis quinze salves de deuil. On a hissé l'Union Jack et le drapeau égyptien. Trois ecclésiastiques – un anglican, un presbytérien et un catholique – ont célébré un office religieux, au cours duquel l'orchestre a joué* Abide with me, *l'hymne préféré de Gordon. Vous avouerai-je qu'à ce moment-là j'ai pleuré ?*

# 46

– Plus de dix mille derviches tués en quelques heures ! s'exclamait Norbert Popinot. La prise d'Omdurman n'a pas été une bataille mais une exécution. Les Anglais n'ont aucune raison de se vanter d'une telle boucherie. Si, avec tous leurs moyens techniques, ils n'avaient pas vaincu les hordes mahdistes, c'eût été à désespérer de la supériorité de la race blanche !

Les détails de la bataille n'étaient arrivés au Caire que par bribes. Plutôt que de véritables récits, les journaux publiaient une succession de courtes dépêches, qui n'étaient pas toujours concordantes. On savait néanmoins que le général Kitchener avait ordonné la violation de la tombe du mahdi et la dispersion de ses restes. C'en était assez pour révolter Seif.

– Le sang ne suffisait pas aux Anglais, lança-t-il d'une voix sombre. Il leur fallait tuer deux fois les morts.

Popinot approuva de la tête, avant de lâcher sur un ton solennel :

– Kitchener est peut-être un général, mais ce n'est sûrement pas un gentleman.

La sentence ne devait pas être de lui. C'était le genre de formule dont se gargarisaient les membres du Cercle français et qui avait déjà dû s'appliquer à plus d'un fils d'Albion.

Seif déplorait l'absence du khédive alors qu'une nouvelle page de l'histoire d'Égypte venait de se tourner. Abbas se trouvait en vacances, quelque part entre Paris et Constantinople, après avoir achevé une cure à Divonne, au-dessus du lac de Genève. Pendant tous les préparatifs de la bataille d'Omdurman, la presse du Caire avait publié des détails ridicules sur le chef en titre de l'armée égyptienne : « Le khédive vient prendre sa douche tous les matins… C'est le doucheur François qui masse Son Altesse… Après le déjeuner et une promenade, le vice-roi se met au piano… Il revient prendre une douche avant dîner… »

Ibrahim plaisantait :

*Que d'eau ! Que d'eau ! Il faudrait arrêter.*
*Monsieur François, vous allez me noyer.*
*Ce n'est plus une douche, c'est un torrent,*
*Un geyser, une cascade, un océan.*
*Occupez-vous plutôt de Kitchener*
*Qui s'est sali les mains dans cette guerre.*

Doris avait connu plusieurs jours d'angoisse, sachant par le journal que la bataille d'Omdurman s'était soldée par quelques dizaines de morts et des centaines de blessés du côté anglo-égyptien. Elle faillit embrasser le militaire en civil qui se présenta au magasin le 9 septembre avec une enveloppe kaki portant l'écriture de William. La veille encore, Milo s'était exclamé :

– William Elliot aurait tout de même pu nous donner de ses nouvelles ! Pas un mot depuis deux ans et demi, à part ses vœux de bonne année…

Doris était incapable de définir ses sentiments à l'égard de cet officier anglais qu'elle connaissait à peine et qui lui avait écrit une quinzaine de lettres.

Dans les salons du Caire, Omdurman était déjà éclipsé par Fachoda. On ne parlait plus que du conflit survenu entre la France et l'Angleterre dans ce poste soudanais du Haut-Nil.

– Si les Anglais veulent la guerre, ils l'auront ! proclamait Norbert Popinot surexcité.

Sans connaître encore les détails de l'affaire, on savait que le général Kitchener avait quitté la capitale soudanaise avec une flottille de cinq canonnières pour se rendre à Fachoda. Là, il était tombé sur le fameux détachement français du capitaine Marchand, installé depuis deux mois dans les ruines d'un ancien fort égyptien, sur les bords du fleuve.

– Ces messieurs ne nous pardonnent pas de les avoir devancés sur le Nil, commentait Popinot. Mais Marchand n'est pas un touriste, il ne voyage pas pour l'agence Cook. Il est le représentant de la France à Fachoda et y restera. Cette région n'appartient pas à l'Égypte qui l'a abandonnée en 1885. Elle appartient encore moins à l'Angleterre !

Quoique silencieuse, Doris n'était pas la moins bien informée de ce qui se passait à Fachoda. Elle bénéficiait du récit d'un témoin privilégié qui participait à l'opération.

*... Notre flottille, chère Doris, est entrée dans le chenal du fort vers dix heures du matin. Les canons étaient en batterie, les équipages au poste de combat. Je me trouvais, avec mon unité, sur l'un des grands chalands à deux ponts remorqués par nos canonnières. Face à nous, une poignée de Français en grande tenue se tenaient sur la rive. Un canot est allé chercher le capitaine Marchand pour le conduire à bord du steam de Lord Kitchener. Poliment, le sirdar a fait savoir au Français qu'il venait de reconquérir le Soudan, au nom du khédive, et que Fachoda faisait partie du Soudan. Prenant la chose de haut, le capitaine Marchand a répondu au sirdar qu'il occupait lui-même Fachoda sur ordre du gouvernement français, qu'il serait ravi d'y accueillir le vainqueur d'Omdurman au nom de la France, mais qu'il n'en partirait pas. Cette attitude ridicule ne peut être tolérée...*

En attendant les instructions de leurs gouvernements respectifs, les militaires anglais et français campaient face à face à Fachoda. Tandis que la presse de Londres se déchaînait contre l'« explorateur Marchand », c'était le branle-bas de combat au Cercle français du Caire. Popinot y passait matin et soir, pour éplucher les journaux et débattre à perte de vue de la stratégie que son pays devait adopter.

– Nous nous battrons pour Fachoda ! répétait-il du haut de son mètre soixante, en gonflant la poitrine.

– Savez-vous que Norbert a fait de l'escrime pendant ses études de droit ? disait Solange.

La France, engluée dans l'affaire Dreyfus, tardait à adopter une position ferme.

– J'espère, murmurait Popinot dans ses moments d'abattement, que la diplomatie saura éviter à notre pays les cruelles amertumes que l'on voudrait nous faire subir. L'absence de nouvelles en provenance de Fachoda ne me dit rien de bon. Il doit s'y passer des choses malpropres.

Contrôlant les câbles télégraphiques du Soudan, l'Angleterre ne laissait passer que les informations qui l'arrangeaient. Marchand lui-même n'était tenu au courant des débats politiques parisiens que par ce que voulaient bien lui en dire ses adversaires, bivouaquant en face de lui. N'y tenant plus, il décida de quitter provisoirement ses hommes pour aller se renseigner au Caire.

L'annonce de son arrivée mit le Cercle français en ébullition. Le jour dit, plus de cent cinquante personnes se rendirent à la gare en fin d'après-midi, une heure avant l'arrivée du train. Dès que l'officier apparut à la portière, ce furent des cris. « Vive Marchand ! » hurlaient des messieurs en agitant leur chapeau. « Vive le brave commandant ! » Maigre, de petite taille, la barbe noire taillée en pointe, le héros de Fachoda, promu au grade de chef de bataillon, portait l'uniforme bleu et blanc de l'infanterie de marine. Sur sa poitrine brillait la croix d'officier de la Légion d'honneur. Le consul général de France, M. Lefèvre-Pontalis, qui avait reçu instruction de le soustraire à la foule, lui fit traverser un passage privé pour le conduire jusqu'à sa voiture. Aussitôt, tous les fiacres stationnant devant la gare furent pris d'assaut et s'élancèrent sur le boulevard Abbas pour arriver en même temps que lui à l'Agence.

– Je crois bien avoir été deuxième, clamait Norbert Popinot, que l'on n'avait jamais vu aussi fébrile.

Le commandant Marchand passa une partie de la nuit à

prendre connaissance des dépêches du Quai d'Orsay. Le lendemain matin, il était blême. L'ordre d'évacuer Fachoda lui paraissait d'autant plus scandaleux qu'il se fondait sur un faux prétexte : jamais, lui, Marchand, n'avait réclamé une évacuation pour raisons sanitaires.

La nouvelle se répandit aussitôt. Norbert Popinot resta sans voix. Il faillit déchirer le journal qui annonçait, au même moment, la réception triomphale du général Kitchener à Londres. Le nouveau lord s'était vu remettre une somptueuse épée dont la poignée en or massif portait sur le revers les drapeaux égyptien et britannique, unis pour le meilleur ou pour le pire.

– Et la lame ? criait Popinot. Comment est la lame ? Est-elle tachée de sang soudanais ou égyptien ?

Pour l'accueil du commandant Marchand au Cercle français, Norbert choisit de mettre une cravate noire. Ce jour-là, il refusa de serrer la main du consul, le pauvre Lefèvre-Pontalis, qui était aussi bouleversé que ses compatriotes. Au toast qui lui fut porté, le héros de Fachoda prononça quelques fortes paroles :

– Plus la période noire s'allonge, plus s'approche l'aurore des fières aspirations enfin réalisées. Le sphinx de granit qui, tout près d'ici, rêve sur les sables, celui qui vit passer Bonaparte et son effort, Lesseps et son œuvre, n'a pas encore dit son dernier mot…

– Toute l'assistance pleurait, précisa Popinot.

Au cours des jours suivants, Marchand fut reçu en grande pompe au collège des Frères des Écoles chrétiennes de Khoronfich, avec fanfare et *Marseillaise*. A l'invitation du Très Cher Frère supérieur, un millier d'élèves, chrétiens et musulmans, égyptiens pour la plupart, crièrent : « Vive Marchand ! Vive la France ! »

L'officier escalada ensuite la grande pyramide et fit du tourisme dans les rues du Caire. Les gens le saluaient avec empressement. On vit même, à son passage, des dames de harem relever leur voile, ce qui valait tous les hommages.

Les Anglais du Caire, beaux joueurs, décidèrent de nommer le commandant Marchand membre honoraire du Turf Club.

– Ça nous fait une belle jambe ! maugréait Popinot.

Le 11 décembre, à Fachoda, les clairons sonnèrent « au drapeau » pour la dernière fois. L'étendard tricolore descendit lentement le long du mât et un capitaine égyptien s'avança pour prendre possession du fort. L'aventure nilotique de la France était terminée. Elle se tiendrait désormais à l'écart du grand fleuve, comme l'avaient fait avant elle l'Allemagne, la Belgique et l'Italie. Les Anglais étaient maîtres du Nil.

Atteint d'une forte fièvre, Norbert Popinot garda le lit pendant trois jours. Sur le conseil du médecin, son épouse lui appliqua des sangsues, tout en multipliant les tisanes sudorifiques et les bains de pieds. Il faillit faire une rechute le mois suivant quand Seif déclara en sa présence :

– Abandonner Fachoda, c'est livrer l'Égypte à l'Angleterre ! La France a adopté la politique du laissez-passer et du laissez-faire. Elle va malheureusement le payer très cher. Savez-vous que, dans les écoles gouvernementales, les élèves qui s'étaient fait inscrire en classe de français demandent à passer dans le cours anglais ?

# 47

Cette fois, le militaire en civil n'était pas venu m'apporter une lettre, mais un simple mot. Et il attendait une réponse.

*Le Caire, le 8 février 1899*

*Chère Doris,*

*J'ai obtenu une brève permission. Je suis au Caire jusqu'à demain soir et je brûle de vous voir. Fixez le lieu et l'heure. N'importe quel lieu, n'importe quelle heure.*

*Impatiemment,*

*William.*

Je sentis mes jambes flageoler. L'homme qui m'écrivait depuis deux ans et demi était là, en ville, peut-être à quelques pas. J'étais affolée, comme l'aiguille d'une boussole s'agitant dans tous les sens.

C'était presque une convocation. William Elliot se serait-il permis un comportement aussi cavalier si rien ne nous liait ? Certes, je ne lui avais jamais répondu, mais cette activité épistolaire à sens unique suffisait à créer entre nous une intimité dont il pouvait se prévaloir.

Comment ferais-je pour le rencontrer ? Un seul rendez-vous me parut possible : très tôt le matin, avant le réveil de Milo, à l'heure où je me rendais parfois dans le cabinet noir pour travailler.

« Demain, cinq heures du matin, devant la porte nord du jardin de l'Ezbékieh », griffonnai-je sur un morceau de papier que je remis en tremblant au commissionnaire.

William Elliot au Caire ! Bien sûr, à plusieurs reprises j'avais imaginé ce retour, surtout depuis la victoire d'Omdurman. Je savais que, tôt ou tard, l'officier annoncerait son arrivée ou se présenterait inopinément au magasin en faisant tinter la porte d'entrée. Mais ce message brutal, proposant une rencontre clandestine, me prenait totalement de court.

Cet homme s'était introduit dans ma vie par effraction. Je n'avais pas su l'en empêcher. Pas su ou pas voulu. Si les lettres de William m'embarrassaient, elles me faisaient rêver aussi. N'étais-je pas allée, plus d'une fois, les rechercher dans le coffret bleu pour en relire des passages ? Il m'arrivait d'imaginer des scènes troublantes : un officier torse nu, les cheveux mouillés, en train de se laver au bord d'une rivière...

Pendant le reste de la journée, je fis preuve d'une distraction qui ne me ressemblait pas. J'oubliai d'acheter les sucreries promises aux filles. Je faillis même rater le portrait d'un avocat des tribunaux mixtes en omettant de rabattre l'un des rideaux de la verrière. Cet éclairage excessif serait rattrapé de justesse au développement.

Craignant de ne pas me réveiller à temps, et de toute manière trop agitée pour dormir, je passai une nuit blanche. Je me levai à quatre heures et demie, maudissant le coq de la terrasse voisine qui risquait d'interrompre le sommeil de Milo. Celui-ci grogna à deux ou trois reprises, se retourna dans son lit, mais poursuivit ses rêves. Je m'habillai sans bruit puis m'engageai dans l'escalier en colimaçon, évitant de faire craquer les marches. En bas, dans le hall du magasin, Bolbol ronflait joyeusement sur son matelas.

J'ouvris la porte extérieure avec mille précautions. Le froid me saisit, malgré ma pèlerine. Il faisait encore noir et des fumées de brume enveloppaient les arbres. Le cœur battant, je me dirigeai d'un pas rapide vers l'Ezbékieh, en me rendant compte que j'avais oublié mes gants, ou qu'ils étaient peut-être tombés.

L'ombre qui surgit d'une porte cochère m'arracha un cri. « Vous êtes en avance », dit William Elliot. Entre la peur, l'émotion et l'embarras, je ne réussis pas à répondre. Il m'en dispensa, se penchant pour me baiser la main. « Je vous remercie d'être venue », fit-il, ajoutant au bout de quelques secondes : « Je n'ai jamais eu de vos nouvelles... »

Je perçus un reproche, mais avais-je à m'expliquer ? « Je vais bien, comme vous voyez », répondis-je avec un sourire, éludant du fait même la question.

William Elliot me parut plus large d'épaules que dans mon souvenir. Peut-être était-ce le pardessus militaire... Son regard, surtout, avait changé : il paraissait plus mûr, même s'il gardait l'assurance et la désinvolture d'un jeune colon à qui tout avait réussi.

« Vous allez avoir froid, dit-il. Puis-je vous emmener dans un endroit plus chrétien ? » Je lui répondis que c'était impossible, que je n'avais pas beaucoup de temps. Une vive déception se lut sur son visage. Qu'espérait-il ? Que je passerais toute la journée avec lui ?

« Nous pourrions au moins monter dans la voiture qui m'a conduit ici », fit-il. Sans attendre la réponse, il ouvrit la portière en lançant un aboiement au cocher pour lui intimer l'ordre de ne pas bouger. Il prit ma main pour m'aider à gravir la marche. Puis il monta à son tour, referma la portière et vint s'asseoir en face de moi, sur un strapontin. La lumière d'un bec de gaz qui s'infiltrait par une petite ouverture nous permettait de nous voir assez distinctement.

« Vous faites toujours de la photographie ? » me demanda-t-il après s'être poliment enquis de ma famille. « Je ne fais pas de la photographie, rectifiai-je. Je suis photographe. » Il eut un petit sourire.

Masquant ma gêne, je le félicitai pour sa promotion. Son visage s'éclaira. Moins par fierté sans doute que parce que je venais de reconnaître implicitement que je lisais ses lettres. Je m'en aperçus une seconde trop tard. Mais, après tout, n'était-ce pas évident ? Aurais-je accepté ce rendez-vous si j'avais jeté au panier toutes les enveloppes de William Elliot sans les ouvrir ?

« Vous auriez pu m'adresser un mot, un signe », dit-il avec le même ton de reproche qu'un peu plus tôt. « Un signe de quoi ? » répliquai-je, comme pour reprendre mes distances. Le regard de William se figea. Ayant peur de ce que j'aurais pu ajouter, il se mit à parler de lui : « Je n'ai cessé de penser à vous depuis deux ans et demi. En toutes circonstances. Le jour, la nuit... »

Il ne m'apprenait rien, d'une certaine manière. Mais l'entendre de sa bouche, avec un tel accent de sincérité... Je fus envahie d'un frisson. Baissant les yeux, je continuai à l'écouter sans mot dire. Quand il posa ses grandes mains sur les miennes, je ne fis rien pour les retirer. « Vous avez encore froid », murmura-t-il. J'avais au contraire le visage en feu, ne sachant plus très bien où j'en étais.

« Doris ! » dit William avec fièvre en me prenant par les épaules. Nos visages se touchaient presque. Je sentais son souffle sur ma peau. « Non, je vous en prie, fis-je en me dégageant. Je dois retourner au magasin. »

Il me regarda, désemparé. Je me levai, ouvris moi-même la portière et sortis de la voiture. Dehors, je me tournai vers lui, pour demander d'une voix un peu tremblante quand il rentrerait définitivement en Égypte. Il resta quelques instants silencieux avant de répondre : « Je ne sais plus si je vais rentrer. »

Je cherchai mes mots, ne les trouvai pas. « Pardonnez-moi, dis-je. L'heure tourne.

– Je vous raccompagne, fit-il d'une voix blanche.

– Non, ce ne serait pas prudent. Je vous souhaite un bon voyage, William. »

J'avais dit « William » après une seconde d'hésitation. Je l'avais lancé comme un cadeau, ou un regret. Une promesse, peut-être... Je n'avais plus que ce prénom sur les lèvres tandis que je retraversais la place, presque en courant.

# 48

Les soirées du mercredi comptaient un nouveau convive : Maxime Touta, le rédacteur en chef du *Sémaphore d'Alexandrie*. Un an plus tôt, Milo n'aurait pas osé inviter son cousin, plus âgé que lui et bien mieux assis dans la vie. Mais la notoriété du studio donnait des ailes au fournisseur des consulats. Et Maxime lui-même était sans doute curieux de mieux connaître cette Mamelouka, aperçue quelquefois au cours de réunions familiales à Fleming, dont on commençait à parler au Caire. Le journaliste accepta l'invitation sans se faire prier, et vint très simplement un mercredi de février avec son épouse, la brune Isis.

– C'est une copte, précisa Milo aux Popinot. Elle avait fait scandale, au moment de son mariage, il y a une douzaine d'années, en commençant des études de médecine. Une femme médecin, vous imaginez le tollé !

– Et pourquoi ? dit Solange. Vous avez bien une épouse photographe…

Doris fut aussitôt conquise par la gravité élégante d'Isis. Celle-ci expliqua, au cours de la soirée, qu'elle était très sollicitée par des dames qui refusaient de livrer la moindre parcelle de leur corps à un regard masculin :

– Ainsi, mes principales patientes sont mes pires ennemies.

Passant pour un couple moderne, Isis et Maxime avaient une relation complexe. Les sourires qu'ils échangeaient de temps en temps semblaient relever davantage de l'entente cordiale que d'une intimité amoureuse. Rien ne permettait de déceler dans leur attitude le moindre désaccord, mais il était difficile, en les voyant, de ne pas penser à la liaison qu'on prêtait au journaliste avec Nada Mancelle.

– Les Mancelle vivent à Ismaïlia, précisa Milo. Ils ont une villa à Fleming où, tous les étés, Maxime retrouve Nada.

Les yeux clairs, les tempes grisonnantes, le rédacteur en chef du *Sémaphore* approchait de la cinquantaine. C'était un homme poli et insaisissable. Il félicita Doris pour le portrait du khédive, mais plus encore pour celui du docteur Touta qu'elle avait réalisé l'été précédent à Fleming :

– Ces rides de vieillard et ce regard de jeune homme… Je croyais connaître mon père. Vous me l'avez fait redécouvrir.

Il demanda à la jeune femme ce qu'elle pensait des rares photos publiées dans son journal.

– Je les trouve souvent inutiles, répondit-elle sans détours. Le texte donne plus à voir que les clichés très plats qui les accompagnent.

Maxime Touta sembla frappé par cette remarque. Il dit à Doris qu'il aimerait bien reparler de cela avec elle à une autre occasion.

– Racontez-nous la pose de la première pierre du grand réservoir d'Assouan, demanda un convive. Il paraît que vous y étiez.

Contrairement à Milo qui semblait annoncer la fin du monde à chacun de ses récits, le journaliste s'exprimait avec sobriété. Il semblait tout savoir, mais ne cherchait pas d'effets oratoires, lançant parfois une petite bombe au détour d'une phrase, sans en avoir l'air. Accoudé au piano, il raconta que le duc de Connaught s'était servi pour la circonstance d'une truelle en argent. Des Nubiens lui avaient donné ensuite un aperçu de leurs talents de nageurs en franchissant la cataracte écumante. Un déjeuner avait été servi à bord du yacht khédivial, tandis que les ouvriers italiens se sustentaient dans le temple de Philae, appelé à être à moitié submergé par les eaux.

Norbert Popinot était indigné :

– Le temple de Philae, rien que ça ! Depuis vingt siècles, tous les conquérants qui se sont succédé dans la vallée du Nil ont voulu y imprimer leur marque. C'est vrai des Perses comme des Ptolémées, des califes arabes comme des mamelouks turcs. Les Anglais veulent faire la même chose. Pourquoi ne laisserions-nous pas, nous aussi, notre trace ? disent-ils. Jolie trace, ma parole ! Ils vont noyer l'un des chefs-d'œuvre de l'époque pharaonique.

Richard Tiomji, ébahi, demanda à Popinot s'il parlait sérieusement :

– Vous n'allez pas me dire que vous préférez quelques vieilles pierres à un réservoir qui va permettre de stocker d'énormes quantités d'eau !

– Mais oui, mon cher, mais oui ! Que vaut un vilain barrage à côté d'un temple aussi merveilleux ?

L'éleveur d'autruches était scandalisé. Rien ne lui paraissait plus absurde que ces enfantillages d'Européens, capables de se passionner pour des vestiges qui n'intéressaient personne. Si encore ils avaient l'esprit pratique ! Le jour où quelqu'un de sensé était venu proposer l'installation d'un téléphérique sur la grande pyramide pour en faciliter l'ascension, ils avaient poussé des cris d'orfraie.

Solange Popinot entra dans la discussion avec sa fougue habituelle.

– Une seule colonne du temple de Philae, proclama-t-elle, a plus d'importance que tous les champs de coton d'Égypte !

La voix de gorge de la Française prenait des intonations vibrantes quand elle s'échauffait.

Richard Tiomji ne jugea même pas utile de répondre. Il remplit son verre du cahors que Norbert avait apporté, le huma, l'agita, avant d'y goûter.

– Un peu râpeux, lança-t-il à Popinot, qui approuva.

Parti du yacht khédivial, la conversation en était arrivée au khédive.

– On ne peut plus compter sur lui, déclara Seif. Rien ne l'obligeait à féliciter aussi chaleureusement son vieil ennemi Kitchener pour la prise d'Omdurman. Quand on pense que c'est Kitchener qui l'avait humilié en 94 lors du voyage en Haute-Égypte, l'obligeant à présenter des excuses publiques à sa propre armée !

– Les temps changent, commenta le rédacteur en chef du *Sémaphore*. Depuis que ses relations se sont dégradées avec le sultan, Abbas fait des mamours à l'Angleterre. Sa grande ambition, désormais, est d'être reçu à Londres par la reine Victoria.

– Il est malheureusement capable d'y aller, murmura Seif.

Jamais les habitués du mercredi ne l'avaient entendu parler ainsi. En réalité, la déception du jeune avocat ne cessait de croître depuis des mois. S'il avait mis du temps à ouvrir les yeux, son indignation, maintenant, était sans limites.

– Abbas, ajouta-t-il, ne se soucie que de son enrichissement personnel. Savez-vous qu'il s'est emparé de la fortune de plusieurs princesses ?

– En êtes-vous bien sûr ? demanda avec un sourire le journaliste.

Maxime Touta dissipa les dernières illusions de Seif en lui révélant que le khédive était le principal bénéficiaire du trafic de décorations qui sévissait au Caire. L'avocat en fut d'autant plus affecté que le palais continuait à financer en sous-main le mouvement nationaliste : était-ce de l'argent sale qui soutenait une cause aussi noble ?

Milo détendit l'atmosphère en ramenant la discussion aux potins du Bazar oriental :

– Abbas est capable de dépenses extravagantes, mais aussi de la plus grande pingrerie. Figurez-vous que, pour économiser du papier, il récupère les pages blanches de certains messages qui lui sont adressés...

Pour la première fois, ce soir-là, Seif tendit son verre à Popinot. Au bout de trois gorgées de cahors, il sentit sa tête tourner et alla respirer à la fenêtre. Doris l'aperçut et, au bout d'un moment, s'approcha de lui :

– J'aimerais vous photographier un jour, dit-elle.

Surpris, il hésita un instant :

– C'est très gentil, mais je n'en vois pas bien l'utilité.

– Il n'y a pas que des choses utiles dans la vie, murmura la Mamelouka.

# 49

Le surlendemain, face à l'objectif, le regard de Seif semblait vide.

– Vous êtes absent, lui dit Doris.

Le jeune homme leva les sourcils.

– Oui, vous êtes absent. Comment voulez-vous que j'opère dans ces conditions ? Une photographie se fait à deux, vous savez…

Une lueur d'impatience passa dans le regard de l'avocat.

– Enfin, vous voilà ! s'exclama-t-elle.

Mais, quelques instants plus tard, il était redevenu impassible, donnant l'impression de se contrôler ou d'avoir l'esprit ailleurs. Seule la légère inclinaison du tarbouche dont il était coiffé donnait un peu de vie à son visage.

Elle décida de le fatiguer. N'avait-elle pas constaté que certains modèles, au bout d'un long temps de pose, finissaient par abandonner leur masque et se retrouver à nu, comme rendus à eux-mêmes ? Elle fit donc traîner la mise au point, en se gardant bien d'engager la conversation avec Seif. Dix minutes se passèrent ainsi, sans le moindre changement sur le visage du jeune homme.

En désespoir de cause, elle glissa alors incidemment :

– Je ne vois vraiment pas ce qu'on reproche aux Anglais. L'Égypte avait abandonné le Soudan. Ils lui ont permis de le reconquérir.

Le regard de Seif s'embrasa.

– Comment pouvez-vous dire cela ! En 1884, le khédive avait été contraint, par les circonstances et par les Anglais, d'abandonner le Soudan. Ce n'était d'ailleurs pas un abandon, mais une évacuation provisoire. Même si le vice-roi d'Égypte avait voulu renoncer à ses droits sur le Soudan, il n'aurait pu le faire. Il n'est que le mandataire du sultan. Il n'a pas le droit d'abandonner ou de céder une parcelle du territoire qui lui a été confié au moment de son investiture.

Doris écoutait d'une oreille, en ajustant la mise au point.

– Vous savez bien, dit-elle, que toutes ces finasseries ne comptent pas.

Il se dressa, le visage décomposé.

– Comment pouvez-vous...

– Asseyez-vous, je vous prie, fit la jeune femme. En d'autres circonstances, vous vous seriez blessé. Savez-vous que dans les autres studios de photographie on utilise un fixe-tête ? Ici même, mon mari...

– Je me fiche du fixe-tête ! lança Seif vivement.

Puis, se rasseyant :

– Excusez-moi. Mais vous dites des choses incroyables. Venant de vous... Je n'aime d'ailleurs pas discuter ainsi. Faisons-la, cette photographie.

Elle était faite. Doris avait appuyé sur la poire trente secondes plus tôt, avant qu'il ne se dresse, au moment où un mélange de stupéfaction et de colère envahissait son visage. Mais elle jugea préférable de ne pas le lui dire et choisit de prendre une deuxième pose. Elle appuya sur la poire presque machinalement, gardant l'œil collé sur l'objectif. Elle resta ainsi plusieurs secondes, incapable de se détacher de ce regard qui lui échappait de nouveau.

– C'est fini, vous êtes libre, fit-elle au bout d'un moment.

Libre de quoi ? se demanda-t-elle, pensive, tandis que Seif sortait de l'atelier.

De tous les portraits de Doris Touta, réalisés à cette époque, celui de Seif est sans doute le plus original, en raison du regard contrarié du modèle. Durcissant ce regard juvénile, la photo révèle la personnalité d'un homme en révolte, tout entier porté par une idée.

– Je vous remercie, dit l'avocat poliment quand elle lui remit deux tirages du cliché. J'en ferai le meilleur usage.

Doris comprit qu'il les glisserait dans un tiroir et n'y penserait plus.

Quelques jours plus tard, rendant visite à son ami, Ibrahim tomba en arrêt devant les deux photos, posées sur une pile de dossiers.

– Qu'est-ce que c'est ? demanda-t-il très étonné.

– Rien, répondit l'avocat. Une photo.

Ibrahim ne parvenait pas à détacher son regard du portrait. Il demanda qui en était l'auteur, tout en devinant la réponse. La semaine précédente encore, il avait eu avec Doris une longue discussion sur la création artistique.

– Une œuvre d'art est unique, soutenait-il. On n'imagine pas deux exemplaires de la Joconde. Or, une photographie peut être reproduite à l'infini.

– Reproduite mais jamais recommencée, avait-elle répliqué. Nulle photographie ne peut être refaite à l'identique.

Mais Ibrahim n'était pas à court de munitions :

– La création artistique est une œuvre qui demande du temps. C'est vrai de la peinture, comme de la musique ou de la poésie. La photographie, elle, se fait en une seconde.

– Mais non, elle ne se fait pas en une seconde ! Une belle photo se prépare, puis se développe… J'aime le verbe développer : développer, c'est donner de l'ampleur, offrir toute son étendue à une chose. C'est aussi la révéler.

Il avait hoché la tête :

– Vous ne m'ôterez pas de l'idée que la photographie est une empreinte. Elle ne fait que reproduire la réalité, avec une précision effrayante. Le peintre, lui, est totalement libre de modifier le paysage qui se trouve en face de lui. Libre même de ne pas le regarder ! Il peut peindre avec ses seuls sentiments, en se contentant des images qu'il a dans la tête, alors que le photographe a absolument besoin d'un objet ou d'une personne en face de son appareil. Sans rien devant, il n'y a pas de cliché. Le photographe est prisonnier du réel.

– Pourquoi parler de prison ? avait répondu Doris. Je vous accorde que la photographie est toujours la trace de quelque chose. Mais n'est-ce pas ce qui en fait toute la valeur ?

Ce soir-là, elle nota dans son carnet de pose :

*La photographie n'est pas seulement une empreinte de l'espace : c'est aussi une empreinte du temps. L'instant, saisi par l'appareil, fixé sur papier, est transformé en éternité.*

Ibrahim était revenu à la charge :

– Vous ne me convaincrez pas que la photographie est égale à la peinture ! Y a-t-il un seul photographe au monde qui oserait se comparer à Michel Ange ou à Rembrandt ?

Elle n'avait pas répondu, prise de court par cet argument. Le poète avait alors enchaîné d'un air triomphant :

– La photographie est à la peinture ce que la prose est à la poésie.

– Et comme vous ne croyez qu'à la poésie…

– Je la crois supérieure, tout simplement. C'est sans doute injuste mais c'est ainsi : le peintre le moins doué est plus proche de l'art qu'un photographe aussi sensible et aussi talentueux que vous.

Doris avait été blessée par cette remarque. S'en rendant compte, il s'était excusé. Et sans doute la regrettait-il davantage maintenant en admirant le portrait de Seif.

– Est-ce que je peux prendre l'un des deux exemplaires ? demanda-t-il à son ami.

L'avocat haussa les épaules d'un air indifférent, avant de poser sa question rituelle :

– Où en est ta *Marseillaise* ?

Discrètement, Ibrahim confia le portrait à un membre du comité de l'Opéra khédivial qui partait pour la France. A l'automne, Doris apprit avec stupéfaction qu'elle avait obtenu le premier prix du Salon de photographie de Paris. Norbert Popinot déboucha plusieurs bouteilles de champagne le mercredi suivant, alors que les convives commentaient les articles enthousiastes du *Sémaphore d'Alexandrie* et du *Journal égyptien.*

Seif se serait peut-être formalisé de l'utilisation de son portrait s'il n'avait reçu une lettre de son héros, Moustapha Kamel, le félicitant d'avoir défendu les couleurs de l'Égypte dans un concours artistique :

*Ta photographie en tarbouche, reproduite dans plusieurs publications françaises, est le plus bel hommage rendu à notre chère patrie. Puisse l'avenir nous réserver d'autres bienfaits...*

# 50

Il fallait désormais réserver sa séance de pose plusieurs semaines à l'avance.

– Désolé, ce mois-ci, je suis complet, disait Milo avec un large sourire, en feuilletant les pages de son agenda.

Il savait faire des exceptions, trouvant toujours un espace libre pour un vieux rentier couvert d'or ou quelque jolie jeune femme à la moue suppliante.

Le studio s'adaptait peu à peu à ce succès grandissant. Outre le laborantin, un opérateur dut être embauché, puis un deuxième. Bolbol avait pris du galon : s'il restait l'homme à tout faire, son ancienneté dans la maison lui donnait une certaine supériorité par rapport aux nouveaux venus.

C'était Milo qui accueillait les clients, avec sa verve habituelle. Il leur offrait un café, quelques potins, les faisait parfois rire aux éclats, puis les conduisait jusqu'à l'atelier où s'activait l'un des opérateurs. Doris aurait pu n'intervenir qu'au dernier moment pour ajuster la pose, l'éclairage et la mise au point, comme le faisait Jacquemart, mais elle refusait cette facilité et ne travaillait que sur rendez-vous. Les photos courantes étaient donc prises par les opérateurs, qui progressaient de semaine en semaine sous sa direction. Il fut néanmoins décidé que seules leurs meilleures photos, sélectionnées par elle, seraient signées du « T » rouge pour ne pas risquer de porter atteinte à la réputation du studio.

Avec l'afflux de clients, les finances étaient florissantes. Le couple louait maintenant une villa à Fleming tout l'été, non loin de celle que possédaient les Tiomji. Deux ou trois fois par semaine, Milo organisait de joyeuses soirées dans son salon, face à la mer, et faisait le pitre jusqu'à une heure avancée de la nuit.

Signe qui ne trompait pas : il avait été invité à dîner par Rizkallah bey dans son hôtel particulier de la rue Nébi-Daniel, à Alexandrie. Le propriétaire des grands magasins *Touta et fils* avait placé Doris à sa gauche, la place de droite étant réservée à l'épouse du consul de Grèce. Milo, quoique impressionné par les meubles, les tableaux et les relations de son riche cousin, avait réussi à caser avec succès, à table, un épisode cocasse et inédit du procès Seiffedine, faisant beaucoup rire Bella, l'épouse juive de Rizkallah.

Au Caire, sur le conseil de Norbert Popinot, le fournisseur des consulats avait acheté le magasin et l'appartement qu'il occupait, malgré un prix assez élevé. Une maison mitoyenne s'étant libérée à peu près au même moment, il l'avait acquise aussi, à crédit. Des murs furent abattus pour faire communiquer les deux bâtiments. Doris obtenait enfin le studio dont elle rêvait, avec une pièce pour le matériel, de grands rayonnages pour les archives et même une chambre de toilette.

Cette dernière pièce, aux murs turquoise, garnie d'une coiffeuse et d'une psyché, permettait aux clientes d'ajuster une dernière fois leur mise avant la séance de pose. Elle était fréquentée aussi par des messieurs soucieux de leur apparence, qui ne se seraient pas consolés d'une mèche de cheveux déplacée au dernier moment.

– Voulez-vous passer par la chambre de toilette ? demandait Milo cérémonieusement.

Au client qui répondait oui, il disait :

– Vous avez raison. Une vérification ultime est toujours préférable.

A celui qui répondait non, il disait :

– Vous avez raison. Vous êtes parfait. Surtout, ne changez rien.

De gros albums de cuir aux couvertures incrustées de nacre étaient posés sur les tables du salon. Les personnes en attente ne manquaient jamais de les consulter, pour passer le temps ou s'inspirer d'un modèle. Il leur arrivait de dire : « Je voudrais le même portrait que Sakakkini pacha » ou « Faites-moi le regard de Mme Avierino ».

– Nous allons vous faire ça exactement, susurrait Milo.

Doris, elle, se contentait de sourire.

– Les gens ne sont laids que lorsqu'ils essaient d'être beaux, disait-elle à Ibrahim. J'ai du mal à les persuader de rester eux-mêmes.

– Ils ne le sont pas dans la vie de tous les jours, remarquait le poète. Pourquoi voulez-vous qu'ils le soient dans un atelier de pose, face à ce canon braqué sur eux ? Un photographe devrait, comme le dentiste, cacher son outil.

Sous des dehors ironiques et nonchalants, Ibrahim s'intéressait de plus en plus au travail de la Mamelouka. Enchanté de lui avoir permis d'obtenir un premier prix, et plus fasciné par elle que jamais, il la questionnait souvent.

– Cherchez-vous à faire des portraits ressemblants ? lui demanda-t-il un jour.

– Ressemblant à quoi ? Mon souci est de respecter le caractère, la nature profonde de la personne qui se trouve en face de moi. Photographier son âme, en quelque sorte. Mais vous m'obligez à employer de grands mots. C'est simple, pourtant...

Elle s'arrêta quelques secondes avant de poursuivre :

– La photographie permet de montrer aux gens ce qu'ils ne savent pas voir habituellement. C'est vrai d'un portrait comme d'un paysage.

– Et vous, vous voyez cela du premier coup d'œil ?

– Non, bien sûr.

Elle aurait aimé lui répondre par un exemple. Mais comment raconter cette observation continuelle, ces mouvements imperceptibles qui l'occupaient, avant, pendant et même après une prise de vue ?

– J'observe toujours mon modèle avant d'entrer dans l'atelier. Parfois, une simple manière de tourner la tête est plus instructive qu'un flot de paroles. Lors du développement, je découvre souvent des détails qui m'avaient échappé. C'en est presque gênant par moments. La photographie permet de voir les gens comme ils ne se voient pas eux-mêmes. Elle révèle des aspects inattendus de leur personnalité.

– En somme, c'est un viol.

– Comme vous y allez ! Disons que, l'œil collé contre l'appareil, j'ai parfois l'impression de regarder mes clients par le trou de la serrure.

– L'image me plaît, fit Ibrahim en partant d'un petit rire.

Et, déjà, il cherchait une rime avec « serrure »...

L'atelier de pose était méconnaissable. Doris avait relégué dans un débarras tout l'ancien bric-à-brac de Milo : la colonne romaine, le faux escalier à quatre marches, les armures, le crocodile empaillé... Le décor avait été remplacé par de vrais meubles, choisis avec goût, et rehaussés par un immense tapis persan. Le salon de pose comptait même un piano à quart de queue.

– Vous ne voulez pas me jouer quelque chose pendant que je prépare l'appareil ? demandait-elle à une jeune femme très intimidée qu'elle savait un peu pianiste.

La cliente passait alors de l'inquiétude à la panique. Mais, après avoir joué quelques notes et reçu des félicitations, la séance de pose lui semblait bien facile...

Oscar Touta se présentait au magasin trois ou quatre fois pas an pour se faire tirer le portrait. C'était toujours Doris qu'il réclamait en entrant :

– Où est ta femme ? lançait-il de sa voix autoritaire. Je viens faire ma photo.

On aurait cru qu'il venait se soulager dans une maison close, avec la même pensionnaire. La jeune femme en eut vite assez.

– Nous avons un nouvel opérateur qui vous donnera entière satisfaction, dit-elle à l'oncle de Milo.

En grommelant, Oscar s'était résigné à cette solution. Il suivait l'opérateur dans l'atelier, mais le harcelait pendant un quart d'heure :

– Prenez-moi bien de face. Oui, entièrement de face, qu'est-ce que vous croyez ! Je paie le prix plein. Je veux un vrai portrait, avec les deux yeux, les deux oreilles. Je ne suis pas venu ici pour me faire photographier l'oreille gauche. Et montrez bien la chaîne de montre. N'imaginez pas que vous allez pouvoir me voler !

Bombant le torse, prenant la pose, il ouvrait la bouche toute grande pour offrir un sourire à l'objectif. Le malheureux opérateur ne savait comment faire pour masquer une denture aussi mal rangée.

# 51

Pour la plus grande joie des jeunes gens de la famille, qui le connaissaient surtout à travers les récits de Milo, Oscar Touta fut invité à Hélouan le 1er janvier 1900 : Nonna avait tenu à saluer le nouveau siècle par un déjeuner exceptionnel d'une soixantaine de convives.

Le regard sévère, ignorant les petits-neveux qu'on lui présentait, Oscar ne semblait s'intéresser qu'à sa précieuse personne.

– Ton opérateur est un imbécile, lança-t-il à Milo avant même de lui dire bonjour ou de lui souhaiter la bonne année. A ta place, je le mettrais à la porte sur-le-champ.

– Mais, mon oncle..., fit le fournisseur des consulats, faussement inquiet.

– Un imbécile, je te dis ! Un escroc aussi ! Pourquoi fait-il en sorte de ne jamais montrer mon épingle de cravate sur la photo ?

Doris n'osait regarder Milo de peur de perdre son sérieux. Mais quelqu'un gloussa derrière elle, et aussitôt tout le petit groupe partit d'un rire inextinguible. Heureusement, Oscar Touta avait déjà tourné les talons, hélant la maîtresse de maison pour se plaindre du trop petit nombre de fiacres à la gare.

– Jamais je n'aurais cru qu'il me serait donné de voir le nouveau siècle ! lançait avec émerveillement Nonna à ses invités.

– Et moi alors ! répondait en souriant le vieux docteur Touta, qui courait allègrement vers son quatre-vingt-neuvième anniversaire.

Les personnes âgées étaient encore les plus fraîches de l'assistance, n'ayant pas participé à la folle nuit qui avait agité certains salons du Caire jusqu'à l'aube. Ce 31 décembre, on s'était fait un devoir de réveillonner plus frénétiquement que d'habitude, comme par crainte de rater l'entrée dans le siècle.

A Alexandrie, les magasins *Touta et fils* étaient restés illuminés toute la nuit, et Rizkallah bey avait organisé un somptueux dîner de cent couverts dans son hôtel particulier. A minuit, chacun des convives avait trouvé dans son assiette une médaille d'argent sur laquelle était gravé « 1900 ». Les « soldes du siècle » devaient durer jusqu'au 31 janvier. L'illustre cousin avait fait de la réclame dans plusieurs journaux de la capitale pour inciter les Cairotes à se rendre exceptionnellement à Alexandrie en plein hiver. La présentation du billet de train valait un escompte supplémentaire de dix pour cent dans tous les rayons.

Ibrahim avait salué le 1er janvier 1900 à sa manière :

*Amis, levons nos verres au siècle qui se meurt :*
*Le siècle d'Hugo, de Rimbaud, de Verlaine.*
*Nul autre ne nous donna des plaisirs meilleurs ;*
*Buvons encore, il faut noyer notre peine.*

Milo racontait sa nuit de réveillon au groupe de jeunes qui l'entouraient :

– Vous auriez vu Richard Tiomji, couvert de cotillons, en train de conduire la farandole ! Parole d'honneur, à quatre heures du matin, il dansait encore… Et je ne vous décris pas Ibrahim, le neveu du ministre ! Il était complètement parti. A un moment, on l'a vu poursuivre Solange Popinot avec une grande fourchette, se promettant de la manger. Elle étouffait de rire, elle n'en pouvait plus…

Doris confirmait le récit de son mari par des sourires évasifs, n'ayant apprécié qu'à moitié ces débordements nocturnes. L'attitude de Solange, en particulier, l'avait agacée. La Française collait un peu trop à Milo au cours de certaines valses, et lui-même ne semblait pas insensible à son décolleté provocant.

Maxime Touta, qui réveillonnait en Haute-Égypte à bord d'un bateau, avait envoyé une lettre très aimable à Nonna pour s'excuser de son absence. Mais son frère Alexandre était venu à Hélouan en famille, et le bijoutier Alfred Falaki trônait au milieu de la grande table, face au docteur, avec son épouse, la plantureuse Angéline.

– Où sont mes trois poupées ? demandait régulièrement Nonna, en se tournant vers Nelly, Gabrielle et Marthe, habillées de blanc toutes les trois.

– *Smala, Smala !* fit Angéline Falaki en agitant son éventail. Elles me font penser à mes trois fleurs.

Il y eut quelques sourires : comme compliment, on pouvait trouver mieux. Rose, Marguerite et Violette, qui avaient épousé les trois frères Dabbour, employés dans la fonction publique, n'étaient pas particulièrement gracieuses. Il faut dire que leurs maris les avaient honorées au-delà du raisonnable. Combien de grossesses totalisaient-elles ensemble ? Lors de la photo annuelle de famille, leur progéniture impressionnante ne pouvait être représentée que par une délégation. La cinquantaine passée, Rose, Marguerite et Violette formaient un bouquet un peu fané.

Doris avait d'autres ambitions pour ses filles. Si Nelly, l'aînée, la suivait parfois dans l'atelier de pose, attentive à chacun de ses gestes, Gabrielle, la cadette, adorait soigner ses poupées : rien ne lui interdirait un jour de devenir médecin, comme Isis. Toutes les nièces et petites-cousines de Milo étaient marquées par la renommée grandissante de la photographe primée au Salon de Paris. Certaines, comme Maguy, se voyaient déjà exploratrices, sur les traces de Stanley ; d'autres, plus sages, comme Yolande, se demandaient si elles ne devraient pas, au contraire, se consacrer à leur futur foyer. Les mères les poussaient naturellement dans cette voie, considérant Doris comme une dangereuse perturbatrice.

– Si tu continues à te dissiper, tu finiras comme la Mamelouka ! avait même lancé l'épouse d'Albert à sa fille cadette.

Le mot était revenu aux oreilles de Nonna, la mettant en colère. Le dimanche suivant, en guise de baiser, elle avait tendu une joue froide à l'épouse d'Albert, avant de lui demander pourquoi elle s'obstinait à porter des robes fleuries qui n'étaient plus de son âge et la grossissaient.

Pour honorer le nouveau siècle, un repas de gala avait été préparé. A table, le docteur Touta, très en verve, se lança dans de grandes considérations historiques :

– Le 1er janvier 1800, l'Égypte était sous occupation française. Ce 1er janvier 1900, elle est sous occupation anglaise. Je serais curieux de vivre cent ans encore pour savoir où elle en sera le 1er janvier de l'an 2000.

Chacun y alla de sa prévision. Alfred Falaki s'attendait à une occupation allemande. Alexandre, le père de Yolande et de Maguy, penchait pour la Russie. Albert Touta croyait à un sursaut de la Turquie qui ferait revenir le pays sous un strict contrôle ottoman… Doris repensait au toast porté la veille par Seif qui, levant très haut son verre de citron doux, avait proclamé : « A l'Égypte indépendante ! »

Richard Tiomji s'était mis à hocher la tête d'un air ironique. Ibrahim, qui partageait son scepticisme, avait plaisanté : « Ce toast-là, au moins, ne mange pas de pain. »

Une montagne de pâtisseries au miel venait d'être apportée sur la table quand, brusquement, Nonna ferma les yeux et perdit connaissance. Il y eut un moment de panique.

– *Ayou !* Elle va mourir, répétait stupidement Angéline Falaki, tandis que les bonnes, prises de panique, accouraient.

Heureusement, le docteur Touta n'était pas loin. Il intervint avec autorité, demanda aux uns et aux autres de s'écarter, et fit transporter sa belle-sœur à l'étage, dans sa chambre. Le regard de Doris croisa celui de Milo. Elle se sentit très proche de lui à cet instant-là.

– Ce n'est rien, dit le vieux médecin en revenant dans la salle à manger un quart d'heure plus tard. Un excès de fatigue ou d'émotion. Elle a besoin de se reposer.

Et, pour détendre l'atmosphère, il raconta comment il avait été appelé, quinze ans plus tôt, en pleine nuit, à Fleming, par le domestique de l'Anglais qui habitait derrière la dune. On l'avait fait entrer dans une chambre où était couché un jeune homme blond atteint d'une forte fièvre et de frissons. La mère pleurait. Le père, Elliot bey, ne disait mot, le visage fermé, avec son air de bouledogue. Ayant diagnostiqué une pneumonie, le docteur avait appliqué des vésicatoires au malade, avant de lui administrer un purgatif.

– Un beau jeune homme, ce William ! Vous savez, c'est celui qui est devenu officier. Il a fait la guerre du Soudan. Je l'ai revu à Fleming, il y a quatre ou cinq ans, avant son départ pour le front. Oui, un beau jeune homme, vraiment.

Doris se sentit rosir, ayant l'impression que toute l'assistance la regardait. Jamais elle n'avait entendu parler de cet épisode, survenu quelques années avant son mariage et que Milo ne pouvait ignorer. Peut-être lui en avait-il parlé après la première visite de William Elliot au magasin. Mais, à ce moment-là, l'Anglais n'était qu'un client parmi d'autres, dont il fallait colorier le portrait… Elle se leva discrètement de table pour aller rejoindre quelques dames au chevet de Nonna.

L'absence de la maîtresse de maison avait modifié l'ambiance du déjeuner. Les sœurs de Milo, inquiètes, étaient restées à l'étage, laissant le champ libre à leurs belles-sœurs. Les épouses d'Aimé, de Joseph, René et Albert semblaient avoir pris de l'importance : elles allaient et venaient, faisant des signes aux domestiques, pour qu'ils débarrassent les assiettes et servent le café. On ne les avait jamais vues aussi sûres d'elles à Hélouan.

En début d'après-midi, tous les enfants eurent le droit de défiler dans la chambre de Nonna. Assise dans son grand lit à baldaquin, la moustiquaire relevée, elle paraissait très faible. Ses tables de nuit étaient encombrées de divers objets : une bonbonnière, un fer à friser, une poire à lavement… Dans un angle de la pièce, un broc et un vase de nuit étaient posés près d'un tabouret de toilette. On avait l'impression de pénétrer dans un territoire défendu.

Un peu plus tôt, Doris avait eu un choc en apercevant sa photo de Nonna en bonne place sur la table de nuit. Toute la famille l'avait vue ou la verrait. A l'entrée de la Mamelouka, le visage parcheminé de la vieille dame s'était éclairé d'un léger sourire. Elle avait tenté de soulever sa main pour la tendre dans sa direction.

Au-dessus du lit, le crucifix noir était entouré d'un chapelet jauni, sans doute inutilisé depuis très longtemps : la mère de Milo, qui passait pour mécréante, avait toujours trouvé des accommodements avec le Ciel.

– Le Bon Dieu me comprend, disait-elle avec un sourire entendu, en agitant la glace pilée de son verre d'arak.

Le docteur Touta aussi semblait la comprendre. Il partageait plus d'un trait avec sa belle-sœur, à commencer par cet air racé, assez rare dans la famille, et que n'avait pas, en tout cas, feu le mari de Nonna sur le portrait accroché au mur. Avec sa moustache en croc et ses yeux globuleux, Chafik Touta ressemblait à un palefrenier. On avait du mal à imaginer qu'il était le père de Milo.

Ce portrait un peu flou avait été le premier réalisé par le fournisseur des consulats, dans le studio de la place de l'Ezbékieh. Chafik Touta, qui avait financé l'installation de son plus jeune fils, était venu de Hélouan pour inspecter les lieux. Milo l'avait fait poser sur le siège à arabesques, sans réussir à le convaincre de mettre le fixe-tête. On apercevait un bout de la colonne romaine en arrière-plan de la photo…

– Et moi qui me faisais un plaisir d'entrer dans le siècle ! murmura Nonna, désolée d'avoir gâché ce déjeuner de Nouvel An.

– Tu n'as rien gâché du tout ! répliqua le docteur Touta. Tes invités sont très gais. Ils resteront sûrement jusqu'au dîner. Certains sont allés chercher des ânes pour faire une excursion aux carrières de Toura. Je leur ai conseillé d'emporter des bougies.

En sortant de la chambre, le vieux médecin prit à part Milo et ses frères :

– Son état m'inquiète. Elle devra beaucoup se ménager. Mais il n'y a aucune raison de la priver de son verre d'arak aux repas.

## 52

Mis à part l'accident de santé de Nonna, cette année 1900 commença sous les meilleurs auspices. A la mi-janvier, pour la seconde fois en vingt mois, un cavalier du palais vint frapper à la porte du magasin : il apportait une invitation, au nom de « Monsieur et Madame Émile Touta », pour le bal annuel du khédive au palais d'Abdine.

Milo garda longtemps dans ses mains le lourd bristol gravé aux armes d'Abbas. Il explosait de fierté. A chacun de ses clients, les jours suivants, il trouva le moyen de glisser un mot sur l'honneur qui lui était fait :

– Vos photographies seront prêtes dans une dizaine de jours, Labib effendi. Mais ne passez surtout pas en fin de semaine : nous serons un peu bousculés. Oui, c'est le bal du palais...

Il noyait Doris de commentaires sur ce qui allait être, comme chaque année, le grand événement mondain de l'hiver cairote :

– Mille trois cents personnes sont invitées. Attention, pas n'importe qui ! C'est une assistance triée sur le volet. Même les Popinot n'ont pas reçu de carton.

Plutôt que de louer un habit, il se rendit chez un tailleur arménien avec qui il jouait au trictrac de temps en temps et choisit le plus beau tissu anglais.

– Je ne vais quand même pas louer un habit tous les ans ! fit-il de l'air d'un abonné du palais.

Lita Tiomji, qui collectionnait les gravures de mode parisiennes, se mit aussitôt à la disposition de Doris. Mais celle-ci, justifiant sa réputation de fantaisie, décida de dessiner elle-même sa toilette de bal.

– Tu es folle, chérie ! répétait Lita.

Achetés chez Mayer et accompagnés d'une esquisse, le tissu et les garnitures furent confiés le soir même à une couturière. Quelques jours plus tard, la Mamelouka faisait son premier essayage. Elle sourit en se regardant dans la psyché, tandis que Lita et la couturière poussaient des cris admiratifs.

La tension montait au magasin à mesure qu'approchait le fameux samedi. Bolbol n'était pas le moins excité, sans bien comprendre ce que ses maîtres iraient faire au palais. Il courait d'une pièce à l'autre, déplaçait des cuvettes, époussetait furieusement les meubles, et répondait à la moindre remarque par un bruyant éclat de rire.

Les Popinot avaient insisté pour prêter au couple leur voiture et leur cocher. A dix heures du soir, celui-ci ne donnait toujours pas signe de vie. Milo, fébrile, était sur le point de héler un fiacre quand l'attelage déboucha sur la place d'un pas nonchalant.

– Nous allons au palais ! cria avec nervosité le fournisseur des consulats.

– Comme l'autre fois, alors ? fit l'homme au turban.

Milo ne put s'empêcher de rire. C'était en effet la même destination. Mais que de chemin parcouru depuis lors !

L'entrée du palais d'Abdine ruisselait de lumière électrique. Un valet de pied en grande tenue leur ouvrit la portière. Des jeunes gens en tarbouche, tout sourire, accueillaient les visiteurs et offraient le bras aux dames pour monter le grand escalier en marbre, couvert de fleurs.

Quand Doris pénétra dans le premier salon, les conversations s'interrompirent. Elle était éblouissante. Le collier du khédive, scintillant sur sa gorge, s'accordait parfaitement avec les boucles d'oreille que Milo lui avait offertes au début de leur mariage.

Le consul général de Hollande conduisait le quadrille dans un salon attenant.

– En avant, deux… Chaîne des dames…

Sur le parquet glissant, de gracieux bataillons féminins, encadrés par des messieurs en habit noir et des officiers britanniques en uniforme, évoluaient en cadence.

– En avant, quatre… Balancez…

La farandole déroulait ses anneaux, attentive aux commandements. De temps en temps, la traîne d'une robe était accrochée, provoquant un petit cri, couvert par la musique, tandis que la chaîne gagnait l'entrée d'un autre salon.

– Doris, vous êtes superbe ! fit Maxime Touta en s'inclinant pour lui baiser la main.

Le rédacteur en chef du *Sémaphore d'Alexandrie* semblait très à l'aise dans ce décor de gala, mais un peu étranger à la foule qui le peuplait :

– Je regarde, je m'amuse, comme le harem, là-bas…

Répondant à leur regard interrogatif, ils les entraîna au fond du troisième salon, protégé par des panneaux de bois sculpté. Derrière ces moucharabiehs, on entendait le gazouillement et les rires des dames de la cour, autorisées à assister à la fête sans être vues.

La farandole s'arrêta soudain pour céder la place à l'hymne khédivial.

– Abbas a dû arriver, remarqua Maxime.

Les conversations reprirent après les applaudissements. Doris était étourdie par les lumières, la musique, ces couleurs chatoyantes. Ayant trempé une fois ses lèvres dans la coupe de champagne de Milo, elle se croyait déjà saoule.

– Serait-ce mon opérateur photographe ? demanda une voix à côté d'elle.

La jeune femme faillit tomber à la renverse. Le khédive, accompagné de plusieurs personnalités, inclinait la tête pour la saluer. Elle esquissa aussitôt une révérence, comme on le lui avait appris naguère au pensionnat. Mais Abbas, en simple *stambouline* noire, sans aucune décoration, avait un ton amical, presque familier :

– Je suis très honoré, madame Touta, de recevoir dans ce palais une personne aussi talentueuse que vous. J'espère que la fête vous plaira.

Il serra rapidement la main au rédacteur en chef du *Sémaphore d'Alexandrie* avant de continuer à avancer dans le salon. Milo, à peine revenu de sa surprise, se rendit compte avec un pincement au cœur que le khédive ne lui avait pas adressé un regard. Sans doute ne s'était-il même pas aperçu de sa présence.

– Tu ne me fais pas danser ? lui demanda Doris, sachant à quel point cet incident pouvait l'affecter.

Au cours de cette valse anglaise assez lente, elle pencha amoureusement sa tête sur l'épaule de Milo, comme pour manifester à la terre entière qu'il était son époux, son amant, le seul homme de sa vie.

Après la danse, il la quitta pour aller saluer l'oncle d'Ibrahim, qui venait d'arriver.

– Puis-je vous offrir un verre ? dit Maxime à Doris, alors qu'un serveur en grande tenue, chargé d'un plateau, s'approchait d'eux.

Peu après, il ajouta :

– J'aimerais beaucoup publier un reportage photographique sur le Soudan reconquis. Mais il me faudrait un photographe de talent. Quelqu'un comme vous…

Elle sourit :

– Avec tout le travail que j'ai ici ! La clientèle augmente de mois en mois. Nous allons engager un deuxième laborantin la semaine prochaine.

Ils aperçurent de loin Lord Cromer, très entouré. Le consul général de Grande-Bretagne s'entretenait avec un personnage à la barbe fleurie, sanglé dans une tunique couverte de décorations, dont la main était appuyée sur un sabre de cavalerie.

– C'est le Ghazi Moukhtar pacha, l'envoyé du sultan, précisa Maxime. Un amoureux de la langue de Molière. Je parie qu'il parle à Cromer en français.

Le buffet ouvrit à minuit. Doris aperçut une enfilade de

tables en fer à cheval, aux nappes damassées, couvertes des mets les plus variés. Les feuilles de vigne farcies et les galantines aux truffes voisinaient avec des agneaux entiers.

Les danseurs, affamés, avaient pris les tables d'assaut. Des dames d'un certain âge, aux lourdes robes de velours, se plaignaient de ne pouvoir avancer. L'une d'elles faillit gifler un jeune officier anglais dont les éperons lui avaient arraché les dentelles.

– Permettez-moi de me présenter, madame. Je suis le consul général de Hollande.

Tenant son assiette d'une main et son verre de l'autre, Doris ne put offrir qu'un sourire au quinquagénaire élégant qui s'adressait à elle.

– On m'a dit que vous réalisiez des portraits magnifiques. Pourrais-je avoir l'honneur de figurer parmi vos modèles ?

– Bien entendu, monsieur le consul général, dit Milo, qui avait écrasé les pieds de deux dames pour pouvoir s'approcher. Je suis Émile Touta.

Doris se fit toute petite pour laisser au fournisseur des consulats, radieux, le plaisir de fixer lui-même un rendez-vous à son premier client du corps diplomatique.

Ibrahim leur faisait de grands signes de l'extrémité du buffet. Ils réussirent à le rejoindre.

– Quelle foule ! fit le poète en riant. Et dire que ce palais est si grand… Connaissez-vous le jardin d'hiver ?

– Non, je ne crois pas, dit Milo, de l'air de quelqu'un qui fréquentait Abdine depuis le berceau.

Ibrahim les fit monter par un escalier à rampe de cristal. Le jardin d'hiver, qui occupait toute une galerie de l'étage, comptait une magnifique collection de fougères et de palmiers. Au détour d'un massif, ils se retrouvèrent nez à nez avec Jacquemart, le photographe des princes, qui arpentait les allées en compagnie d'un pacha en costume noir à dorures. Le Français les regarda d'un air hautain et passa son chemin.

– Je suis sûr que cet enfant de pouilleuse nous connaît !

s'exclama Milo. La prochaine fois, parole d'honneur, je lui dis : « Bonsoir confrère, est-ce que je peux vous envoyer des clients ? Je suis débordé. »

Quand ils descendirent, les danses avaient repris. L'orchestre jouait *Le Beau Danube bleu.* Un officier britannique s'inclina devant Doris. Elle l'accompagna sur la piste du deuxième salon, en pensant à William Elliot.

– Madame Touta ? demanda peu après un autre Anglais tandis qu'elle s'apprêtait à rejoindre Milo et Ibrahim.

Elle crut à une nouvelle invitation et faillit répondre non, mais l'officier enchaîna aussitôt :

– Je suis un collaborateur de Lord Cromer. Sa Seigneurie souhaiterait se faire photographier par vous. Pourriez-vous la recevoir vendredi prochain à onze heures du matin ?

– Vendredi, à onze heures ? répéta-t-elle, stupéfaite.

– Oui, je suis désolé, c'est le seul moment disponible du consul général dans les semaines à venir.

Il la remercia et se fondit dans la foule.

– Tu as rêvé ! répétait Milo dans la voiture, sur le chemin du retour. Qui est cet officier ? Comment s'appelle-t-il ?

Elle ne savait que dire.

– Tu n'imagines tout de même pas que Lord Cromer va se rendre comme ça, dans un lieu qu'il ne connaît pas ! Es-tu sûre d'avoir bien entendu « Cromer » ? Ce n'était pas « Keller » par hasard ? Keller qui n'est pas lord, d'ailleurs…

Doris commençait à douter. L'officier avait pourtant bien dit « Sa Seigneurie ». Mais l'avait-il dit ? Les questions insistantes de Milo ne faisaient que la troubler davantage.

Elle eut du mal à s'endormir cette nuit-là. Et, dans un rêve confus, où elle était Cendrillon, William Elliot lui fixait, au cours d'une valse, un rendez-vous secret au jardin d'hiver du palais, auquel on accédait par la chambre de Nonna…

Le lendemain, en fin de matinée, un billet portant le cachet du consulat général de Grande-Bretagne confirma à Mme Touta que Lord Cromer viendrait se faire photographier au studio le vendredi suivant, à onze heures du matin.

# 53

Je n'avais jamais vu mon mari dans un tel état d'excitation. « Ce n'est pas possible ! s'exclamait-il. On ne va pas le recevoir comme ça ! » Pour accueillir dignement Lord Cromer, il voulait faire repeindre tout le magasin. Je haussais les épaules, soulignant que Cromer se fichait bien de notre décoration murale, refaite d'ailleurs l'année précédente. Mais Milo tenait absolument à charmer l'œil de l'illustre client. Il alla quérir un peintre et lui demanda de rajeunir d'urgence la vitrine.

Le lendemain, j'eus un choc en voyant la couleur rouge sang, mais je me gardai de tout commentaire. Milo s'aperçut lui-même que sa vitrine détonnait un peu et ordonna au peintre de la recouvrir d'un vert pâle.

Quand le travail fut achevé, il hocha la tête : « Non, c'est trop pâle. Je vais choisir un bleu marine.

– Cette affaire n'est pas très discrète, dis-je avec agacement. Les voisins vont se demander ce qui nous arrive.

– Et alors ? Tant mieux ! Nous n'allons quand même pas cacher à toute la ville du Caire que l'homme le plus puissant d'Égypte a choisi le studio Émile Touta pour se faire portraiturer ! »

Depuis l'avant-veille, j'avais un autre sujet de préoccupation : comment Seif prendrait-il la visite de Lord Cromer au magasin ? Cette fois, il ne s'agissait plus de faire appel au photographe de l'armée d'occupation. C'était bien plus grave : le studio se mettrait au service du symbole même de l'occupation britannique. « On ne va pas se priver d'un tel client pour les beaux yeux de Seif ! répliqua Milo. Tu ferais mieux de te soucier des boissons que nous allons offrir à Lord Cromer. Mais oui, mais oui, des boissons ! Nous n'allons tout de même pas le recevoir comme le dernier des va-nu-pieds. »

Le mercredi soir, très gênée, je pris les devants pour annoncer à Seif la nouvelle. Je m'attendais à le voir pâlir, peut-être même à partir en claquant la porte. A mon grand étonnement, le visage du jeune homme s'éclaira : « Mais c'est formidable ! Je vais pouvoir parler à Cromer. Me permettez-vous d'être présent après-demain matin ?

– Ah non ! s'exclama Milo. Je ne veux pas d'esclandre. Lord Cromer est mon client. Je tiens à ce qu'on respecte mes clients.

– Il n'y aura pas d'esclandre, je vous assure, dit l'avocat. Je voudrais seulement lui poser une question.

– Moi, je pourrais peut-être lui chanter ma *Marseillaise*, fit Ibrahim.

– Laissez, on va s'arranger », murmurai-je à Seif. Puis, m'adressant à toute l'assistance : « Servez-vous, il y a des *mezzés* chauds. Je suis sûre que Milo veut vous raconter notre soirée au palais. »

Tout était prêt. La troisième couche de peinture avait séché et un panneau indiquait aux clients que le magasin serait fermé vendredi matin. Les boissons les plus diverses s'alignaient déjà dans le salon d'attente, dégagé de quelques sièges encombrants. Même la veste rouge que porterait Bolbol – une idée de Milo – était repassée et accrochée à un cintre dans le hall.

Mais mon mari ne parvenait pas à fermer l'œil. Il pensait et repensait à Seif. La satisfaction du jeune homme en apprenant la visite de Lord Cromer lui paraissait grandement suspecte. Quelle insolence s'apprêtait-il à commettre ? Soudain, Milo se dressa dans le lit en s'écriant : « Mon Dieu ! Il nous prépare un attentat.

– Qu'est-ce que tu dis ? demandai-je faiblement, à moitié réveillée par ce tapage.

– Un attentat ! Il prépare un attentat ! »

Je le calmai comme je pus, puis me rendormis.

Au petit déjeuner, quand il me fit part de son inquiétude, je le rabrouai : « Tu vas finir par me troubler. Je vais rater la photo de Cromer. » Il oublia un peu Seif et se préoccupa des derniers préparatifs.

Avec sa veste rouge boutonnée jusqu'au menton, Bolbol avait l'air d'un saltimbanque. Il n'arrêtait pas de se regarder, médusé, dans la grande glace.

Milo ajustait encore une fois les photos de la vitrine, ne cessant d'entrer et de sortir fébrilement du magasin. Ce manège finit par attirer plusieurs badauds. « Il n'y a rien à voir ! » leur cria-t-il.

D'autres oisifs s'approchèrent. Deux hommes en turban s'assirent même sur le trottoir, dans l'attente de quelque chose et, voyant Bolbol déguisé, commencèrent à égrener leur chapelet d'ambre.

« Va me remplir les seaux de l'arrière-cour ! lui cria Milo.

– Mais ils sont pleins, *ya bey*…

– Vide-les alors, imbécile ! »

Dès dix heures, comme convenu, les Popinot, les Tiomji, Seif et Ibrahim arrivèrent. « Votre présence donnera un peu de vie au magasin, leur avais-je dit. Je ne nous vois pas seuls, Milo et moi, face à Lord Cromer. »

Ibrahim, aussi gai que d'habitude, avec une chemise d'un rose éclatant, demandait s'il fallait baiser les mains du proconsul britannique : « Savez-vous que l'autre soir, à l'Opéra, sa voiture était précédée d'un *saïs* qui lui frayait le passage en criant : *The Lord ! The Lord !* »

Popinot nous apprit que Cromer venait de confier à un Européen de passage au Caire : « S'il se trouvait en Égypte douze hommes en état de gouverner, nous évacuerions immédiatement ce pays. » La remarque était âprement commentée au Cercle français. Seif hocha la tête, sans manifester pour une fois d'énervement. Il s'était mis sur son trente-et-un, avec un costume sombre et une cravate à pois. Milo, qui le surveillait attentivement depuis son arrivée, n'avait décelé aucun renflement suspect dans sa veste pouvant cacher une arme.

J'attendais Lord Cromer à onze heures précises. Depuis le début de l'occupation anglaise, on n'ignorait plus les horaires, même si William Elliot constatait avec désolation qu'il y avait encore beaucoup à faire pour apprendre la ponctualité aux *natives*. Avant 1882, racontait le docteur Touta, trois horaires différents avaient cours au Caire : l'heure du chemin de fer, l'heure de l'hôtel et l'heure du canon. Cette dernière était la seule fiable. Quand un grand coup, parti de la Citadelle, ébranlait les maisons, on savait qu'il était vraiment midi. Pour les réceptions officielles, les cartons d'invitation précisaient : « à 9 heures, au canon ». Depuis l'arrivée des Anglais, cela ne se pratiquait plus. L'heure militaire était devenue la règle, et les convives trop en retard finissaient par ne plus être invités. Mais il y avait loin entre les réceptions à l'Agence britannique et le reste du pays !

Émile Touta et son état-major s'attendaient donc à voir apparaître Lord Cromer au premier coup de onze heures. Mais la porte du magasin s'ouvrit avec vingt-cinq minutes d'avance : c'était l'Anglais qui m'avait abordée au bal. « Madame Touta, Sa Seigneurie vous attend à la Résidence. »

Je manifestai mon étonnement : la séance de pose n'était-elle pas prévue ici ? « Pardonnez-moi, dit-il. C'était un stratagème nécessaire pour des raisons de sécurité. La séance de pose est organisée à la Résidence.

– Mais je n'aurai pas mon matériel !

– Vous y trouverez un matériel très semblable au vôtre, madame. On m'a dit que vous opériez sur un Zeiss… De toute manière, vous pouvez emporter tous les accessoires qu'il vous plaira. Ils seront transportés par nos soins, avec les précautions nécessaires. »

Dix minutes plus tard, quand Milo me suivit pour monter dans l'une des deux voitures qui attendaient devant la porte, l'Anglais s'interposa poliment : « Excusez-moi. Seule Mme Touta est attendue à la Résidence. Je ne suis pas autorisé à y emmener d'autres personnes. » J'étais déjà dans la voiture quand je vis le visage décomposé de Milo. L'espace d'un instant, je me demandai si je n'aurais pas dû refuser de partir dans ces conditions. Mais le désir de faire cette photo l'emporta.

Sur la route, je fus prise d'un début de panique. N'allais-je pas rater le portrait de Lord Cromer ? Cette crainte ne m'avait pas effleurée pour le khédive : le souci de ne pas être démasquée m'occupait alors entièrement l'esprit. Cette fois, le trac me donnait le vertige. Je fus à deux doigts de demander à mon accompagnateur de me ramener chez moi.

Le lourd portail de la Résidence, portant l'écusson royal, s'ouvrit devant nous. Les *tommies* en faction firent un salut militaire. Je pénétrai dans le bureau de Lord Cromer au moment où une grande horloge sonnait onze heures. Les idées se bousculaient encore dans ma tête quand le consul général de Grande-Bretagne m'accueillit en s'excusant du changement de programme. Ce sexagénaire olympien avait un regard d'une intensité exceptionnelle. Je sentis tout de suite que je le photographierais de trois quarts, avec beaucoup d'ombre, en abaissant un peu l'appareil pour ne pas souligner sa calvitie.

Lord Cromer me félicita pour le portrait du khédive. « Vous avez réussi à rendre Son Altesse sympathique, lança-t-il avec un éclair de malice dans les yeux. » Cet ancien officier, fils d'un banquier de la City, n'avait que le titre modeste de consul général, à l'instar de ses collègues européens, mais nul n'était dupe de son pouvoir, qui semblait sans limite, éternel. Cela faisait seize ans qu'il régnait en Égypte, après avoir servi aux Indes et à la Jamaïque.

« Alors que nos consuls de France se succèdent, personne à Londres n'imaginerait de remplacer Lord Cromer, constatait avec amertume Norbert Popinot. Mais si cet homme est populaire dans son pays, c'est parce qu'il sait manier l'opinion.

Pourquoi croyez-vous qu'il rend publics ses rapports annuels sur la situation de l'Égypte en leur faisant une telle réclame ? »

Un appareil photographique, aussi volumineux que celui du studio, avait été installé dans le bureau. Un écran mobile offrait le choix de plusieurs fonds unis. Je n'eus même pas à déballer mes réflecteurs et mon sténopé-viseur : des instruments semblables aux miens m'attendaient sur une table basse.

Le consul britannique accepta avec humour de se détourner un peu de la lumière, comme je le lui demandais. « Je ne ferai pas moins que la reine Victoria, dit-il. Dans l'atelier spécial qu'elle a fait construire au palais de Windsor, Sa Majesté obéit au photographe comme à son médecin. »

J'eus, à vrai dire, très peu d'instructions à donner à Lord Cromer. Il ne posait pas et ne s'efforçait pas de sourire. Son visage, immobile sans être raide, s'imposait tel quel.

Ayant l'habitude de converser avec mes modèles pendant la mise au point, je lui demandai s'il avait le temps de sacrifier à sa passion, bien connue, pour la poésie. « Je commence chaque journée, précisa-t-il, par une page d'auteurs grecs ou latins. » Et il déclama un passage du douzième livre de *L'Iliade* qu'il affectionnait particulièrement.

Je me détendis. Dans ce bureau paisible, face à cet homme tout-puissant qui me récitait Homère, j'étais à mille lieues de tout ce qui se disait de la morgue des Anglais. « Ils nous méprisent, répétait Seif. Ils nous prennent pour des sauvages. » Un jour, pour le consoler, Popinot lui avait dit : « Rassurez-vous, ils nous méprisent aussi. Pour les Anglais, l'Afrique commence à Calais. »

Le visage de Lord Cromer était un peu trop éclairé. J'allai tirer à moitié le rideau d'une porte-fenêtre. Avant de prendre ma dernière pose, je m'enhardis et lançai : « Je connais un jeune homme musulman qui rêverait d'être à ma place pour avoir une brève conversation avec vous. C'est un patriote sincère, un avocat…

– Vous laisserez le nom de ce jeune homme à mon secrétaire, répondit le consul. Je le recevrai quand j'aurai un moment. »

Seif se montra touché de mon intervention, mais me fit savoir qu'il ne solliciterait pas d'entretien : « Je ne voudrais pas être pris pour l'un de ces journalistes qui vont quémander des instructions à la Résidence britannique. Si je dois parler un jour à Lord Cromer, ce sera en territoire égyptien !

– Le mieux serait encore de le rencontrer en territoire égyptien libéré, lança Ibrahim. Mais, pour ça, il te faudra patienter encore un peu. »

Le portrait de Lord Cromer, qui allait se retrouver par la suite dans plus d'un livre illustré, prit place au centre de la vitrine du magasin, à côté de celui d'Abbas Hilmi. En opérant ce rapprochement audacieux, Milo était dans l'air du temps. Le khédive venait d'être humilié par le sultan qui avait contraint son yacht à quitter Rhodes et à se réfugier dans l'île britannique de Chypre. Rejeté par Constantinople après avoir été déçu par Paris, Abbas était tenté de se tourner vers Londres. On le disait désireux d'entretenir les meilleures relations avec le prince de Galles, susceptible de succéder à tout moment à la reine Victoria, âgée de quatre-vingt-un ans.

Lord Cromer me remercia chaleureusement pour les photos. Pressée par Milo, j'étais allée les lui présenter moi-même, pour savoir s'il autorisait le studio à les commercialiser. « Pourquoi m'opposerais-je à la diffusion d'une image qui me flatte ? répondit le consul avec un sourire. Mais je doute que beaucoup de monde en Égypte ait envie d'acheter mon portrait. »

Sa Seigneurie faisait erreur : au cours des deux années suivantes, cette photo-carte, portant le « T » rouge, allait atteindre un tirage presque égal à celle du khédive.

# 54

Qui, désormais, pouvait contester à Émile Touta le titre de fournisseur des consulats ? Avec Lord Cromer en personne dans sa vitrine, il semblait même pécher par modestie.

Les passants s'arrêtaient spontanément pour admirer les regards croisés du consul et du khédive. Une petite pancarte indiquait que les photos-cartes des deux personnages étaient en vente au magasin, 10 piastres pièce, avec un tarif dégressif selon la quantité achetée. Beaucoup de clients faisaient une double commande, avec l'intention de valoriser leur album de famille par la présence de Cromer et d'Abbas.

Le studio Émile Touta fut incontestablement, cette année-là, à l'origine du renouveau de la photo-carte au Caire. Nombre d'inconnus y commandaient leur portrait en cent ou deux cents exemplaires, avec leurs nom, prénom et adresse imprimés au recto ou au verso. Pour assurer une production aussi abondante, Milo n'avait plus intérêt à s'adresser à Maloumian, lequel n'était d'ailleurs plus en mesure de répondre à la demande. Le studio s'équipa donc de divers accessoires, dont un appareil à six objectifs avec châssis mobile. Un troisième opérateur dut être embauché pour s'occuper exclusivement du tirage des photos-cartes.

– Vous devriez vendre des albums, dit un soir Norbert Popinot. Avec le « T » gravé sur la couverture, je suis sûr que cela aurait du succès.

L'idée emballa Milo. Son âme commerçante trouvait là nouvelle occasion de s'épanouir. Il se rendit aussitôt chez deux imprimeurs du Mouski, les mit en concurrence, se fâcha avec l'un, puis avec l'autre, et finit par se rabattre sur le plus cher qui avait au moins le mérite d'être grec-catholique. Quelques semaines plus tard, la vitrine s'ornait d'un album de cuir à gros grain, au dessous renforcé par quatre clous nickelés. Proposé en grenat ou bleu de Prusse, avec des tranches dorées et un fermoir à ressort, il valait 89 piastres. La réussite des premières ventes conduirait à en hausser le prix dès le mois suivant.

Milo eut l'idée de mettre également en vitrine des bijoux porte-photographie qu'Alfred Falaki avait du mal à écouler dans son magasin. Cela donna lieu à un marchandage homérique, mais qui finit par aboutir car chacun des protagonistes y trouvait largement son compte. A côté des albums prirent place ainsi des cadres, des médaillons, des broches, des breloques et même des épingles à cravate en argent pouvant abriter de minuscules miniatures.

L'argent affluait. Tous les deux ou trois jours, Milo devait en déposer à la Banque impériale ottomane. Armé d'une petite mallette à soufflet, il s'y faisait conduire par son cocher, récemment engagé. Rien ne le rendait plus fier que sa voiture, stationnée en permanence devant le magasin, et qu'il mettait volontiers au service de certains clients :

– Mais non, Loutfi bey, vous n'allez pas rentrer chez vous à pied… Non, non, madame Ayrout, j'insiste. Mon cocher va vous raccompagner…

Les clients, flattés, ne manquaient pas d'en parler autour d'eux, et c'était une publicité supplémentaire pour le studio. Milo ne se privait pas pour autant de recourir à des formes de réclame plus classiques. Ainsi, à l'instar de Jacquemart, il faisait publier de petits placards dans les journaux : « Studio Émile Touta. Fournisseur des consulats. Portraits en tous genres. » Contre l'avis de Doris, il avait ajouté : « Premier Prix du Salon de Paris. »

Pour accéder à l'appartement, les invités du mercredi soir n'avaient plus besoin de passer par le magasin en se tordant les chevilles dans l'escalier en colimaçon : la porte de la maison mitoyenne, achetée quelques mois plus tôt, donnait sur la rue. Un *soffragui* en livrée y accueillait les invités, beaucoup plus nombreux qu'avant, même si ces soirées gardaient un caractère détendu et un peu improvisé. La pâtisserie Mathieu fournissait certains plats ; d'autres étaient préparés sur place par le cuisinier. Norbert Popinot continuait à choisir les boissons, mais il se contentait d'en indiquer le cru et le millésime à Milo, qui se faisait livrer ensuite des caisses entières. Pour ceux, comme Seif, qui ne buvaient pas d'alcool, circulaient des jus d'orange, de citron doux, de goyave ou de mangue.

Ayant presque triplé de taille, l'appartement comptait maintenant deux vastes salons attenants. Leurs murs n'étaient pas couverts de petites photos encadrées, comme dans certains intérieurs du Caire. Doris n'en avait sélectionné que deux, exposées sur une commode Louis XVI : celle de ses trois filles, photographiées ensemble sur la plage de Fleming avec de grands chapeaux de paille ; et, malgré ses imperfections, son premier portrait de Milo, en chemise ouverte.

Au cours de ces soirées, le maître de maison mettait une animation très appréciée. Solange Popinot n'était pas la seule à rire aux larmes quand il racontait le gymkhana organisé près des pyramides, en présence du duc de Saxe-Cobourg-Gotha, avec « la course à ânes pour dames et messieurs se tenant par la main »… Milo avait l'art de présenter ses invités de manière flatteuse et de les mettre en relation les uns avec les autres. Grâce à lui, le mercredi soir, il n'y avait jamais de temps mort. Les conversations ne s'arrêtaient que lorsque Solange ou une autre dame s'asseyait au piano. Un petit orchestre de chambre se produisait parfois. Il arrivait aussi à Ibrahim de déclamer quelques poèmes, en attendant sa *Marseillaise*, encore loin d'être achevée.

Isis figurait parmi les nouveaux habitués du mercredi. Elle venait généralement sans Maxime et s'exprimait volontiers sur une idée qui lui était chère : l'amélioration de la condition des femmes dans les villages. Depuis des mois, elle faisait le siège de l'administration sanitaire pour que l'on donne des rudiments de formation aux accoucheuses rurales.

– Les Anglais, disait-elle, veulent enseigner les soins d'urgence aux barbiers, qui font les circoncisions. Pourquoi pas ? Mais ce sont les accoucheuses qu'il faudrait former. Leur influence dans les campagnes est immense. Elles seules pourraient persuader les femmes de ne pas donner naissance à douze ou quinze enfants dont la plupart seront enterrés avant d'avoir appris à se servir d'une pioche.

Doris avait de plus en plus de sympathie pour Isis, qui était devenue une amie. Ni Solange Popinot ni Lita Tiomji ne pouvaient lui offrir ce genre de conversation. Si, avec Ibrahim, elle discutait d'art, avec la jeune copte, c'étaient des échanges plus généraux et plus profonds, plus intimes aussi. Combien de femmes au Caire pouvaient-elles se comprendre aussi bien que ces deux dissidentes ?

– En exerçant un métier, vous avez commis le même crime que moi, remarqua un jour Isis. Mais en plus grave : moi, je ne soigne que des femmes ; vous, vous photographiez des hommes.

– On me l'a assez reproché ! s'exclama Doris. J'ai parfois l'impression d'être coupable d'exercice illégal de la photographie.

Et, après un instant de réflexion :

– Je vous envie, d'une certaine manière. On s'adresse à vous pour soigner son corps. Au moins, c'est clair. Moi, les gens veulent que je soigne leur apparence. Il y a maldonne.

Reprenant cette conversation quelques jours plus tard, Isis lui lança :

– Les gens ne nous pardonnent pas, au fond, de travailler. Pour notre chance, nous avons, l'une et l'autre, des maris compréhensifs. Il n'y a pas beaucoup d'hommes qui réagiraient ainsi.

– C'est sans doute plus vrai pour vous que pour moi, répondit Doris d'une voix pensive.

Le portrait d'Isis, qu'elle réalisa cet hiver, témoigne de leur intimité grandissante. A moitié allongée sur un sofa, les mains jointes derrière la nuque, l'épouse de Maxime Touta y est presque impudique. Un sourire de défi éclaire son visage. On la sent en parfaite connivence avec la photographe qui l'a surprise dans cette position.

# 55

Avec sa voiture, son cocher, son cuisinier, ses trois bonnes et ses costumes coupés par le meilleur tailleur du Caire, Milo paradait. Ce n'était plus le jeune homme bohème, à l'air farceur, ne comptant que sur son charme et son bagout pour franchir les portes closes. Par moments, il faisait presque nouveau riche. Sans doute échappait-il au ridicule grâce au regard amusé qu'il continuait à porter sur la vie et sur sa propre personne. Au fond, l'image de la réussite lui importait davantage que la réussite elle-même.

Ses parties de trictrac à 3 piastres, au café du coin, lui procuraient toujours autant de plaisir. Mais avec quelle fierté ne mettait-il pas une livre égyptienne sur la table lorsqu'il jouait contre Richard Tiomji ! Et il fallait l'entendre, par exemple, signaler à la cantonade que ses filles avaient été invitées à une matinée théâtrale par l'une des familles les plus cossues du Caire :

– Tout le gratin était présent dans le grand salon transformé en salle de spectacle. Il y avait là le prince Hussein et le prince Toussoun. On a frappé les trois coups et le rideau s'est ouvert sur un paysage céleste. Gabrielle jouait le rôle d'une colombe. Vous l'auriez vue à côté de la fée Bonbon…

Au cours d'un déjeuner à Hélouan, il raconta sur le même ton que Doris avait été sollicitée par les dames du Comité de la charité française pour tenir un comptoir à leur manifestation annuelle :

– Les petits chevaux se trouvaient sous la direction de Lady Palmer et Lady Rogers. On vendait des fleurs, des confettis et des serpentins. Les dames quêteuses ne cessaient de tendre leurs aumônières à des pachas. Sous une tente, trois sorcières étaient en communication directe avec Lucifer. Pour 10 piastres, elles livraient des prophéties. La plus jolie m'a annoncé un grand voyage pour très bientôt. « En Europe ? » ai-je demandé. « 5 piastres pour la réponse », a répondu la *katkouta*... Un peu plus loin, le comte de Serione, accoutré en Arabe, répondait en vers à toutes les questions qui lui étaient posées. La recette totale a été de 700 livres.

– C'est beau ! commenta le bijoutier Alfred Falaki, qui savait goûter un vrai chiffre.

Interrogée sur cette vente de charité, Doris se montra très vague. En réalité, elle l'avait trouvée grotesque et s'était promis de ne plus y participer.

– Pourquoi fréquentes-tu des sorcières ? demanda Nonna à Milo.

Cette sortie fut accueillie par quelques sourires embarrassés. Depuis son malaise du premier de l'An, la vieille dame n'était plus la même. Elle tenait parfois des propos incohérents ou confondait les prénoms de ses propres enfants. Mais elle pouvait aussi, comme avant, résumer le fond de sa pensée par une phrase assassine. Contrairement à ceux qui jugeaient Milo trop fantasque pour réussir dans la vie, Nonna avait toujours cru à la bonne fortune de son benjamin. Maintenant, alors que cette réussite semblait acquise, elle se montrait étrangement réticente.

Il lui arrivait d'échanger un regard inquiet ou agacé avec Doris lorsque Milo racontait tel ou tel de ses exploits mondains. Les deux femmes n'avaient jamais été si proches, même si l'une se trouvait auréolée de gloire tandis que l'autre sombrait dans les brumes de la vieillesse. Cela s'exprimait de temps en temps par un geste furtif : cette manière qu'avait Nonna de serrer Doris contre elle en l'embrassant, ou la douceur avec laquelle la jeune femme se penchait vers sa belle-mère pour lui proposer à mi-voix une tisane de fleur d'oranger.

– Donne-moi plutôt de l'arak, marmonnait Nonna. Ça me réveillera.

Parlant de Doris, les invités du mercredi soir disaient souvent « la Mamelouka ». Il avait suffi que Solange prononce le mot devant une amie française pour qu'il fasse le tour du Caire. Limité jusqu'alors à la famille et aux intimes, ce surnom princier passait au domaine public. Doris se prenait au jeu, et beaucoup l'y encourageaient. N'était-elle pas la reine de ces soirées, comme d'ailleurs des dîners que donnaient les Popinot ou d'autres notables cairotes ?

Les hommes faisaient des folies pour lui plaire. A l'occasion de son vingt-huitième anniversaire, célébré par un bal masqué mémorable, Ibrahim composa en son honneur vingt-huit strophes de sa composition, de vingt-huit alexandrins chacune.

– J'ai l'impression d'avoir utilisé tous les mots du dictionnaire ! confiait le poète à Norbert, avec le sourire épuisé mais ravi d'un marathonien amateur ayant réussi à atteindre la ligne d'arrivée.

Un mardi matin, la jeune femme reçut à son domicile une table d'albâtre avec un pied en palissandre, offerte par un antiquaire juif, qu'elle avait croisé la veille à une soirée. Le lendemain, le même admirateur lui faisait parvenir un service à café en filigrane d'argent qui avait appartenu à l'un des petits-fils de Mohammed Ali. Elle dut renvoyer le jour même ce deuxième cadeau, pour ne pas en recevoir d'autres.

Amoureux fou de Doris, un banquier d'Alexandrie lui envoyait des lettres enflammées, qui restaient sans réponse. Pendant trois mois, cet Italien se rendit au Caire tous les week-ends, dans le seul espoir de l'apercevoir à la sortie de la messe de Darb el-Guéneina. On raconta par la suite qu'il avait tenté de s'ouvrir les veines dans son bureau, alors que tout le conseil d'administration l'attendait à quelques mètres de là…

L'intérêt porté à la Mamelouka ne manquait pas d'ambiguïté. Le fait, pour un homme, de se trouver seul avec elle dans l'atelier de pose nourrissait rêves et fantasmes. Quelques-uns, mal informés, confondaient l'atelier avec le cabinet noir, espérant Dieu sait quoi.

On lui attribuait divers amants, parmi lesquels un consul européen et un prince de la famille khédiviale. On colportait aussi sur son compte des rumeurs plus désagréables qui, heureusement, n'arrivaient pas toutes à ses oreilles ou à celles de Milo. Certains suggéraient notamment des relations coupables avec Isis. La calomnie s'accompagnait d'un jeu de mots : Isis et Doris étaient devenues « Isidore ». De méchantes langues s'ingéniaient à lancer des devinettes du genre : « Pourquoi Isidore n'est jamais dans le lit de son mari ? » Les réponses variaient au fil des jours : « Parce que la dame est au turbin » ou « Parce qu'on ne peut être à la fois au four et au moulin »...

Un courageux anonyme crut bon d'en informer Milo par écrit. Prenant connaissance de la lettre, ce dernier entra dans une furieuse colère. Pour une fois, ce ne fut pas Bolbol qui en subit les conséquences mais un client, qui avait eu le malheur de s'étonner du délai qu'on lui promettait pour le développement de son portrait.

– Vous vous êtes trompé d'adresse ! hurla Milo. La ponctualité militaire, c'est en face, chez Maloumian. Oui, Maloumian, le photographe officiel de l'armée d'occupation. Il photographie les officiers, mais, rassurez-vous, il accepte aussi les troufions, les soudards, les traîneurs de sabre et même les déserteurs !

Le client ressortit affolé, sans comprendre ce qui lui arrivait.

Milo était persuadé que cette rumeur provenait du studio Jacquemart, et il menaçait d'aller casser la gueule au Français devant tout le quartier.

– Méfiez-vous, lui dit Popinot. Mon compatriote a le bras long. Si vous vous en preniez à lui, il serait capable de vous traîner devant les tribunaux et de vous faire beaucoup de tort. Vous n'avez d'ailleurs aucune preuve de sa malignité.

Les belles-sœurs de Milo, elles, entretenaient l'idée d'une Doris dévorée d'ambition, qui aurait poussé ses pions l'un après l'autre pendant des années : le coloriage des photographies, l'apprentissage des prises de vue et du développement, l'aménagement du magasin, le concours du Salon de Paris... Une arriviste ayant tout calculé depuis son mariage, s'étant même mariée dans l'unique but de s'emparer du studio et d'atteindre la notoriété.

Milo était bien placé pour démentir ce plan implacable. Il avait suivi, pas à pas, l'évolution de sa femme, ses découvertes, ses hésitations, et vécu avec le même étonnement qu'elle la vague qui la portait. Cela ne l'empêchait pas d'être de plus en plus jaloux des succès de Doris. Il lui arrivait, le soir après un dîner, de lui faire des remontrances parce que tel Européen, tel intellectuel ou tel magistrat avait bavardé trop longtemps avec elle ou baisé sa main de manière trop appuyée.

– Et toi, alors ! répliquait-elle. Tu crois que je ne t'ai pas vu danser avec la nièce du directeur de la Banque ottomane…

La jeune femme se rendait bien compte que sa réussite professionnelle perturbait la vie de leur couple, mais elle se sentait emportée par le succès, comme d'autres le sont par le malheur : c'était un mouvement irrépressible, se nourrissant de lui-même. Le succès appelait le succès. Et, plus elle montait, plus Milo avait l'impression d'être écrasé.

Certes, il pouvait se vanter d'avoir eu l'idée des photos-cartes du khédive et de Lord Cromer, qui rapportaient pas mal d'argent. C'était lui aussi qui avait su hausser progressivement les tarifs du studio, à la mesure de sa renommée. Un « T » rouge revenait maintenant plus cher qu'un portrait de Jacquemart. Cela n'empêchait pas Doris d'être perçue comme le pilier et le symbole de l'entreprise. Le « T » ressemblait fort à un « D ».

La jalousie de Milo était d'autant plus vive qu'il n'avait pas grand-chose à reprocher à sa femme. Quoiqu'un peu grisée par son ascension, Doris évitait de se vanter. Elle laissait à d'autres le soin de rendre compte de ses prouesses photographiques ou des honneurs qui lui étaient faits. Tout finissait par se savoir, et cela avait bien plus d'effet que ce qui pouvait sortir de sa propre bouche… Si ses belles-sœurs avaient été plus fines, c'est là qu'elles auraient pu la débusquer : dans cette modestie affichée, qui cachait de grandes satisfactions intérieures.

Cependant, la gloire et les honneurs atteignaient moins la

jeune femme que le plaisir de réaliser des œuvres à son goût. Elle se mettait tout entière dans chaque portrait, et chaque fois avec la même émotion.

– Le photographe, disait-elle à Ibrahim, transmet ses sentiments à son modèle. Il le domine pendant la séance de pose, comme s'il était armé. Ces instants-là sont très forts, très troublants. Mes photos – en tout cas celles qui sont réussies – expriment ce que j'ai ressenti en les réalisant. Ce sont presque des autoportraits.

# 56

Un jeudi après-midi, alors que Doris était avec ses filles à la maison, le consul général d'Italie – un bossu à barbichette – se présenta au magasin. Milo, plein d'égards, lui proposa une séance de pose immédiate, sans rendez-vous.

– Je vais m'en occuper moi-même, fit-il avec panache.

– C'est très aimable à vous, dit l'Italien, mais je souhaiterais être photographié par Mme Touta.

Milo contrôla du mieux qu'il put le tremblement qui agitait sa lèvre et alla appeler Doris.

Ce soir-là, il lui fit une scène pénible, à propos d'une brouille :

– Tu as laissé l'agenda de rendez-vous dans l'atelier. Je l'ai cherché partout. C'est insupportable ! Je ne peux plus travailler dans ces conditions !

Elle s'excusa sans insister, mettant cette colère inattendue sur le compte de la fatigue. Depuis quelque temps, Milo était nerveux, susceptible, s'embrasant pour un rien. A deux reprises, au cours des dernières semaines, il avait rejoint le sinistre Ernest Zahlaoui au bar du Bavaria. Sans être saoul, il en était revenu un peu éméché. Doris n'avait pas osé lui faire de remontrances, de peur de déclencher une tempête.

Le lendemain soir, il ne lui adressa pas la parole.

– Mais enfin, qu'est-ce que tu as ? demanda-t-elle, en commençant à s'énerver.

– Le consul d'Italie est complètement raté, lança Milo d'un ton glacial. Il faudrait lui proposer un autre portrait à titre gracieux.

La Mamelouka était sans voix. Elle, si sévère pour son propre travail, avait été ravie au contraire de la photo de l'homme à barbichette et se félicitait d'avoir su faire briller son regard malicieux. Sur ce portrait, on oubliait sa bosse. Elle avait demandé au consul de s'accouder sur le dossier d'un fauteuil, le corps incliné en avant : dans cette position, il ne paraissait pas plus bossu que n'importe quel autre.

– Tout le monde peut commettre des erreurs, ajouta Milo sur le même ton. Je vais aller expliquer la chose au consulat. Ce monsieur comprendra.

– Mais enfin…

Il explosa :

– Tu ne veux tout de même pas que je mette ma signature sur cette merde !

Stupéfaite, elle était au bord des larmes. Jamais, il ne lui avait parlé de cette manière. Elle sortit, sans un mot.

Ce n'était pas la première crise de Milo : chaque fois qu'elle avait pris une initiative importante dans le studio ou obtenu un succès éclatant, il s'était comporté de manière étrange, tantôt ironique, tantôt cassant, toujours refermé sur lui-même. Mais ils finissaient très vite par se retrouver, dans des baisers, des rires, des larmes ou des caresses, se fondre l'un dans l'autre, et atteindre à nouveau un certain équilibre. Depuis quelque temps, cet équilibre était brisé, et Doris se sentait incapable de le rétablir.

Éprouvant le besoin d'en parler à quelqu'un, elle avait trouvé chez Isis une auditrice attentive et délicate. Davantage qu'une auditrice, à vrai dire, puisque la jeune femme copte s'était confiée elle aussi, exprimant à demi-mot la souffrance que lui causait la liaison de son mari avec Nada Mancelle. Doris l'avait écoutée, relativisant ses propres soucis, qui n'étaient après tout que d'origine professionnelle. Seraient-ils survenus si elle n'exerçait pas le même métier que Milo ?

Il était arrivé à celui-ci de ne pas la féliciter autant qu'elle l'aurait mérité. Après le Salon de Paris, par exemple, il avait consacré tous ses commentaires à l'initiative discrète d'Ibrahim, à sa bonne idée, à son habileté, ignorant la qualité de la photographie qui avait enthousiasmé le jury. Comme si c'était Ibrahim qui avait obtenu le premier prix. Mais jamais Milo n'avait brocardé le travail de sa femme comme il venait de le faire.

Le consul d'Italie passa au magasin dès le lendemain matin. Il se montra enchanté de son portrait, au point d'en commander trois cents photos-cartes. Son épouse, qui l'accompagnait, supplia Doris de lui accorder un rendez-vous dans la semaine : elle était même prête à venir poser à l'heure du déjeuner.

– Et nous serions très heureux de pouvoir vous inviter avec M. Touta un soir à l'Opéra dans notre loge, dit l'homme à barbichette.

Rassurée sur son travail, Doris n'en était que plus troublée par l'attitude de son mari. D'autres incidents lui revenaient en mémoire, qu'elle n'avait pas bien interprétés sur-le-champ. Par exemple, le refus inexplicable de Milo de participer à la première exposition photographique de l'Hôtel-Casino San Stefano à Alexandrie. Tous les grands studios d'Égypte, à commencer par Jacquemart, s'y étaient inscrits. Le khédive avait manifesté son intention d'inaugurer lui-même cette manifestation, où figureraient plusieurs vues de son domaine de Montazah dont il était si fier. La direction du San Stefano avait adressé à Émile Touta une lettre d'invitation plus qu'aimable. Quelle revanche pour lui qui, quelques années plus tôt, dépliait encore son trépied devant le casino dans l'espoir d'obtenir des commandes au concours de bicyclettes fleuries ! Les œuvres de la Mamelouka avaient toutes les raisons d'être le point de mire de cette exposition, d'autant que le journal parisien *Le Temps* venait de lui consacrer un article dithyrambique sous la plume de son correspondant au Caire, largement cité dans la presse égyptienne. Mais n'était-ce pas justement ce succès prévisible qui rebutait Milo ?

Il avait soutenu que le meilleur moyen de se distinguer serait de ne pas être présent au San Stefano : les photos présentées par le studio seraient noyées parmi beaucoup d'autres ; mieux valait organiser quelques mois plus tard une exposition privée, consacrée aux seules œuvres de Doris.

L'argument pouvait, à la rigueur, se défendre. L'affaire du consul d'Italie, en revanche, paraissait injustifiable, et Doris ne la digérait pas. Mais elle était trop orgueilleuse pour demander des explications. Il lui suffisait d'informer Milo de la commande des photos-cartes.

– Trois cents ? fit-il en apprenant la nouvelle. Ces Italiens sont de vrais coureurs de jupons !

# 57

Milo annula la soirée du mercredi suivant, sous prétexte qu'il était souffrant. Cela ne lui ressemblait guère. Solange Popinot passa le lendemain au magasin pour s'assurer qu'il n'avait rien de grave. Bolbol lui expliqua par gestes que le patron faisait une partie de trictrac au café et que la patronne était occupée avec un client dans l'atelier de pose. En ressortant, Solange croisa Milo sur le trottoir, le visage tendu. Elle s'inquiéta de sa santé. Il se sentit soudain vraiment malade.

Un quart d'heure plus tard, ils étaient attablés à la pâtisserie Mathieu, de l'autre côté de la place. Milo raconta ses débuts difficiles dans la photographie, en noircissant beaucoup le tableau. Il se décrivait, grelottant en hiver dans le laboratoire, y passant des nuits entières. Les émanations d'éther lui causaient des étourdissements. Quant aux vapeurs de mercure, échappées de la boîte où se faisait le développement des plaques, elles avaient failli lui faire perdre la vue… Il se décrivait en été, suant à grosses gouttes sous la verrière de l'atelier de pose. Un grand bloc de glace devait être déposé dans une cuvette, au milieu de la pièce, pour refroidir un peu l'atmosphère. Cette chaleur étouffante lui donnait des palpitations… Milo retouchait l'histoire de ses débuts dans la photographie comme il retouchait les portraits de ses clients. A défaut d'être authentique, le récit sonnait juste, et on ne demandait qu'à le croire.

Solange se laissa bercer par cette voix moelleuse, aux sonorités graves, qui l'avait charmée dès leur première entrevue, six ans plus tôt.

– Vous semblez fiévreux, lui dit-elle au bout d'un moment, alors que le serveur apportait une autre théière.

– Je me sens un peu mieux, répondit-il en lui lançant un regard de velours. Grâce à vous.

Ils convinrent de poursuivre cette conversation le lendemain après-midi dans le même établissement.

– Si vous êtes malade, inutile de me faire avertir, dit la Française. Je viendrai ici en tout cas, ça me fera une sortie. Et si je ne vous vois pas au bout d'un quart d'heure, je comprendrai…

Le lendemain, il s'attabla à la pâtisserie Mathieu avec dix minutes d'avance. Elle ne tarda pas à arriver, gaie et parfumée, vêtue d'une robe rose qui moulait audacieusement sa poitrine.

– Un thé indien, comme hier ? demanda-t-il en se levant pour l'accueillir.

– Oui, c'était très bien.

Après avoir passé la commande, Milo la fit rire aux éclats en lui racontant le premier développement de sa carrière dans le cabinet noir : le portrait de son père qui ne se décidait pas à apparaître sur la plaque sensible. Il évoqua les solutions mal dosées, les cuvettes qui se renversaient… Le rire de gorge de Solange avait quelque chose de profondément sensuel.

Milo parla ensuite de sa première photo de classe chez les jésuites. Avec un grand culot, il s'était présenté un matin à la porterie du collège pour proposer ses services, sans aucune recommandation, alors qu'il avait le malheur d'être un ancien élève de la maison concurrente, les Frères des Écoles chrétiennes.

– Nous avons déjà un photographe, lui rétorqua un religieux d'une voix bourrue.

– Oui, mais vous le payez, dit Milo.

– Bien sûr. Et alors ?

– Moi, je paie.

A son interlocuteur ahuri, il précisa, grand seigneur :

– Je vous paierai une livre par photo, puis je m'arrangerai

avec les familles pour les commandes. Par ailleurs, je vous livrerai gratuitement cinq exemplaires pour les besoins du collège.

On l'affecta aux petites classes.

La main potelée de Solange Popinot, saisissant la tasse de thé pour la porter à ses lèvres, était irrésistible. Milo éprouva l'envie brûlante de l'embrasser. Tout en continuant à parler, il effleura d'un doigt le poignet de la Française. Celle-ci tressaillit mais ne protesta pas. Il s'enhardit en rapprochant son genou du sien sous la table. Solange baissa les yeux.

Ils parlaient à voix basse maintenant. Leur conversation était entrecoupée de silences et de petits rires étouffés.

Peu après, elle le rejoignit discrètement dans une chambre du New Hotel. L'audace de ce rendez-vous, en pleine ville et en plein jour, ajoutait au désir qu'ils avaient l'un de l'autre. Milo délaça la robe de Solange avec une facilité qui le surprit. Elle défit elle-même son corset, libérant des seins d'une blancheur éclatante. Milo ne pouvait en croire ses mains : c'était bien une Française, née en France, qui gémissait sous ses caresses. Il la porta jusqu'au lit.

Solange n'était pas de ces femmes, volcaniques en société, qui se montraient étrangement éteintes dans le secret d'une alcôve. Elle s'agrippa à ce corps brun, l'enserra de ses jambes, poussant de longues plaintes à mesure que le plaisir l'envahissait. C'est par de véritables cris qu'elle conclut cette étreinte, qui la laissa transpirante sur le lit à peine défait.

Les cris de Solange avaient-ils franchi la porte ? En sortant dans le couloir un peu plus tard, Milo eut l'impression que le groom de l'étage le félicitait des yeux. Mais peut-être prenait-il ses désirs pour des réalités.

# 58

Les jours suivants, Doris le sentit absent, insaisissable. Il passait de longues heures au café, se faisant remplacer à l'accueil par l'un des opérateurs. Au déjeuner et au dîner, il venait mettre les pieds sous la table et sa conversation se limitait à quelques onomatopées.

Les trois filles souffraient de ce climat. Marthe s'était remise à faire des spasmes, perdant brusquement connaissance pendant quelques instants, avant de reprendre ses esprits comme si de rien n'était.

– Elle cherche à attirer l'attention de son père, dit Doris à Isis.

Nelly, qui courait vers ses huit ans, ne comprenait pas pourquoi Milo venait de lui interdire l'accès de l'atelier, où les opérateurs l'autorisaient à s'asseoir dans un coin lors de certaines séances de pose. Elle s'étonnait d'autant plus de ce revirement qu'il ne lui avait jamais rien interdit.

Mais c'était encore la cadette, Gabrielle, qui paraissait la plus affectée.

– Pourquoi papa est triste quand il rit ? demanda-t-elle un matin.

– Ne dis pas de bêtises ! répliqua Doris, en évitant de la regarder.

Milo avait pris l'habitude de parler à sa femme avec brusquerie. Il lui arrivait de s'emporter pour un rien – un plat trop chaud, une porte mal fermée… – mais évitait toute conversation qui aurait pu permettre, ne serait-ce qu'indirectement, d'aborder les véritables raisons de son mal-être. La nuit, dans leur lit, il se tenait soigneusement à l'écart, comme s'il craignait la contagion. Au cours des derniers mois, déjà, ses caresses avaient la pauvreté de celles d'un homme en manque. Doris n'y répondait guère. Elle aurait seulement désiré le sentir contre elle, sans projet précis, les doigts dans ses cheveux. Comme aux premiers temps de leur mariage, quand ils traînaient le matin dans un lit inondé de soleil.

– On appelle en bas, disait-elle alors, en tendant l'oreille. Je crois que c'est Bolbol. Il doit y avoir un client.

– Le client reviendra, répliquait Milo en l'embrassant dans le cou. Ou alors ce n'est pas un vrai client. Regarde mon oncle Oscar : il revient toujours.

De tout cela, il était impossible à Doris de parler avec Lita. Son amie d'enfance n'éprouvait pour les gestes de l'amour que de l'indifférence, sinon du dégoût. Elle faisait partie de ces mères-vierges qui semblaient avoir enfanté les yeux fermés. Isis, elle, abordait ces sujets avec le naturel d'un médecin mais aussi la frustration d'une femme insatisfaite. Elle écoutait et comprenait, à défaut de pouvoir offrir des solutions.

Le mardi suivant, au déjeuner, Milo apparut méconnaissable : la lèvre tremblante, les yeux injectés de sang. Doris ne pouvait pas savoir ce qui venait de se passer au magasin.

Un nouveau client était entré, lançant d'une voix innocente :

– N'est-ce pas vous qu'on appelle le Mamelouk ?

Milo, qui ne manquait jamais de repartie, était resté bouche bée. Brutalement, il découvrait comment certains le voyaient : ainsi donc, il n'était que l'époux, le collaborateur, l'ombre de la Mamelouka. Celui qui portait la valise. Sans répondre au client, il avait tourné les talons et était allé errer, seul, sur la petite terrasse...

Pour meubler le silence, après que le *soffragui* eut servi le plat principal et quitté la salle à manger, Doris parla des enfants. Nelly songeait déjà à son prochain anniversaire et désirait pour cadeau un appareil portable. Il n'était pas question de lui offrir un objet aussi volumineux, mais la jeune femme se demandait si un Photo-Éclair à obturateur instantané, que certains plaisantins fixaient sous leur gilet pour photographier sans être vus, ne ferait pas l'affaire.

Milo se mit aussitôt à hurler :

– Et pourquoi pas un revolver photographique, pendant que tu y es ? Je ne veux pas que ma fille soit une traînée.

Elle le regarda, stupéfaite.

– Tu ferais mieux de lui apprendre la couture, cria-t-il. Oui, parfaitement, la couture ! Et la cuisine aussi dans la foulée. Pour que son mari ne soit pas obligé de manger de la merde.

Doris plia sa serviette et se leva, sans un mot. Il se dressa alors d'un bond :

– Où vas-tu ? Je ne t'ai pas autorisée à quitter la table.

Tandis qu'elle s'éloignait, toujours silencieuse, il se précipita vers elle et lui tira violemment le bras.

– Laisse-moi, murmura la jeune femme.

Il la gifla alors de toutes ses forces, à trois reprises.

Étourdie, elle resta figée quelques secondes. Puis elle courut jusqu'à la chambre et s'y enferma à double tour. Elle resta appuyée contre la porte, tremblant de tout son corps.

Jamais elle n'aurait pu imaginer un tel geste de sa part. Ni de quiconque d'ailleurs : le jour où Mère Marie des Anges, au pensionnat, avait tenté de la gifler pour une insolence, elle avait poussé un tel cri que la religieuse s'était éloignée, furieuse, en claquant la porte.

Doris se regarda dans la glace de la table de toilette. Sa lèvre inférieure saignait. Cela lui faisait une bouche immense, barbouillée de rouge. Comme sur la miniature… La main tremblante, elle se tamponna la lèvre avec un morceau d'ouate humide. Puis, elle détourna la tête pour ne pas se voir pleurer.

Milo passa l'après-midi au café, avec ses partenaires de trictrac. Il était gai, comme soulagé d'un certain poids. La perte de la première partie ne l'affecta nullement. Il félicita même son adversaire d'avoir une telle chance.

Bolbol vint l'appeler vers quatre heures parce qu'un client le demandait au magasin.

– Qu'il aille voir l'un des opérateurs ! lança-t-il. Je n'ai pas fini ma partie.

Une partie mal engagée, qu'il allait perdre certainement, et qui en appellerait au moins une autre. Mais cela ne l'empêchait pas de plaisanter, demandant à son partenaire où il avait appris à jouer avec des dés truqués.

Bolbol revint pousser un éclat de rire une quarantaine de minutes plus tard en signalant la présence d'un client important, qui venait se plaindre d'un tirage défectueux. Milo s'énerva :

– Fiche-moi la paix, à la fin ! Ma femme n'a qu'à s'en occuper !

Et il lança les dés d'un geste sec, comme pour exiger un double six. C'était encore raté. Il poussa un gros juron, un vrai juron de trictrac, que les personnes massées autour de la table apprécièrent par des sourires ou des grognements.

Quand Bolbol apparut la troisième fois, d'un air ahuri, il faisait déjà nuit. Milo faillit lui envoyer le jeu à la figure.

– La dame est partie..., balbutia l'employé.

Un silence inhabituel régnait dans la maison. L'armoire de la chambre à coucher était ouverte, à moitié vide. Tous les flacons qui se trouvaient sur la table de toilette avaient disparu. Les bonnes, en larmes, expliquèrent à Milo que la dame avait entassé ses affaires dans plusieurs malles et fait appeler un fiacre. Elle était partie avec les trois filles.

# 59

Doris ne s'était pas contentée d'emporter ses effets personnels et ceux des petites : sur un deuxième fiacre, à côté des malles, elle avait fait charger aussi l'appareil de campagne qu'on n'utilisait plus qu'en été à Fleming.

– Je suis prête à partir au Soudan, dit-elle d'emblée à Maxime Touta, après avoir été introduite dans son bureau.

Le rédacteur en chef du *Sémaphore d'Alexandrie* était interloqué.

– Vous me l'aviez pourtant suggéré un soir, remarqua la Mamelouka.

– Oui, en effet… Mais je ne pensais pas que cela vous serait possible.

– C'est possible.

– Et vous partiriez seule ?

– Oui.

Il ne posa pas d'autres questions, se déclarant simplement ravi de pouvoir compter sur un reportage photographique, le premier de ce genre pour son journal. Divers articles avaient été publiés sur la nouvelle administration anglo-égyptienne depuis la chute d'Omdurman. Les lecteurs du *Sémaphore*, comme ceux d'autres quotidiens, avaient pu voir quelques photos sur la reconstruction de Khartoum, mais c'étaient des documents d'une grande banalité. Il y manquait l'œil d'un artiste.

Maxime désigna du doigt deux gravures accrochées au mur :

– Ismaïlia, mon premier reportage. Je n'étais même pas journaliste et j'avais dû signer sous un pseudonyme… Là, c'est la place des Consuls à Alexandrie, sous les décombres. J'avais eu la chance d'être présent lors du bombardement de 82. Cette fois, ils ont dû m'embaucher… *Le Sémaphore* est venu s'installer au Caire peu après, mais en gardant le nom qui l'avait rendu célèbre. Cinq ans plus tard, le petit dernier que j'étais devenait rédacteur en chef, bien que non-européen.

Doris connaissait naturellement le parcours de Maxime Touta, qui faisait partie de l'historiographie familiale. Le cousin de son mari devait bien se rendre compte qu'il ne lui apprenait rien. Elle en conclut qu'il voulait la mettre à l'aise, ou alors gagner du temps pour réfléchir.

– Qu'attendez-vous de moi ? demanda-t-elle.

– Rien de précis… Enfin, ce que vous jugerez bon de photographier. Vous allez devoir sortir de votre spécialité, faire autre chose que des portraits.

– Ça me changera.

– Mais je ne cracherais pas sur un portrait de Wingate, par exemple…

Sir Reginald Wingate, l'ancien chef des renseignements britanniques au Caire, qui avait organisé l'évasion de Slatin pacha, venait d'être nommé sirdar de l'armée égyptienne et gouverneur général du Soudan. Il succédait à Lord Kitchener, appelé dans le Transvaal pour diriger la lutte contre les Boers.

– Wingate concentre entre ses mains tous les pouvoirs civils et militaires, expliqua le journaliste. Personne n'est dupe du condominium anglo-égyptien sur le Soudan. Cette formule a été inventée par les Britanniques pour masquer leur annexion pure et simple du pays mahdiste. Mais vous risquez de trouver un peu d'agitation en arrivant. Avez-vous entendu parler de la révolte du 14$^{e}$ régiment soudanais ?

Elle fit non de la tête. Il raconta alors qu'à Khartoum un commandant anglais avait jugé bon de jeter deux ou trois hommes dans le Nil pour les forcer à nager. La méthode n'avait pas été du goût des soldats, qui s'étaient rebellés.

Maxime discuta ensuite avec la jeune femme des différents thèmes photographiques qu'elle pourrait aborder au Soudan. Visiblement, il lui faisait confiance, persuadé en tout cas qu'une telle signature ne pourrait que distinguer son journal.

– Êtes-vous sûre de ne pas avoir besoin d'assistance sur place ? demanda-t-il. *Le Sémaphore*, qui a longtemps été jugé coupable de francophilie, est mieux accepté par les Anglais depuis l'accord passé entre Paris et Londres. Je pourrais, si vous le voulez…

– Non, ce n'est pas nécessaire. Je me débrouillerai.

Un employé du journal achèterait le billet de train et télégraphierait à Khartoum pour lui réserver une chambre d'hôtel.

– Naturellement, dit Maxime, vos frais de voyage et de séjour seront pris en charge par *Le Sémaphore*. Vous pourrez commercialiser vos photos après leur publication. Quant à vos émoluments…

– Je suis sûre que vous ferez tout ça pour le mieux, dit Doris en se levant.

Le journaliste la raccompagna jusqu'à la rue.

– Mon cousin va bien ? demanda-t-il sur le trottoir.

Sans répondre, elle lui fit un petit salut de la main et monta dans le fiacre qui l'attendait.

Milo avait commencé par passer d'une chambre à l'autre, incrédule. Les gémissements des bonnes lui étaient insupportables. Il les couvrit d'insultes, faillit même les frapper, puis leur ordonna de déguerpir au plus vite.

Bolbol, qui errait dans le magasin comme un chien en deuil, s'attira à son tour une violente diatribe :

– Elle t'a payé pour que tu te taises ? Avoue ! Non, même pas ? C'est vrai, tu es trop bête. Et tu es allé appeler un fiacre, abruti ! Deux fiacres même ! Pourquoi pas un wagon de tramway ?

Ni les bonnes ni Bolbol ne savaient où Doris avait emmené les filles. Chez ses parents sans doute… Milo ne se voyait pas en train de frapper à la porte de son beau-père, avec qui il entretenait des relations assez froides : « Vous n'auriez pas vu ma femme, par hasard ? » Plutôt mourir. Léon Sawaya lui avait toujours donné l'impression de le mépriser. Aurait-il accepté de marier sa fille à ce photographe sans envergure s'il ne s'était pas appelé Touta ? Les premières années, le courtier ne supportait pas l'idée que Doris pût travailler pour aider son mari à boucler les fins de mois. Mais, à partir du moment où elle était devenue célèbre et facturait cher ses portraits, il n'avait plus rien eu contre le travail féminin. C'était tout juste s'il n'accusait pas son gendre de l'avoir épousée pour ses revenus.

La colère de Milo céda bientôt la place à l'abattement. Il resta toute la soirée dans le noir, sans dîner. Un verre de gin lui laissa un goût âcre dans la gorge, mais il en but à nouveau, presque en se forçant. De temps en temps, une idée folle lui traversait l'esprit : faire irruption chez les Sawaya, renverser des meubles, briser de la porcelaine, traîner Doris par les cheveux... Il s'endormit vers quatre heures du matin, affalé dans son fauteuil, la bouteille de gin vide gisant sur le parquet.

Instinctivement, la première idée de Doris avait été d'emmener les filles à Hélouan. Sans doute l'aurait-elle fait si Nonna n'avait pas été aussi diminuée par ses ennuis vasculaires. Depuis sa maladie, on ne savait jamais comment elle réagirait. La vieille dame pouvait être parfaitement normale, égale à ce qu'elle avait toujours été, ou alors étonnamment incohérente. On l'entendait tenir sur la photographie des propos qui ne lui ressemblaient guère. Elle attribuait à chaque image une sorte de réalité humaine ou de pouvoir magique, persuadée par exemple que l'on pouvait faire souffrir à distance une personne en piquant son portrait avec une épingle. Elle citait le cas de son mari, décédé à Alexandrie quelques heures après que sa photographie, accrochée dans la chambre à coucher de Hélouan, se fut malencontreusement détachée pour tomber au sol. Le cadre qui l'enserrait avait été tordu et le verre brisé... Mais sa propre photo, réalisée par Doris, était toujours en bonne place sur sa table de nuit.

Abandonnant l'idée de prendre le train pour Hélouan, la Mamelouka avait débarqué, avec les trois filles, chez les Tiomji en début d'après-midi. Moins d'une heure après, elle se rendait au *Sémaphore.*

Lita était affolée :

– Bien sûr que je m'occuperai de tes filles, chérie ! Mais toi ? Toi, comment vas-tu faire ? Ne me dis pas que tu vas voyager seule ! Chez ces sauvages !

Doris avait dans le regard la froide détermination qui inquiétait son amie depuis l'enfance.

– Mais tu ne connais personne à Khartoum...

– Je connais le lieutenant Elliot.

– Elliot ? Le grand blond qui venait se faire photographier chez vous ?

– Lui-même.

– Mais, chérie...

– Je t'en prie, Lita ! dit la jeune femme d'une voix ferme, mettant un point final à cette conversation.

Le lendemain, elle prenait le train à Bab el-Haddid, avec deux malles, l'appareil de campagne et un sac bourré de matériel.

Richard Tiomji se présenta chez Milo en fin de matinée. Le domestique qui lui ouvrit expliqua que son patron était malade et qu'il ne pouvait voir personne. L'éleveur d'autruches entra malgré tout. Milo apparut, le visage blême.

Richard lui fit savoir, d'un ton embarrassé, que les trois petites étaient avec Lita, mais que Doris venait de prendre le train pour Khartoum.

– Pour Khartoum ? s'exclama Milo ébahi.

Richard Tiomji détestait la démarche qu'il était contraint de faire à la demande de la Mamelouka. Toute cette histoire ne lui disait rien de bon, depuis le début. Lui n'aurait jamais autorisé son épouse à se livrer à une quelconque activité professionnelle.

– Les femmes doivent être vissées, aimait-il à dire en écrasant son cigare dans le cendrier.

Mais il n'aurait pas osé énoncer une telle maxime devant Doris, qui l'impressionnait de plus en plus. Et, la veille, quand elle l'avait chargé de cette mission, il n'avait pas protesté.

– Je te remercie, dit Milo qui le poussa quasiment dehors pour s'enfermer à nouveau.

Mal à l'aise, l'éleveur d'autruches se demanda, sur le chemin du retour, si Milo l'avait remercié pour une information ou une trahison. Il alluma nerveusement un cigare, en songeant à la scène qu'il ferait ce soir-là à sa femme si elle osait invoquer une migraine pour se refuser à lui.

# 60

« Au début du voyage, m'avait dit le rédacteur en chef du *Sémaphore*, je vous conseille de prendre place à la droite du compartiment, pour voir les pyramides. A la hauteur de Minia, au contraire, il faut se mettre à gauche pour le coup d'œil sur Béni Hassan et la vallée du Nil. Puis, de nouveau à droite, jusqu'à Assouan. Après Assouan, je ne sais pas. » Droite, gauche, droite... Alors que le train prenait de la vitesse à la sortie du Caire, je songeais à ce conseil de Maxime, le seul membre de la famille Touta à être descendu jusqu'à la frontière soudanaise. Mais j'allais, moi, beaucoup plus loin, jusqu'à Khartoum, grâce à la ligne de chemin de fer construite pendant la reconquête du Soudan et dont le dernier tronçon venait d'être inauguré.

« Du Caire à Khartoum, ça doit faire quelque chose comme cinquante heures de voyage, m'avait lancé d'une voix lasse le contrôleur, qui surveillait la pesée des bagages sur le quai. Cinquante heures, ou peut-être soixante ou soixante-dix. En tout cas, on finit toujours par arriver, si Dieu le veut. » Je lui avais machinalement glissé une pièce dans la main, pour le remercier de ce précieux renseignement.

Le compartiment de première classe était vide. Je m'en félicitai, n'ayant aucune envie de raconter ma vie à quiconque. J'avais emporté plusieurs livres, dont *Fer et Feu au Soudan*, le récit de captivité de Slatin pacha. Quand William Elliot m'avait offert la traduction française de cet ouvrage, je ne pensais pas que je l'ouvrirais un jour. Les pages n'en étaient toujours pas découpées. « Toute personne civilisée devrait lire ce témoignage ! » répétait l'officier, qui en avait fait son livre de chevet. Je me fichais bien, à l'époque, de Slatin et du Soudan…

En passant devant les pyramides de Guizeh, le souvenir de ma première excursion photographique, huit ans plus tôt, me revint en mémoire. Cela semblait si loin ! Et dire que j'avais utilisé le même appareil de campagne que celui qui m'accompagnait aujourd'hui … Seuls quelques accessoires avaient été remplacés. Ce jour-là, aux pyramides, le voile noir volait au vent. Des bédouins s'étaient approchés… Je me souvenais du retour en ville, puis de l'interminable séance de développement. De la nuit qui avait suivi. Jamais nos corps ne s'étaient si bien accordés… Je sentis les larmes monter en moi et me submerger.

Je tentais en vain de me plonger dans le récit de Slatin pacha. Ma lecture s'interrompait au milieu d'une ligne. J'étais ailleurs. L'Autrichien racontait comment il avait été fait prisonnier par les hommes du mahdi. On l'avait mis aux fers pendant huit mois, ne lui donnant pour nourriture que des grains de maïs. Pendant ce temps, le général Gordon et ses soldats étaient toujours assiégés à Khartoum. Un jour, Slatin avait entendu une foule vociférante s'approcher de sa cellule. Trois hommes y avaient fait irruption en ricanant. L'un d'eux portait dans les mains un linge ensanglanté. C'était la tête du général Gordon.

*Le sang me monta aux joues et j'eus l'impression que mon cœur cessait de battre. D'un effort terrible, je me contins pourtant et contemplai ce lugubre spectacle. Les yeux bleus étaient à demi ouverts, la bouche avait conservé sa forme naturelle, les cheveux et les favoris courts étaient presque blancs...*

Je reposai le livre sur mes genoux pour regarder le paysage. Je pensais à mes filles, en évitant de pleurer. « Pourquoi tu ne nous emmènes pas dans ton grand voyage ? avait demandé Gabrielle. On ne te gênera pas, je t'assure. » Je toussotai plusieurs fois, gênée par la poussière qui s'infiltrait dans le compartiment. « En deuxième classe, c'est pire », avait précisé

Maxime Touta. Et que dire alors de la troisième, d'où Solange Popinot, avide de sensations fortes, s'était fait refouler un jour en compagnie de son mari parce que les étrangers n'y étaient pas admis ?

A la station de Samallout, je descendis sur le quai, mon verre à la main, et le tendis à un marchand d'eau.

En repartant, le train longea des champs de canne à sucre et de coton. J'aperçus, sur la rive du Nil, la fameuse montagne aux oiseaux. De nombreuses voiles sur le fleuve formaient un tableau splendide, qu'en d'autres circonstances j'aurais regretté de ne pouvoir photographier. Mais la photographie, en ce moment, était le dernier de mes soucis. Je repris difficilement ma lecture.

Après la mort du mahdi, Rudolph Slatin avait vu sa situation s'améliorer : il était devenu un domestique du nouveau maître du Soudan, le khalife Abdallah. Ce n'était pas très glorieux, mais mieux valait se tenir à la porte du prince et marcher devant sa monture que de croupir enchaîné au fond d'une case. Au bout de deux ans, Abdallah avait offert à Slatin un cheval : l'ancien lieutenant de Gordon, l'ex-gouverneur du Darfour, ne serait plus portier et coureur. Il aurait même une maison. Pour le récompenser de ses services, le khalife lui offrait de temps en temps une esclave, que l'Autrichien s'arrangeait pour échanger contre quelques pièces.

*Abdallah avait quatre cents femmes, dont quatre légitimes. Elles étaient de toutes les races, du noir le plus foncé au blanc le plus pur. Ce harem était divisé en groupes de quinze ou vingt, ayant chacun une directrice à sa tête. De temps en temps, le khalife passait en revue son armée pour faire du ménage : il se débarrassait de celles qui ne lui plaisaient plus pour les offrir à ses émirs ou à ses domestiques...*

Bercée par les tremblements du train, je finis par somnoler. Je ne me réveillai qu'à l'entrée de la gare d'Assiout et fus aussitôt envahie par la tristesse. Les événements des derniers jours me revenaient en mémoire. Le regard de Milo. La brutalité de sa voix. Cette gifle… Je m'aperçus alors que j'avais oublié de me mettre à la gauche du compartiment comme me l'avait conseillé Maxime Touta.

Un groupe compact d'Européens habillés de couleurs vives attendait sur le quai. « Agence Cook ! » lança comme un sésame l'employé hautain qui les accompagnait. Le contrôleur s'écarta respectueusement. « Jusqu'à Assouan, deux calamités vous guettent, m'avait dit le rédacteur en chef du *Sémaphore* : la poussière et l'agence Cook. Après Assouan, je ne sais pas… »

Les touristes anglais montèrent dans le compartiment. Le contrôleur s'assura qu'ils étaient tous bien assis avant de donner son coup de sifflet. Ils commencèrent par entonner un chant guerrier, coupé de rires, en souvenir de la malheureuse *dahabieh* qui leur avait fait remonter le Nil du Caire à Assiout. Puis ils poussèrent quelques vivats. Ayant essayé de lire, j'y renonçai assez vite. *« Are you Egyptian ? »* me demanda ma voisine, une grosse rouquine au visage couperosé. Je répondis en français que j'étais Syrienne d'Égypte, ce qui, visiblement, ne signifiait rien pour la cliente de l'agence Cook. « Vous êtes *native* et vous voyagez seule ! » s'exclama la grosse dame, de l'air gourmand d'une touriste qui venait d'apercevoir une curiosité.

La conversation en resta là. Un peu plus tard, quand toute la horde chantante partit envahir le wagon-restaurant, je décidai de ne pas y aller. Je me contenterais de puiser dans le panier à provisions que Lita m'avait préparé.

A Louksor, il fallait changer de train. J'étais courbatue par seize heures de voyage et avais les yeux et la gorge irrités par la poussière. Pour rien au monde je n'aurais poursuivi ma route avec des Cook. Heureusement, ils n'allaient pas plus loin.

Jusqu'à Assouan, je partageai le compartiment avec un vieux notable de village enturbanné, qui dormit du début à la fin. Ses ronflements avaient fini par se confondre avec le roulement monotone de la machine. Moi-même je m'assoupis plusieurs fois, fis un cauchemar et poussai un cri en me réveillant. Le livre de Slatin en était directement responsable. L'Autrichien racontait la sauvagerie avec laquelle le khalife s'était débarrassé d'une tribu rebelle :

*Sur la place du marché, les infortunés Batahin avaient été divisés en trois groupes. Tous les membres du premier groupe furent pendus. Tous les membres du deuxième furent décapités. Quant aux membres du troisième groupe, on leur coupa à tous la main droite et le pied gauche... C'était un horrible spectacle.*

D'Assouan à Halfa, je ne parvins pas à fermer l'œil. Je repensais à la manière dont Milo m'avait giflée. Alors que j'étais étourdie par le premier coup, il m'avait frappée encore et encore. Je n'avais pas eu le temps d'avoir mal. Même ensuite, quand j'avais repris mes esprits, ma souffrance n'était pas physique. La honte, plutôt, ou la rage... C'était mon visage dans la glace, l'image de ma lèvre ensanglantée qui m'avaient révoltée.

J'espérais dormir un peu mieux dans le train de luxe qui était censé nous conduire de Halfa à Khartoum en vingt-sept heures. Ma couchette de première, non loin du wagon-restaurant, paraissait très confortable. Ce train tout neuf comptait quatre classes, la dernière étant réservée aux Soudanais.

Sur le quai, un homme maigre en tenue de clergyman, affublé de petites lunettes rondes de couleur bleue, s'approcha du compartiment, suivi d'un Noir qui portait son ombrelle ouverte et sa valise. « J'ai un billet de deuxième classe, dit-il en anglais au contrôleur, mais je paierai le supplément... Non, non, pas de couchette. Les autres dorment et moi je veille. »

Se présentant comme le révérend Peter Richardson, de l'Église d'Angleterre, le passager me regarda sévèrement en me demandant si j'étais accompagnée, puis si j'allais rejoindre mon mari à Khartoum, et enfin si j'étais veuve. Ma triple réponse négative assombrit le visage de l'ecclésiastique, qui prit place d'autorité en face de moi alors que le reste du compartiment était vide.

Le révérend Richardson parlait un français approximatif. Il précisa d'entrée de jeu que son voyage au Soudan n'avait rien de touristique : il allait rejoindre une mission anglicane, qui venait enfin d'obtenir l'autorisation de s'installer à une centaine de kilomètres au sud de Khartoum. « D'habitude, dit-il, dans les contrées sauvages, ce sont des missionnaires et des marchands qui ouvrent la voie à la civilisation. Les soldats ne font que les y rejoindre. Mais, au Soudan, c'est l'inverse qui s'est produit. Les militaires ont foulé les premiers le sol d'Omdurman et, curieusement, ils ont empêché les missionnaires de les suivre. »

Le révérend Richardson semblait outré par l'attitude de Lord Cromer, qui avait tout fait pour écarter les hommes d'Église du Soudan reconquis. Le consul britannique avait invoqué l'insécurité qui régnait encore dans le pays, mais aussi le risque de réveiller le fanatisme islamique en y plantant la croix trop ostensiblement. Cela révoltait l'ecclésiastique : « Après la victoire, Cromer a prononcé un grand discours à Omdurman. Il s'est engagé à ne pas mettre en cause l'islam. Il a même promis de favoriser la construction de mosquées. Vous vous rendez compte ! »

Je n'avais aucun point de vue sur la question et ne tenais nullement à en débattre avec mon interlocuteur. Je m'excusai et me levai, pour me diriger vers le wagon-restaurant.

De Halfa à Abou Hamed, la ligne de chemin de fer construite par les troupes anglo-égyptiennes coupait la grande boucle du Nil en ligne droite, à travers le désert. Huit stations intermédiaires, numérotées de 2 à 9, y avaient été aménagées. Je me souvins d'une lettre de William Elliot dans laquelle il racontait comment cette ligne de plus de trois cents kilomètres était construite.

*Nos ingénieurs dirigent les travaux avec une énergie remarquable. Chaque jour, des dizaines de rails sont posées sous un soleil écrasant...*

Je me rendis compte que je connaissais par cœur un passage entier de cette lettre.

Pendant tout le repas, je m'amusai à regarder des gazelles qui couraient à côté du train. Je ne revins dans le compartiment qu'à l'approche de la station n° 7. Le train s'arrêta dans un crissement d'essieux. On ne voyait rien des deux côtés de la voie, sinon le désert à perte de vue.

« Je vous parlais de Cromer, dit le révérend Richardson. Savez-vous que, depuis des années, nous collectons des fonds pour créer au Soudan une mission Gordon ? Avant même la bataille d'Omdurman, nous étions prêts à nous y installer. Et nous n'étions pas les seuls : les presbytériens et les catholiques figuraient aussi sur les rangs. » Je tentai d'ouvrir mon livre, mais le pasteur poursuivait de la même voix sourde : « Non, je ne comprends pas Cromer. L'islam est un fanatisme barbare et dangereux. Il est du devoir de tout chrétien de le combattre jusqu'à la mort, comme l'avait fait Gordon. Le sacrifice de ce héros a été un exemple pour la jeunesse britannique. »

Je ne savais quoi dire. Mais le révérend Richardson n'attendait de moi ni remarques ni approbation. Sa voix résonnait, comme du haut d'une chaire, dans une église vide : « Nous sommes des bâtisseurs d'empire. La victoire d'Omdurman est dans l'ordre de Dieu. C'est la récompense d'une supériorité naturelle du peuple anglais, appelé à porter le fardeau de l'homme blanc. Dieu nous demande de prendre en charge le Soudan, de le sortir de l'obscurantisme et de la barbarie. Notre seule récompense sera le sentiment du devoir accompli. »

Peu après, je rejoignis ma couchette, laissant l'ecclésiastique en tête à tête avec le Seigneur. J'espérais bien ne le revoir que le plus tard possible le lendemain matin.

Le sable du désert n'avait cessé de s'infiltrer dans le compartiment toute la nuit. Au réveil, je m'aperçus que les sièges étaient jaunâtres, comme d'ailleurs mes cheveux et mes habits.

Sur le quai de la station de Damer, des Soudanais attendaient les rares passagers avec de grands plumeaux. L'un d'eux se précipita vers moi pour m'épousseter la robe et le visage. Je me laissai faire et donnai à l'homme la pièce qu'il espérait.

De Damer à Khartoum, je fis l'impossible pour échapper à la conversation du révérend Richardson. Je m'assis au bout du compartiment, lui tournant le dos, et me plongeai délibérément dans le livre de Slatin.

Vers la fin du voyage, à la hauteur de la sixième cataracte, alors que le paysage devenait de plus en plus verdoyant, l'homme d'Église s'approcha de moi et vint me réciter quelques vers en anglais où il était question du fardeau de l'homme blanc *(white man's burden).* « Connaissez-vous l'auteur de cette merveille ? demanda-t-il. C'est un poème spécialement composé après la bataille d'Omdurman. » Je fis non de la tête. Le révérend Richardson inscrivit alors du doigt sept lettres sur la poussière de la banquette :

KIPLING

# 61

J'étais un peu étourdie en sortant de mon sleeping poussiéreux, après ce voyage interminable. Le quai paisible de Khartoum, surveillé par quelques soldats anglais, n'avait rien à voir avec l'animation et la cohue de la gare du Caire. Mais l'air vif du matin me réveilla. Après avoir pris congé du révérend Richardson, je suivis les trois porteurs qui s'étaient emparés de mes bagages.

La vue du Nil bleu me bouleversa. Ce fleuve majestueux, traversé de grandes voiles blanches, méritait bien son nom. Un beau soleil d'hiver se reflétait sur l'azur de l'eau. Pour la première fois depuis le début de mon voyage, j'éprouvai un sentiment de bonheur.

Je me laissai conduire au débarcadère, en compagnie d'un Européen renfrogné qui n'ouvrit pas la bouche jusqu'à l'autre rive. L'hôtel à deux étages, garni de vérandas, semblait flotter sur l'eau. L'une de ses ailes était encore en construction. En nous voyant approcher, les ouvriers suspendirent leur travail et nous firent de grands signes. « L'hôtel est neuf, comme tous les bâtiments de Khartoum, précisa le patron en nous accueillant sur le ponton. Quand il est arrivé ici, il y a dix-huit mois, le général Kitchener n'a trouvé qu'un champ de ruines. Ces sauvages s'étaient évertués à tout détruire, avant d'aller s'établir à Omdurman, de l'autre côté du fleuve. Ils avaient heureusement oublié de raser les arbres fruitiers. Nous avons d'excellents fruits, vous verrez... »

Ma chambre était au deuxième étage. Vaste, à peine meublée, elle respirait une odeur de peinture fraîche qui me plut.

J'avais besoin de neuf. Du balcon, on ne voyait que le fleuve, s'étendant à perte de vue. Un steamer blanc, haut ponté, passa lentement devant l'hôtel et donna un coup de trompe, comme pour saluer notre arrivée.

Ma première idée avait été de faire porter un billet à William Elliot pour l'informer de ma présence. Mais je me ravisai, préférant m'installer d'abord, me reposer un peu, reprendre en quelque sorte possession de moi-même. Avec, peut-être aussi, le désir de goûter l'attente, comme lorsque je recevais une lettre de lui et la glissais dans mon corsage, pour ne l'ouvrir que plus tard.

Ce n'est qu'au milieu de l'après-midi que je confiai une enveloppe à un employé de l'hôtel, avant d'aller lire sur le balcon. Slatin décrivait de manière effrayante la grande famine de 1889 à Omdurman, au cours de laquelle il avait vu deux femmes agenouillées devant un âne mort, en train de dévorer ses entrailles… Je fermai le livre et m'accoudai à la balustrade.

Moins d'une demi-heure plus tard, le major Elliot faisait irruption dans le hall de l'hôtel, tout essoufflé. Je l'aperçus du balcon, très émue. Je ne m'attendais pas à le voir si vite. Tête nue, en uniforme de service kaki, il était encore plus séduisant que je ne l'imaginais.

J'attendis pour descendre qu'un employé vienne frapper à ma porte. Dans le hall, William se précipita vers moi et me baisa longuement la main. « Vous, ici ! » dit-il, incrédule.

Son visage buriné, assombri par le soleil du Soudan, soulignait le bleu de ses yeux. « Vous ici ! » répéta-t-il.

Nous n'allions pas rester ainsi, au milieu du hall, sous les regards des employés de l'hôtel. « Auriez-vous le temps de prendre une tasse de thé ? demandai-je.

– Le temps ! Quel temps ? Je n'ai plus rien à faire puisque vous êtes là ! »

La grande véranda était déserte. Nous choisîmes une table au hasard. J'aperçus, sur les pattes d'épaules de sa tunique, les insignes de son nouveau grade : une couronne et une étoile en métal doré.

Devançant ses questions, je lui expliquai que je devais

réaliser un reportage photographique pour *Le Sémaphore d'Alexandrie*, mais ne dis rien de ma rupture avec Milo. Il m'écoutait sans y croire, ne se faisant toujours pas à l'idée que je me trouvais là, en face de lui. Il me reprocha de ne pas l'avoir averti de mon arrivée. « Ça s'est décidé très vite, expliquai-je… Et vous, alors, que devenez-vous ? Racontez-moi. »

Je n'avais pas de nouvelles de lui depuis onze mois. A la suite de notre rencontre clandestine au Caire, William s'était douloureusement résolu à m'oublier. Dans une lettre, qui ressemblait à un adieu, il m'avait fait connaître son intention de rester en poste au Soudan. Vis-à-vis de ses collègues et de sa famille, cela pouvait s'expliquer : nombre d'officiers anglais étaient en liste d'attente, à Londres comme au Caire, pour servir dans ce pays mystérieux, encore tout auréolé de la victoire contre les mahdistes. William demanda donc une fonction sur place et, compte tenu de ses faits de guerre, n'eut aucun mal à l'obtenir. On lui confia la surveillance du marché d'Omdurman.

« Peut-être pourriez-vous m'aider à approcher certains responsables ? demandai-je.

– Naturellement ! Je ferai l'impossible. Mais, devant vous, Doris, les portes devraient s'ouvrir toutes seules. Il y a si peu de femmes ici, si peu de jolies femmes ! »

Je lui fis remarquer que je n'étais pas européenne. « Quelle importance ? s'exclama-t-il. D'ailleurs, vous êtes connue. J'ai eu un choc, l'autre jour, en voyant une photo-carte de Lord Cromer portant la signature de votre studio. “C'est un portrait réalisé par Doris Touta, le meilleur photographe d'Égypte”, m'a répondu un collègue qui revenait du Caire. Vous imaginez ma surprise… et ma fierté ! »

Pour me présenter la ville, William Elliot demanda au serveur une feuille de papier et un crayon. Tandis qu'il dessinait un plan à grands traits, j'observais sa main : cette main aux ongles parfaits qui, tant de fois, avait dû s'appliquer pour m'écrire. « Il y a deux villes en réalité, au confluent du Nil bleu et du Nil blanc, expliqua-t-il. Omdurman, la ville indigène, s'ouvre sur le désert. Elle tourne le dos au fleuve, que le mahdi et ses disciples fanatiques considéraient comme la voie d'accès des infidèles. Tandis que Khartoum, la ville coloniale, a une végétation luxuriante. Redessinée par nos urbanistes, ce sera un nouveau Caire. Sa forme est celle d'un damier, avec des avenues perpendiculaires et quelques rues diagonales. Comme cela. » Voyant mon air interrogatif, il poursuivit en riant : « Oui, le dessin ressemble au drapeau britannique. Mais vous noterez que le nom des rues respecte parfaitement le condominium anglo-égyptien : ici, par exemple, Victoria Avenue est coupée par Khedive Avenue. » Avec la même gaieté, il ajouta : « Seul le sport, en fin de compte, fait le lien entre la ville coloniale et la ville indigène : si le Club de golf est de ce côté-ci, le Polo Club est à Omdurman. »

William Elliot se proposait de me faire visiter tout cela à partir du lendemain. Me souvenant de ce que m'avait dit le rédacteur en chef du *Sémaphore*, je lui demandai s'il n'y avait pas une certaine agitation en ville. Il se fit rassurant : « Tout est rentré dans l'ordre. Quelques officiers indigènes ont été reconnus coupables par un tribunal militaire. Ils ont dû remettre leur sabre et ont été transférés en Égypte. Ils resteront détenus à la Citadelle du Caire jusqu'au retour du khédive, lequel est en balade quelque part, comme d'habitude… Ici, chère Doris, les gens ne comprennent que la force. Les mahdistes employaient la force. Nous l'employons aussi, mais de manière civilisée.

« Est-ce que la force peut être civilisée ? » murmurai-je. Il me regarda, sans comprendre.

En me quittant vers sept heures du soir, William me baisa la main, encore plus longuement qu'à l'arrivée. Je cachai mon trouble derrière un sourire un peu figé. Durant tout le reste de la soirée, je ne pus me défaire du souvenir de ses lèvres sur ma peau.

# 62

Nous avions rendez-vous à neuf heures du matin. Trois fois, depuis le petit déjeuner, j'avais changé de toilette, choisissant finalement une robe princesse à volants. L'officier se présenta avec cinq minutes d'avance, la mine réjouie : « A Khartoum, tout le monde ne circule qu'à dos d'âne ou en pousse-pousse. Mais j'ai réussi à me procurer un tilbury. » Il m'invita à monter à côté de lui et prit les rênes.

Avec ses maisons basses et ses avenues désertes, bordées de très jeunes arbres, Khartoum ressemblait à une ville endormie. Nous passâmes devant l'endroit où serait érigée une statue en bronze de Gordon : le héros se tiendrait sur un chameau, une petite canne à la main. « C'est ici qu'il a été tué », précisa William en désignant du doigt le palais du gouverneur, une grande bâtisse blanche, avec des vérandas à arcades, sur laquelle flottaient côte à côte les drapeaux égyptien et britannique. Des palmiers imposants cachaient une partie de la façade. Devant le portail, des soldats soudanais, haut perchés sur des jambes filiformes, étaient coiffés d'un tarbouche très allongé, garni d'un pompon.

« Et voici le Gordon Memorial College ! » annonça-t-il. Nous nous approchâmes d'un vaste chantier où résonnaient des coups de pioche et de marteau. Des murs de brique sombre avaient déjà surgi de terre : on commençait à installer la charpente du toit. « Cette école symbolisera l'entrée du Soudan dans la civilisation. » Voyant mon air sceptique, il insista : « Oui, la civilisation. Notre mission n'est pas seulement de rétablir l'ordre dans le pays, de reconstruire Khartoum et de lutter contre les épidémies : elle est aussi d'abolir l'esclavage et de fonder des écoles. »

Je lui fis part de ma rencontre avec le missionnaire anglican. « Ah, les missionnaires ! fit-il. On leur a demandé de ne pas s'occuper des musulmans mais des païens. Leur place est à Fachoda, pas à Khartoum. De toute manière, leurs efforts seraient inefficaces : nous devons civiliser les Soudanais avant de les christianiser. » William Elliot m'expliqua que l'action civilisatrice des Britanniques était plus facile au Soudan qu'en Égypte : « Ici, nous pouvons agir sans entraves, alors qu'en Égypte notre tâche est compliquée par l'existence d'un milieu cosmopolite d'Européens et de Levantins qui perturbe nos relations avec le peuple.

– En somme, nous vous gênons, lui dis-je.

– Oh, pas vous, Doris ! Pas vous ! »

Il fit un détour par le quartier résidentiel, sur le bord du Nil, pour me montrer quelques villas en construction. Puis il s'engagea dans une rue où s'alignaient de petites maisons, entourées de pelouses d'un vert éclatant, portant chacune le nom d'un officier et sa fonction. Il me montra la sienne. Je le complimentai pour la forme.

Nous franchîmes ensuite le fleuve à bord d'une barque pour aller à Omdurman. Le Nil blanc n'avait pas le même débit que le Nil bleu : ses eaux, aux reflets bruns, semblaient stagnantes. Arrivés sur l'autre rive, nous louâmes des ânes et l'officier m'entraîna dans un dédale de ruelles, pour déboucher sur une esplanade poussiéreuse. Le fameux mausolée du mahdi était une construction quadrangulaire, percée de fenêtres en ogives et surmontée d'une coupole. On voyait, sur l'un des côtés, les trous faits par les obus pendant la bataille de Kerreri. Je demandai à William Elliot s'il était vrai que le général Kitchener avait fait déterrer le corps du mahdi et disperser ses restes dans le Nil. Il répondit affirmativement, précisant que c'était nécessaire. « Vous allez faire du mahdi un martyr », objectai-je. Sa voix s'anima : « Mais non, Doris, vous parlez comme les bonnes âmes en Angleterre, qui ne connaissent rien à l'Orient ! Si nous n'avions pas déterré le mahdi, les Soudanais en auraient conclu que, même mort, il nous terrorisait. Et le fanatisme s'en serait nourri. » Je lui fis comprendre d'un hochement de tête que je n'étais guère convaincue par ses arguments.

Il me montra ensuite la maison qu'occupait Slatin pacha pendant sa détention et qui était devenue le bureau du Télégraphe. Puis il m'emmena visiter un grand bâtiment où étaient entassés divers objets de la période mahdiste. On y trouvait pêle-mêle des coiffures, des sabres, des pistolets, des arquebuses et quelques vieux canons en bronze. Un peu plus loin gisait une voiture ayant appartenu à Gordon, et même son piano. « Nous pourrions nous rendre demain sur le champ de bataille de Kerreri, dit William. L'agence Cook l'a inclus dans le circuit qu'elle prépare pour les futurs touristes. Vous y verrez des ossements de derviches qui blanchissent au soleil. » Cela ne m'intéressait nullement. J'étais impatiente de rencontrer des vivants. Puisque nous étions à Omdurman, je lui demandai de m'emmener au marché.

Les étals, au bord du fleuve, se limitaient pour la plupart à une simple natte posée sur le sol poussiéreux. Des odeurs violentes se dégageaient de cet amas hétéroclite où cent variétés d'épices, d'aromates et de parfums voisinaient avec du salpêtre et de la viande boucanée. Au passage de l'officier, des policiers indigènes saluèrent en claquant des talons. « C'est le marché le plus important du Soudan, précisa William Elliot. Il est fourni par des bateaux et par des caravanes. Avant notre arrivée, on y vendait des esclaves. »

J'avais l'impression de voir beaucoup de femmes à Omdurman. « Ce n'est pas une impression, me dit mon guide. On manque d'hommes ici. Songez que plus de dix mille d'entre eux sont tombés dans la seule bataille de Kerreri... »

De retour vers quatorze heures, nous déjeunâmes ensemble au restaurant de l'hôtel. Je pus admirer de nouveau ses mains qui m'avaient tant troublée la veille. Cet homme m'attirait de plus en plus. Et je me moquais bien, en ce moment, de sa morgue de colon ou de ses idées sur les indigènes !

Il commanda du champagne, puis raconta avec humour les bals qui se donnaient à Khartoum le samedi soir, avec très peu de dames. Il m'expliqua aussi qu'un règlement de police obligeait les Soudanaises à se couvrir les seins mais que, pour le moindre bakchich donné par un étranger, des policiers locaux ordonnaient à des danseuses de laisser tomber leurs voiles.

Je n'appréciais guère, d'ordinaire, ce genre d'histoires. Là, je ne cessais de rire. Depuis de longs jours, je n'avais plaisanté avec personne. Et le champagne me montait un peu à la tête.

Après le déjeuner, alors que William, debout tout près de moi, ne se décidait pas à partir, je fus à deux doigts de l'entraîner dans ma chambre aux murs neufs.

# 63

Après trois jours d'abattement, au cours desquels il n'avait voulu voir personne, Milo eut un sursaut d'orgueil. La Mamelouka était partie ? Eh bien, il se passerait d'elle ! On verrait qui était l'âme de ce studio, sa colonne vertébrale, son vrai moteur.

Et, d'abord, il se présenta chez les Tiomji pour réclamer ses filles. Lita n'avait aucun moyen de le lui refuser. Elle était d'ailleurs supposée rendre les trois petites à leur père, pour peu que celui-ci en manifesterait le désir et aurait l'intention de s'en occuper.

Elle demanda timidement à Milo s'il ne lui serait pas difficile de remplir une telle tâche, précisant que de toute manière elle était prête à garder Gabrielle, Nelly et Marthe tout le temps qu'il faudrait, quitte à embaucher une ou deux bonnes supplémentaires. Il prit la chose de haut, s'étonnant qu'on veuille « séparer un père de ses enfants », mais trouva finalement bien pratique la solution qui lui était proposée. Sa paternité, il l'exercerait le dimanche, emmenant les filles à Hélouan, au jardin zoologique ou aux marionnettes de l'Ezbékieh.

– D'ici là, ta femme sera sans doute revenue, lança Richard.

– Elle reviendra quand je l'y autoriserai ! répliqua Milo d'un ton grandiloquent.

Et, pour bien montrer que rien n'était changé à sa vie, il annonça aux Tiomji qu'il les attendait chez lui le mercredi suivant.

Les Popinot avaient été bien embarrassés par cette histoire. Solange, surtout, qui se demandait si sa brève aventure avec

Milo n'était pas la cause de ce drame conjugal. Elle ne pouvait évidemment en parler à son mari. Pendant plusieurs jours, elle s'interrogea avec inquiétude, jusqu'à ce que Milo lui-même, venant leur rappeler la soirée du mercredi, dissipe ses craintes par une gaieté manifeste.

Le magasin tournait presque tout seul, grâce aux quatre opérateurs et laborantins. Mais Milo, désireux d'affirmer son autorité, n'arrêtait pas de surveiller leur travail, les abreuvant de remarques inutiles. Il tenait à réaliser lui-même certains portraits. Cela faisait longtemps qu'il n'avait pas été aussi présent au studio, aussi actif, aussi sûr de lui.

Aux clients qui s'étonnaient de l'absence de Mme Touta, on répondait qu'elle était en voyage. Quelques-uns préféraient renoncer à leur séance de pose et demander un autre rendez-vous, à son retour.

– Je n'aurai rien de libre avant plusieurs semaines, répliquait le fournisseur des consulats d'un ton catégorique, les obligeant à reconsidérer leur position.

Un Français du Crédit lyonnais, qui maintint quand même sa demande, se vit proposer le 25 juin, alors qu'on était en mars.

Léon Sawaya avait été averti par Lita du départ de sa fille. Le jour où il vint demander des explications à Milo, celui-ci afficha un sourire désolé :

– Vous pensez bien que si elle m'avait seulement consulté avant de partir, je m'y serais opposé de la manière la plus ferme !

– Mais il paraît que c'est votre cousin, Maxime Touta, qui l'a envoyée à Khartoum…

– Je n'ai rien à voir avec mon cousin. De toute manière, personne ne l'a obligée à partir.

– Et vous n'avez aucune nouvelle ?

– Aucune.

Léon Sawaya repartit d'autant plus furieux que l'affaire commençait à faire jaser, et que les bruits les plus divers couraient déjà. Comment une femme seule pouvait-elle vivre au Soudan ? Pour le rassurer, Lita lui avait dit que sa fille connaissait un officier anglais à Khartoum. Il ne savait plus que penser de cette affaire. Un officier anglais valait bien un médiocre photographe, mais c'était neuf ans plus tôt qu'il aurait fallu le trouver !

Pour la soirée du mercredi, plusieurs personnes s'étaient décommandées au dernier moment, faisant parvenir un petit mot d'excuses à Milo. Que de maladies, d'empêchements familiaux subits, de travaux à achever d'urgence...

Cette soirée en petit comité ressemblait à celles des débuts. Norbert Popinot avait apporté les boissons, et Milo commandé des *mezzés* chez un traiteur. Les Tiomji, venus avec un somptueux bouquet de glaïeuls dont ils ignoraient eux-mêmes la signification, s'efforçaient d'être gais. Ibrahim arborait son éternel sourire moqueur, tandis que Seif portait sur ses épaules le poids de la colonisation britannique.

Les Popinot animèrent le début de la soirée en déballant un cadeau pour Milo, arrivé spécialement de Paris.

– Une canne ! fit-il amusé. Vous m'offrez une canne ?

L'air mystérieux, Norbert dévissa la poignée :

– La bobine de pellicule est ici. Sous le pommeau, c'est le bouton qui libère l'obturateur. Là, c'est le remontoir. Un magasin est même prévu pour trois bobines de réserve.

Milo semblait ravi de son jouet. Il l'aurait bien essayé sur-le-champ si la lumière avait été suffisante.

– Quand l'électricité aura été installée, dit-il, je pourrai peut-être photographier mes invités en cachette, sans éclair de magnésium. On me la promet pour très bientôt.

Seif parla de la crue catastrophique du Nil qui inspirait les plus vives inquiétudes aux paysans.

– C'était bien la peine de conquérir le Soudan ! fit Norbert. Après tout ce qui avait été dit sur l'utilité de connaître l'état du fleuve en amont... Depuis plusieurs semaines, les ingénieurs anglais présents sur place envoient des câbles alarmants. A quoi cela nous avance-t-il ? Certaines années, le fleuve oublie de monter. D'autres fois, au contraire, comme cette saison, il se fait un malin plaisir de déborder. Le savoir à l'avance n'y change pas grand-chose.

La conversation languissait. Richard Tiomji se lança dans une longue explication, qui n'intéressait personne, sur son élevage d'autruches :

– On me demande souvent ce que mangent les autruches. C'est très simple : elles mangent des fèves et du *bersim*. Mais ces animaux très spéciaux avalent volontiers des cailloux. Parfaitement, des cailloux ! On en trouverait des seaux entiers dans leur estomac si on les autopsiait. Pour être tout à fait franc, les autruches avalent aussi des morceaux de bois, des morceaux de verre ou de cuivre. Oui, oui, du cuivre ! En réalité, tous ces objets facilitent le travail de la digestion. Mais vous vous demandez sans doute…

Ibrahim griffonnait rageusement sur son calepin. Popinot lui demanda ce qui lui arrivait.

– Je n'arrive pas à finir mon poème, dit le jeune homme. Je bloque.

– Lisez-le-nous ! fit Solange. Nous allons vous aider.

Il s'exécuta de mauvaise grâce :

*Avez-vous noté, messieurs les ingénieurs*
*Que le Nil n'est jamais à la bonne hauteur ?*
*Tantôt il monte, il monte, et ne se tient plus,*
*Tantôt il descend...*

– Et là, je bloque.

– Il vous faut une rime en *lu*, dit Solange.

– Je vous remercie ! marmonna le poète.

– Vous pourriez mettre : *Tantôt il descend...*

Elle cherchait.

– *Tantôt il descend... Tantôt il descend et ressemble à un hurluberlu.*

– Ça n'a pas beaucoup de sens. Et, d'ailleurs, le nombre de pieds n'y est pas.

– Ah bon ?

Elle compta sur ses doigts, en détachant les syllabes :

– *Tantôt il monte, il monte, et ne se tient plus*... Onze. *Tantôt il descend et ressemble à un hurluberlu*... Quatorze... En effet. Vous devriez changer les premiers vers.

– Mais non ! Mais non ! Un poème ne se compose pas de cette façon, dit Ibrahim en refermant son calepin.

– Tu nous embêtes, à la fin, avec tes poèmes ! s'exclama Seif.

Il y avait de la tension dans l'air. Norbert Popinot jugea bon de faire goûter à l'assistance un vin de Bourgogne d'un bouquet exceptionnel. Milo insista pour le déboucher lui-même et s'y reprit à trois fois, finissant par abîmer le bouchon. Dans un geste d'amitié à l'égard du maître de maison, Seif accepta d'y tremper les lèvres. Mais, très vite, il revint à ses véritables soucis et s'emporta :

– Je ne comprends pas pourquoi le khédive s'est empressé de condamner les officiers égyptiens qui se sont rebellés à Khartoum ! Ou plutôt, je comprends trop bien : Abbas ne songe plus qu'à son prochain voyage en Angleterre.

Personne ne releva. S'il y avait un sujet dont il ne fallait pas parler, c'était bien ce qui se passait à Khartoum ! Popinot détourna aussitôt la conversation en évoquant un livre sur l'émancipation de la femme égyptienne qui agitait tous les salons du Caire. Son auteur, un certain Kassem Amin, s'en prenait à la polygamie, à la répudiation et au port du voile. Il s'était attiré immédiatement les foudres des ulémas.

– Enfin un homme courageux qui ose dénoncer le Moyen Age dans lequel nous nous trouvons ! s'écria Ibrahim. On continue à élever nos sœurs et nos cousines comme on le faisait il y a mille ans. Cloîtrées à la maison, elles passent leur vie étendues sur un sofa, à fumer ou à croquer des friandises. Cette vie stupide n'est pas seulement néfaste à leur santé : elle leur fait perdre toute intelligence.

– Elle est très bonne ! Elle est très bonne ! s'exclama Popinot en se forçant, pour mettre de l'ambiance.

Seif n'était pas d'accord avec Ibrahim. Selon lui, ce livre venait troubler inutilement la société égyptienne, qui avait à mener d'autres combats, plus importants.

– Ne trouvez-vous pas que les femmes seraient plus belles sans voile ? lui fit remarquer Solange Popinot.

Non, il ne trouvait pas :

– En dehors des vertus morales qu'on peut lui reconnaître, le voile est très utile : il permet de masquer les imperfections du visage, tout en mettant en valeur l'éclat et la profondeur du regard.

Ibrahim s'indigna :

– On croirait entendre un cheikh de l'Azhar !

– Je défends le même point de vue que Moustapha Kamel ! répliqua Seif.

– Tu veux dire le même point de vue que le khédive... Abbas a interdit l'accès du palais à l'auteur.

– C'est normal.

– Il faudrait savoir ! Tu désapprouves le khédive quand il tend la main à la reine Victoria, et tu le défends quand il ferme la porte à la femme égyptienne.

Solange, très excitée, entra dans la discussion pour prôner l'égalité des sexes. Elle fit valoir que, pour la première fois, en France, une femme venait de s'inscrire au Barreau, au moment où une autre pionnière, la duchesse d'Uzès, décrochait le permis de conduire automobile. Richard Tiomji intervint à son tour en criant que la place des femmes était à la maison, « au fond de la maison ».

– Tu as raison, dit Milo d'une voix grave.

Sa remarque jeta un froid. Il y eut quelques secondes de silence, puis Solange joua un morceau de Brahms pour dissiper le malaise qui avait envahi le salon.

# 64

Au bout de dix jours à Khartoum, Doris n'avait pas pris une seule photo. L'appareil n'était même pas déballé. A William qui s'en étonnait, elle dit d'une voix rêveuse :

– Je regarde. J'essaie de me mettre dans le décor.

Il ne s'en plaignait nullement, espérant que le séjour de la jeune femme s'en trouverait prolongé d'autant Doris restait très vague sur la durée de sa présence à Khartoum. A aucun moment elle ne parlait de ce qu'elle ferait au Caire en rentrant, et il finissait par se demander, sans oser y croire, si elle n'avait pas décidé de rester définitivement au Soudan. Cela semblait impensable. Certes, beaucoup de gens étaient attirés par cette contrée vierge, où tout était à construire et tout semblait possible. Des marchands grecs ou syriens se trouvaient déjà dans le Darfour, attendant des autorisations pour poursuivre leur commerce dans le sud du pays. Mais que ferait à Khartoum une photographe, mariée de surcroît et loin de ses enfants ?

A travers quelques brèves remarques, William avait cru comprendre que Doris ne s'entendait plus avec son mari. Il en était secrètement ravi, mais ne savait trop à quoi s'en tenir. En l'interrogeant, il craignait de l'indisposer ou de s'attirer une réponse qui l'aurait terriblement déçu.

Chaque matin, la jeune femme allait au marché d'Omdurman, accompagnée d'un guide soudanais que lui avait trouvé le patron de l'hôtel. Elle s'asseyait au bord du Nil, un peu en retrait, sur quelque sac de coton ou de maïs, et regardait décharger les chalands. Au début, des curieux s'étaient approchés d'elle. L'entendant répondre en arabe – un arabe différent du leur mais compréhensible – ils avaient engagé la conversation. Sa présence finissait par ne plus étonner. On venait lui offrir des dattes ou du lait.

L'arrivée d'une caravane de chameaux, après des journées de marche dans le désert, créait un peu d'agitation dans cette foule paisible. On entourait les voyageurs fourbus. Sur la terre nue étaient étalés de la gomme arabique, de l'ivoire, des plumes d'autruche... Et les palabres commençaient.

Doris se levait, allait faire un tour au milieu des étals. Il lui arrivait d'acheter quelque objet, mais c'était surtout l'occasion de se mêler aux gens.

– Vous voyez tous les jours la même chose ! s'étonnait William Elliot.

– Oui, mais pas forcément avec le même regard, répondait-elle.

Au marché, les enfants qui venaient parler avec elle lui rappelaient ses filles, et ses yeux s'embuaient. Nelly, si sage dans l'atelier de pose... Les pleurs de Marthe, la dernière nuit... Et cette remarque de Gabrielle, au moment de se coucher :

– Tu pars parce que tu ne nous aimes plus ?

Gabrielle, dont la prière du soir arrachait un rire à sa mère chaque fois qu'elle demandait :

– Jésus-Cuit ou Jésus-Cru ?

Finalement, deux semaines après son arrivée, Doris demanda à l'officier s'il voulait bien l'accompagner toute une journée dans les environs d'Omdurman, avec l'appareil photographique. Il accepta avec joie, n'ayant besoin que d'assurer son remplacement par un collègue.

Tout au long de cette excursion, William Elliot se comporta en guide parfait. Il connaissait son chemin ou savait le demander. Il désignait chacun des végétaux par son nom, arbre à moutarde ou arbre à savon, n'ignorait rien de l'acacia à gomme ou de l'asclépiade à grandes feuilles vénéneuses et sucrées. C'était un compagnon agréable, attentif, intéressant. Deux ou trois fois cependant, la jeune femme fut choquée par son attitude arrogante envers des indigènes, et elle ne manqua pas de le lui dire. Mais il avait visiblement du mal à se comporter d'une autre façon.

Doris savait ce qu'elle voulait photographier. Comme si elle avait déjà repéré les lieux, convoqué les modèles, étudié leurs gestes. A peine étaient-ils en face de son appareil qu'elle appuyait sur l'obturateur, sans leur donner de véritables instructions. Elle n'utilisa qu'une dizaine de plaques sensibles au cours de cette journée. William Elliot, qui était habitué à l'abattage des photographes militaires, n'en revenait pas. A la nuit tombée, elle semblait pourtant contente de son travail.

– Êtes-vous vraiment satisfaite ? demanda-t-il à deux reprises, comme un amant inquiet de sa prestation à peine achevée.

Elle le rassura d'un sourire.

C'est au lendemain de cette excursion photographique que l'officier transmit à Doris une invitation pour un bal chez le gouverneur :

– Bal est peut-être un grand mot. C'est très simple ici, vous verrez. Rien de commun avec les soirées du Caire ! Et puis, vous pourrez rencontrer toutes les personnes qui comptent à Khartoum, à commencer par Sir Reginald Wingate. Vous verrez même Slatin pacha qui est arrivé hier, pour une brève halte, avant je ne sais quelle expédition dans le pays profond.

Doris ne mit ce soir-là aucun de ses bijoux. Elle se contenta d'une toilette très simple dont la couleur émeraude soulignait le sombre éclat de sa chevelure.

Sir Reginald arborait toutes ses médailles. C'était un homme de forte stature, à la crinière argentée, qui semblait prendre un réel plaisir à parler français. Accueillant la Mamelouka avec beaucoup de courtoisie, il la présenta à l'invité d'honneur : son ami Rudolph Slatin, qu'il avait arraché jadis des griffes du khalife, lorsqu'il dirigeait au Caire les services de renseignement britanniques. Doris se souvint qu'on soupçonnait Wingate d'avoir fortement influencé le récit de l'Autrichien, dans un but de propagande.

Agé d'une quarantaine d'années, tout fringant, Slatin pacha était plus jeune qu'elle ne l'imaginait. On l'avait écarté du Soudan après la victoire d'Omdurman, et l'ancien prisonnier des mahdistes comptait sur son ami Wingate pour reprendre du service. En attendant, il faisait partie d'une expédition privée qui recherchait de l'or et de l'argent dans les montagnes de Nubie.

L'Autrichien précisa en riant à Doris qu'il était le seul membre de cette illustre assemblée à avoir prié à la grande mosquée d'Omdurman cinq fois par jour, pendant des années.

– Je sais, dit la jeune femme, en lui citant un passage de son livre qu'elle venait de terminer.

Il en fut flatté.

– Je suis photographe, ajouta-t-elle. Pourrais-je profiter de votre passage à Khartoum pour vous photographier devant la mosquée et dans les différents lieux de votre captivité ?

– Pour une femme aussi séduisante que vous, je suis prêt à retarder mon départ, fit Slatin en s'inclinant.

L'orchestre joua une valse. La Mamelouka ouvrit le bal, aux bras de Sir Reginald. Les quelque deux cents convives, debout, les regardaient avec des murmures approbateurs, puis ils applaudirent. Il n'y avait pas quinze femmes dans l'assemblée. Plusieurs officiers dansaient entre eux, avec beaucoup d'allant, sous le regard amusé des domestiques à la peau d'ébène et aux tenues immaculées.

Doris accorda une valse à Slatin, puis à deux inconnus. A William, qui attendait son tour, elle adressa en guise d'excuse une moue embarrassée. Il lui fit signe en souriant de ne pas s'inquiéter.

L'orchestre envoya plusieurs coups de piston pour annoncer le quadrille. Seize couples, dont trois ou quatre composés d'hommes, se mirent joyeusement en place. William réussit à se placer en face de Doris, et la première figure s'engagea. Les danseurs évoluaient en cadence, au rythme du piano, de la flûte et des violons. Le mouvement s'accéléra avec la pastourelle. Doris riait de bon cœur, comme au cours des folles soirées de Fleming dans la villa.

– Attention à la finale ! cria le colonel qui dirigeait le quadrille.

L'orchestre se déchaîna. Six pistons et deux trombones couvraient les cris de joie des danseurs et le martèlement des bottes sur le parquet.

– En avant, quatre ! hurla l'officier.

La danse s'acheva par une furieuse cavalcade. Doris était en nage. Elle s'écroula sur un fauteuil en osier, tandis que s'ouvrait le buffet.

Les mets n'étaient pas aussi succulents qu'au palais d'Abdine, mais Sir Reginald avait quand même bien fait les choses, et la boisson coulait à flots. Un petit groupe s'était formé autour de Slatin pacha, très en verve, qui racontait que le mahdi, son premier geôlier, ne buvait pas d'alcool, mais raffolait d'un sirop de dattes mélangé de gingembre qu'on lui apportait dans des burettes d'argent ayant appartenu à des missionnaires catholiques.

– Les femmes du harem se battaient pour l'approcher. Elles baisaient les traces de ses pas, buvaient même l'eau dans laquelle il s'était lavé. Elles frottaient son corps avec des essences précieuses à base de bois de santal. Il en était couvert, de la tête aux pieds. Je peux vous dire que ça sentait fort...

Un verre de vin à la main, Doris gagna l'une des vérandas. Les palmiers du gouverneur frissonnaient sous une brise légère, venue du fleuve. Un ciel étoilé recouvrait la ville aux maisons basses.

– J'espère que vous ne vous ennuyez pas, dit doucement William Elliot, dans son dos.

Surprise, comme par une caresse, elle resta silencieuse quelques secondes.

– Non, dit-elle, je m'ennuie rarement. Si j'étais aveugle, je m'ennuierais peut-être...

– M'accorderez-vous cette valse ? demanda le major Elliot en s'inclinant respectueusement, comme s'ils ne se connaissaient pas.

Doris sourit pour cacher son émotion. Aux bras de William, elle se laissa emporter dans le tourbillon. Elle sentit sa poitrine contre la sienne, la force de son corps, et s'en trouva heureuse.

– Voudriez-vous boire quelque chose ? murmura-t-il peu après.

– Non, je crois que j'aimerais rentrer.

Sur le chemin du retour, il arrêta le tilbury dans une avenue sombre, bordée d'orangers, et posa sa main sur celle de Doris. Elle resta immobile. Puis, doucement, elle se tourna vers lui et ses lèvres cherchèrent les siennes.

– Je vous emmène chez moi, dit William qui tenait les rênes d'une main et de l'autre l'enlaçait.

Pour toute réponse, elle se serra un peu plus contre lui.

Deux heures plus tard, dans ce lit trop étroit, aux draps maltraités, la Mamelouka regardait le plafond de la chambre éclairé par un rayon de lune. Avec quelle faim avait-elle attiré vers elle ce corps blond, l'embrassant, le léchant, le labourant de ses ongles ! Mais c'était passé, et elle n'éprouvait plus rien. Rien de l'immense bonheur qui l'avait saisie tant de fois quand Milo faisait l'amour avec elle.

Dehors, un oiseau poussa un cri rauque, inconnu. Doris fondit en larmes. Le visage enfoui dans l'oreiller, elle tenta d'effacer des souvenirs qui la bouleversaient.

# 65

Une photographie signée Doris Touta parut dans *Le Sémaphore d'Alexandrie* le 5 avril 1900. Elle occupait le centre de la première page, avec une courte légende : « Soudanaises. Environs d'Omdurman ». Malgré la mauvaise qualité de l'impression, cette photo fut découpée par de nombreux lecteurs, qui passèrent aux bureaux du journal, au Caire ou à Alexandrie, pour en acheter un tirage sur papier albuminé. Il fallut publier un petit encart précisant que le cliché n'était pas encore disponible mais qu'une vente aurait sans doute lieu ultérieurement, avec l'autorisation de l'auteur. En attendant, seul Maxime Touta disposait d'un tirage convenable, en grand format, qu'il avait fait accrocher dans son bureau, à côté de ses deux images fétiches : celle de la place Champollion à Ismaïlia et celle d'Alexandrie bombardée.

La photo montrait six femmes à la poitrine nue, regardant de face l'objectif. Cinq d'entre elles portaient une jarre sur la tête, qu'elles soutenaient de la main. Au milieu du groupe, une jeune fille d'une beauté saisissante avait les bras libres, qui se rejoignaient, formant un arc parfait. De la main droite, elle tenait légèrement le pouce de sa main gauche et, à lui seul, ce geste lui donnait un naturel extraordinaire. Plusieurs fillettes étaient assises dans la poussière, au premier plan. L'une d'elles entourait du bras sa jarre, comme un ballon de jeu. Tous ces visages semblaient exprimer une tristesse incommensurable, la mémoire de malheurs séculaires, que cent articles de journal n'auraient pu traduire.

Milo avait découpé la photo. Il ne parvenait pas à en détacher le regard. A travers la jeune Noire aux seins nus et aux lèvres lourdes, c'est sa femme qu'il croyait voir. Les lèvres de sa femme... Ces lèvres qu'il aimait tant regarder, effleurer, baiser...

Cela faisait deux mois qu'il vivait seul. Au fil des jours, son euphorie artificielle avait laissé place à une tension grandissante. Il réprimandait ses employés pour un oui ou pour un non. Il lui arrivait même de s'en prendre à des clients, comme il l'avait fait avec la belle-fille du propriétaire du Bazar oriental. Venue pour un portrait, cette jeune femme chétive était tout intimidée par son air autoritaire. Elle ne parvenait pas à se détendre face à l'objectif, malgré ses injonctions. Milo finit par crier :

– Enfin, quoi, souriez, nom de Dieu !

Le propriétaire du Bazar oriental vint protester lui-même une dizaine de jours plus tard après avoir vu le rictus de sa bru sur la photo. Une photo facturée très cher parce qu'elle portait le célèbre « T » rouge. Milo dut accepter de refaire le portrait mais, en signe de représailles, il le confia à un opérateur.

Deux dimanches successifs se passèrent sans qu'il aille chercher ses filles pour une promenade. Lita s'en inquiéta :

– Veux-tu que je les conduise moi-même à Hélouan chez ta mère ?

– Non, non, je viendrai dimanche prochain, dit-il d'une voix tendue.

Il ne vint pas. Et, qui plus est, supprima les rencontres du mercredi soir, se disant fatigué par tout le travail que lui donnait le magasin. A plusieurs reprises, au cours de ce début de printemps, il rejoignit Ernest Zahlaoui, son compagnon des mauvais jours, au bar du Bavaria. L'employé des Moulins lui faisait goûter une nouvelle bière ou se noyait avec lui dans une bouteille de gin. Milo rentrait à la maison complètement saoul, en passant par le magasin comme jadis. Les jurons qu'il poussait en renversant des chaises réveillaient Bolbol, mais celui-ci se terrait sous ses couvertures, sachant qu'il ne pourrait rien faire.

Tout le monde fut très déçu de ne pas voir Milo au déjeuner de Pâques à Hélouan. Nonna se montra incapable d'en indiquer la raison et semblait même s'en désintéresser complètement. Quelques semaines plus tôt, apprenant le départ de Doris, elle avait seulement lancé, entre deux gorgées d'arak :

– C'est du joli !

On ne savait pas si elle en voulait à sa belle-fille ou à son fils préféré.

Les Popinot tentèrent, à trois ou quatre reprises, d'inviter Milo chez eux, mais il avança des prétextes divers pour refuser. Norbert ne réussit même pas à l'intéresser à l'Exposition universelle qui venait d'être inaugurée à Paris et dont la presse reçue au Cercle français étaient pleine de récits enthousiastes : l'ouverture prochaine du Métropolitain, le Palais de l'Électricité, le Château d'eau, le pont Alexandre III, la plate-forme roulante, le Manoir à l'envers reposant sur le sommet de ses tours… En temps normal, chacun de ces sujets aurait passionné Milo, lui donnant l'occasion de les raconter ensuite sous mille formes. Mais il ne poussa aucune exclamation, ne posa aucune question. Popinot s'attira tout juste quelques hochements de tête ennuyés.

Ibrahim, de son côté, crut bien faire en envoyant à Milo les trois premières strophes de sa *Marseillaise égyptienne*. Il n'eut pas droit à un accusé de réception.

Même Seif, si peu attentif à ce qui ne concernait pas directement l'occupation britannique, s'inquiéta. Il passa un dimanche après-midi au magasin pour prendre des nouvelles de Milo. Reçu quasiment sur le pas de la porte, il repartit sans insister.

Richard Tiomji lança un soir à sa femme :

– Moi, à la place de Milo, j'aurais pris le premier train pour Khartoum et je serais allé la chercher par la peau du cou.

– Tu as le mal de train, tu le sais bien, ne put s'empêcher de murmurer Lita, que ces rodomontades agaçaient.

Furieux, il monta deux fois à l'assaut cette nuit-là.

# 66

– C'est un pli personnel pour Mme Touta, dit le jeune militaire anglais.

Milo, qui se tenait derrière le comptoir, tendit la main et prit l'enveloppe.

– Non, je suis désolé, fit le jeune homme en rosissant. Je dois la remettre personnellement à Mme Touta.

Milo monta aussitôt sur ses grands chevaux, comme il en avait pris l'habitude depuis quelque temps :

– Et qui suis-je, moi, sinon M. Touta ? Vous avez rempli votre mission. Vous pouvez partir.

L'officier hésita un instant, puis tourna les talons et, dans un geste de mauvaise humeur, claqua la porte.

Milo se rua à l'extérieur du magasin et saisit le militaire par la manche en hurlant :

– Dis donc, petit merdeux ! Sais-tu à qui tu as affaire ?

Il montra sa vitrine d'un doigt rageur :

– Tu connais ce monsieur ? C'est Lord Cromer. Oui, Lord Cromer, mon client. Je peux aller le voir immédiatement, sans rendez-vous. Je peux entrer dans son bureau et lui demander de te dégommer. Il t'arrachera sur-le-champ ton galon pourri !

Un petit attroupement s'était formé. Personne n'avait l'habitude de voir un militaire anglais engueulé de la sorte. C'était plutôt l'inverse qui se produisait généralement… Le jeune homme remonta sur son cheval sans un mot et disparut à l'angle de la rue.

– Il me prend pour qui, parole d'honneur ! lança Milo, que

plusieurs boutiquiers félicitaient déjà sans avoir compris ce qui s'était passé.

De retour derrière le comptoir, il décacheta le pli. C'était une lettre de Fachoda, bizarrement datée du mois de janvier de l'année précédente. Un mot avait d'ailleurs été griffonné sur l'enveloppe, indiquant que ce courrier, remis par erreur à une mauvaise adresse, venait seulement d'être retourné au sirdariat.

*Chère Doris,*

*Depuis ma précédente lettre, je n'ai cessé de penser à vous. Me pardonneriez-vous si je vous disais que vous hantez mes journées ? Je ferai l'impossible pour obtenir une permission au cours des prochaines semaines et me rendre au Caire...*

Milo, assommé, sortit du magasin et se dirigea vers le jardin de l'Ezbékieh. Il dut marcher deux ou trois heures, sans but, reprenant parfois les mêmes chemins. Sa fureur était tombée. Un grand désordre régnait dans sa tête. Brusquement, il comprenait tout, et ne comprenait plus rien.

William Elliot lui apparaissait comme en rêve, dans son costume de bain noir, sur la plage de Fleming. « Me permettez-vous d'apprendre la brasse à votre épouse ? »

– Ah, le salaud ! marmonnait Milo, en repassant pour la troisième fois devant le bâtiment désert du théâtre d'été. Ah, l'abruti ! ajoutait-il sur le même ton, en s'adressant à lui-même.

La Mamelouka...

– Quelle est l'origine du mot « mamelouk » ? avait demandé un jour Norbert Popinot.

– Les mamelouks étaient d'anciens esclaves, devenus princes d'Égypte, répondit Ibrahim. « Mamelouk » en arabe signifie : Celui qui est possédé.

Milo repensait à cette remarque. La Mamelouka était celle qu'il possédait. Celle qu'il avait possédée et ne possédait plus. Celle qu'il ne posséderait plus jamais...

Il aurait pu, il aurait dû, s'y prendre autrement. Dès la première année de leur mariage… Finalement, il détestait photographier. Détestait passer de longues heures dans le cabinet noir pour développer des clichés, comme le faisait Doris avant son départ. Ce qui l'intéressait, lui, c'était l'accueil des clients, la prospection de nouveaux marchés. Cela le passionnait même. Et il sentait qu'il excellait dans cette partie commerciale, pour laquelle il débordait d'idées. Aux albums et aux bijoux en vitrine, il aurait aimé ajouter du matériel photographique pour amateurs : des boîtes portables, des régulateurs de pose, des plaques sensibles… Mais aussi des manuels techniques importés de France, des revues… Et pourquoi pas des pieds métalliques, des lanternes, des éprouvettes, des entonnoirs ? Certes, il aurait fallu un autre magasin pour ne pas mélanger les genres, où trouveraient place aussi les albums et les bijoux. Une boutique était justement à vendre de l'autre côté de la place, à cinquante mètres de Maloumian. Milo en imaginait l'enseigne : « Émile Touta, photographe des consulats. Matériel photographique et accessoires en tous genres ».

Il aurait aimé organiser aussi une exposition pour les œuvres de Doris. Dans un salon du Shepheard's, par exemple. A elle, l'art. A lui, le reste. Mais tout cela n'était possible qu'avec Doris précisément… Doris, qui hantait ses jours et ses nuits. Doris, dont il n'avait pas su, depuis des mois, des années peut-être, partager les peines et les émotions.

Ce soir-là, après avoir attendu le départ des employés et donné congé à Bolbol, Milo pénétra dans le cabinet noir. Sa décision était prise depuis midi. Seule la lettre qu'il pourrait écrire l'avait fait hésiter. Non, finalement, il ne fournirait aucune explication écrite de son geste. Tout le monde comprendrait. Doris la première.

Il avait prévu une mise en scène qui donnerait plus de force à ses adieux. Dans la remise de la cour, il récupérerait le vieux fauteuil à arabesques dont sa femme refusait de se servir. C'est là qu'il attendrait la mort, face à l'objectif. Il installerait aussi un fond : les rochers et la mer déchaînée, en souvenir de la plage de Fleming.

Une émanation âcre le saisit à la gorge. Malgré une meilleure ventilation, le cabinet noir continuait à exhaler des odeurs d'éther et de roussi. Milo alluma la lampe-bougie et se dirigea vers le mur du fond où était accrochée une page de *L'Amateur photographe.* Il enleva soigneusement les quatre punaises, comme s'il ne voulait rien déranger, prit la feuille et alla s'asseoir à l'un des pupitres. Le tableau, très détaillé, comptait quatre colonnes : le nom du poison, ses effets, les symptômes qu'il provoquait et les antidotes possibles.

L'ammoniaque ne convenait pas : ses vapeurs pouvaient occasionner tout au plus une inflammation des poumons. A Fleming, l'été précédent, le docteur Touta s'était déplacé en pleine nuit pour soigner une affection de ce genre, et le malade avait été sauvé.

Milo passa à la colonne suivante, consacrée à l'éther sulfurique. Les effets de ce produit manquaient de précision : ils étaient « semblables à ceux du chloroforme ». Mais que provoquait exactement le chloroforme, à part un endormissement ? Il se souvint des premiers mois de leur mariage. « Non, je ne ronfle pas, protestait-il. Ose dire que je ronfle ! » Cela finissait par une bataille de polochons, puis par des fous rires, puis…

Pour l'oxalate de potasse, le tableau fixait à quatre grammes la plus petite dose mortelle reconnue. De l'oxalate, Milo savait où en trouver : chaque bocal était soigneusement étiqueté, avec le nom écrit à l'encre de Chine. Comme antidote à l'oxalate de potasse, *L'Amateur photographe* conseillait aux secouristes la magnésie. Personne n'en trouverait ici. D'ailleurs personne ne pénétrerait dans le magasin avant plusieurs heures. L'oxalate provoquait « une sensation de brûlure à la gorge et au creux de l'estomac, des vomissements et des crampes… ». Milo ne se voyait pas vomir dans le salon de pose, sur le siège à arabesques. Il renonça à l'oxalate.

Restait le cyanure de potassium. Sur le flacon était écrit « MORTEL » en grosses lettres. Il suffisait d'en absorber quinze centigrammes pour en finir avec cette vie infecte. « Je ne comprends pas, disait Nelly, pourquoi Mohammed Ali avait fait tirer sur les mamelouks à la Citadelle. Puisqu'il les avait invités à dîner, il aurait pu les empoisonner... » Le souvenir de sa fille transperça Milo. Les mamelouks, la Mamelouka... Vomir. Il avait le cœur sur les lèvres. « Le cyanure provoque une respiration pénible, une dilatation des pupilles et la fermeture spasmodique des mâchoires », précisait le tableau. Il pensa à Gabrielle et à Marthe. Leurs frayeurs au jardin zoologique. Leur bonheur devant les marionnettes. « Aucun remède n'est connu », ajoutait *L'Amateur photographe*. Il se vit brusquement avec les pupilles dilatées et refusa cette image.

Milo sortit du cabinet noir après avoir remis le tableau à sa place et soufflé la lampe-bougie. Je ne vaux rien, se dit-il. Je ne suis même pas capable de mettre fin à mes jours. Il était triste – triste à en mourir.

# 67

Nonna s'éteignit un jeudi, comme le khédive Tewfik. Ses dernières paroles furent pour Milo, mais elle évoqua à plusieurs reprises au cours de son agonie « la petite qui est au Soudan ». A midi, devant les dames des maisons voisines venues l'assister, elle réclama d'une voix très faible son verre d'arak. Il lui fut refusé, Dieu sait pourquoi ! Le regard implorant, elle eut comme un moment de panique. Puis elle ferma les yeux et s'en alla.

Au cours de la messe de funérailles, au Caire, l'assistance, très nombreuse, n'avait d'yeux que pour Milo. Il paraissait très seul, au premier rang, à côté de ses frères. Les yeux secs, la tête ailleurs. Pensait-il à Nonna ou à l'absente qui faisait l'objet de tant de chuchotements dans les travées ? Les nouvelles en provenance du Soudan étaient rares. Selon des rumeurs, la Mamelouka faisait perdre la tête à tout Khartoum. Les officiers supérieurs étaient à ses pieds, prêts à répondre au moindre de ses caprices, et elle entrait au palais du gouverneur comme chez elle…

Après la messe, lors des condoléances à la famille, Milo semblait vidé de lui-même. Lui, si élégant d'habitude, avait l'air de flotter dans son costume noir. Il serrait la main aux uns, tendait une joue fiévreuse aux autres, sans être là.

Ses belles-sœurs en grand deuil étaient presque indécentes par comparaison, avec leurs yeux rougis de larmes. Mais sans doute pleuraient-elles sincèrement. Celle qui les avait persécutées et parfois terrorisées depuis leur mariage n'était plus... Oui, elles pleuraient sincèrement, les épouses d'Albert, René,

Aimé et Joseph, avec le sentiment d'une délivrance et d'un grand vide.

Rizkallah bey, qui prenait le train aussi facilement que d'autres prenaient le fiacre, aurait pu venir d'Alexandrie pour la circonstance. Mais il s'était contenté d'envoyer une couronne de fleurs en son nom personnel et une seconde de la part des établissements *Touta et fils*. Deux couronnes gigantesques, aux couleurs criardes, qui éclipsaient toutes les autres.

Les Popinot étaient parfaits, avec leurs habits sombres et leur visage de circonstance. Juste ce qu'il fallait de gravité et de compassion pour Milo, sans affectation. C'était leur deuxième contact avec la famille, depuis la rencontre avec quelques jeunes gens, deux ans plus tôt, lors du départ des pèlerins pour La Mecque. Jeannot, qui avait brièvement tenu la main de Solange pour l'aider à gravir une marche, passa à côté de la Française sans oser se rappeler à son souvenir.

Quand Ernest Zahlaoui arriva à la hauteur de Milo, il lui toucha familièrement la joue, ne s'attirant qu'un cillement d'yeux. L'employé des Moulins était présentable pour une fois, dans son costume étriqué de drap noir. Il ne semblait lui manquer que les manchettes de lustrine.

Plusieurs dames coptes, enveloppées dans leur voile de crêpe, formaient un groupe compact au fond de l'église. Elles ne défilèrent pas devant la famille avec les autres assistants et montèrent directement dans des voitures aux volets clos pour se rendre au cimetière. De tout ce monde, elles ne connaissaient que Milo. Il semblait ne pas les avoir vues, lui qui avait été reçu si souvent chez elles et les amusait tant.

Oscar Touta grommela quelque chose en passant devant son neveu. Il était parfaitement capable, en cette circonstance, de se plaindre de l'opérateur du studio ou du courant d'air que provoquait la porte d'entrée de l'église, mal fermée.

Yolande, toujours amoureuse d'Ibrahim, crut le reconnaître parmi les assistants. Le poète portait une chemise de soie verte. Il était plus gras et plus âgé qu'elle ne l'imaginait. Sans doute mal à l'aise dans cette assemblée, il s'éclipsa assez vite, après avoir serré la main de Milo.

Les Tiomji étaient égaux à eux-mêmes. Lui, massif et transpirant, la moustache mécontente. Elle, plus mince que jamais, avec son teint d'ivoire si particulier. Leurs cinq enfants les accompagnaient, ainsi que Nelly, Gabrielle et Marthe, habillées de noir. « Mes trois poupées », disait Nonna…

Le vieux docteur Touta, très digne, très droit, recevait les condoléances avec ses neveux. Il était l'un des plus affectés par la disparition de l'épouse de son frère, qui semblait, à plus d'un titre, du même bord que lui. Peut-être en était-il secrètement amoureux… Depuis quelques semaines, il savait Nonna condamnée, mais n'en avait fait part à personne.

– Ta mère était une grande dame, dit-il à Milo, en le prenant dans ses bras.

C'est à ce moment-là seulement que Milo pleura.

Un incident assez pénible survint ensuite, au cimetière, quand les employés des pompes funèbres s'approchèrent du caveau ouvert pour y déposer le cercueil. L'un d'eux fit un faux mouvement et perdit l'équilibre. Le cercueil, qu'il avait lâché, heurta le sol. L'homme se releva tout penaud, le pantalon blanc de poussière, tandis que ses collègues s'empressaient de rétablir la situation.

– Doris n'a pas porté chance à Nonna ! commenta avec aigreur l'épouse de René.

Après la cérémonie, chacun repartit de son côté. Si les funérailles avaient eu lieu à Hélouan, toute la famille se serait retrouvée dans la grande maison. Une maison privée à jamais de sa propriétaire… Personne ne réalisait encore ce que serait Hélouan sans Nonna. L'été avait commencé et, comme chaque année, toutes les pensées et tous les rêves de la famille Touta étaient tournés vers la mer.

# 68

Il apparut clairement que, pour la première fois, la photo de famille n'aurait pas lieu. L'appareil de campagne se trouvait au Soudan, et Milo ne s'en était pas procuré un autre. De toute manière, il ne semblait nullement désireux de réunir le clan Touta, ou même de se montrer. Ses filles étaient restées avec les Tiomji, dans leur villa. Lui habitait seul dans la sienne.

Ce n'était plus le Milo que tout le monde connaissait : amaigri, mal rasé, il oubliait de rire et avait perdu le goût des mots. Les enfants, comme Maguy, âgée de treize ans, se sentaient abandonnés. Le désarroi des plus grands n'était pas moindre : ayant quitté les rivages de l'enfance, ils entretenaient avec leur oncle des relations de quasi-camaraderie. Les deux étés précédents, il les avait emmenés à des après-midi dansants au Casino San Stefano. Afin d'arracher l'autorisation des mères, si strictes avec leurs filles, il était intervenu lui-même, et personne n'avait pu lui résister. La joie de Yolande, apprenant la nouvelle…

Cette fois, Milo se contentait d'aller chercher ses filles chaque jour et leur offrait, comme par devoir, une promenade à dos d'âne sur la plage. Chose inouïe pour les enfants et les jeunes gens de la famille : Nelly, Gabrielle et Marthe donnaient l'impression de s'ennuyer ! Seul l'ânier les faisait un peu rire, par moments, en accablant d'injures son malheureux baudet.

Ce début d'été était marqué par le voyage officiel que le khédive faisait en Angleterre. Pour la première fois depuis le début de son règne, Abbas n'était plus brocardé par la presse britannique. L'*Egyptian Gazette* commentait avec perfidie : « Si Son Altesse a mis du temps à trouver la voie de la raison, cela ne rend que plus solide sa conversion. »

Le khédive était arrivé malade sur la côte anglaise et n'avait pu débarquer tout de suite. Les médecins, qui craignaient une diphtérie, diagnostiquèrent finalement une grosse angine. Mais peut-être n'était-ce, après tout, que l'émotion de rencontrer la reine Victoria.

*Le Sémaphore d'Alexandrie* ne privait ses lecteurs d'aucun détail sur l'accueil en grande pompe du khédive : rencontre avec le prince de Galles à Malborough House, garden party du comte de Jersey, concert à Buckingham, lunch chez Lord Rothschild dans sa résidence de Piccadilly... Le journal de Maxime Touta précisa, avec un clin d'œil, que l'Ordre royal Victoria que venait de recevoir Abbas était « une nouvelle décoration, réservée aux personnalités ayant rendu des services particuliers à Sa Majesté britannique ».

– J'imagine la colère de Seif ! lança l'un des neveux de Milo.

Yolande haussa les épaules, avec l'air de dire que Seif n'existait plus : que leur importait désormais les amis de Milo ?

*Le Sémaphore* publia le menu du dîner royal offert en l'honneur du khédive : tortue claire à la reine ; filets de saumon à la genevoise ; bouchées à la financière ; crème de volaille chaud-froid ; filet de bœuf à la paysanne ; cailles aux petits pois ; asperges sauce hollandaise ; gâteau de riz à l'ananas ; gelée de fruits au champagne ; croquettes de parmesan...

– Abbas est allé à la soupe, grommelait le docteur Touta.

Les estivants de Fleming connaissaient par le journal tous les détails du voyage khédivial. Mais il y manquait les bruits, les couleurs, les odeurs. Il manquait un Milo surexcité, hilare, qui aurait surgi sur la plage et fait trembler les parasols :

– Vous ne savez pas ce qui s'est passé hier en Angleterre !

Et, aussitôt, chacun se serait senti à Windsor, à Buckingham...

Sur la plage de Fleming et le soir au Casino San Stefano, il était beaucoup question de l'absence de Doris. Chacun avait sa petite idée sur la question.

– Une simple gifle n'amène pas une mère de famille à abandonner son mari et ses enfants, commentait doctement le bijoutier Alfred Falaki.

Quelqu'un avait fait état d'un officier anglais, et la rumeur s'était aussitôt répandue dans les villas. D'aucuns parlaient d'un lieutenant-colonel ; d'autres d'un général. Même le nom du sirdar était cité. Sir Reginald n'avait-il pas pris son poste de gouverneur général du Soudan quelques semaines avant le départ de la jeune femme pour Khartoum ? Mais, à force de nourrir les hypothèses les plus extravagantes, cette rumeur d'amant présumé perdait toute crédibilité.

– Elle n'a pas supporté d'être trompée par son mari avec la Française, soutenaient certains.

Le fils aîné de Rose Falaki connaissait l'un des réceptionnistes du New Hotel. Celui-ci s'était fait un plaisir de lui révéler que son parent Émile Touta y avait été rejoint, un après-midi, par une Européenne. La description qu'il en faisait correspondait exactement au portrait de Solange Popinot. Tous les jeunes gens qui avaient approché cette femme aguicheuse deux ans plus tôt comprenaient que Milo eût payé de sa personne pour honorer une telle créature. Ils l'auraient même trouvé bien stupide de ne pas en profiter… Mais cela n'expliquait pas la disparition de Doris. Une épouse trompée abandonnait-elle ses enfants et ses droits pour aller se perdre dans l'enfer du Soudan ?

Restait une autre hypothèse, formulée par Yolande :

– La Mamelouka a peut-être été attirée par une contrée mystérieuse.

C'était, au Caire, la thèse de Solange Popinot. La Française semblait comprendre l'absente, et même l'envier. Elle rêvait à haute voix du Soudan, de ses bêtes sauvages, de ses grands Noirs au corps luisant…

On se souvenait que Doris devait son surnom à sa fuite du

pensionnat. N'aurait-elle pas cherché à fuir de nouveau, en y réussissant encore une fois ?

– Fuir quoi, je t'en prie ? s'exclamait la grosse Angéline Falaki. Elle ne manquait de rien. Son mari était à ses petits soins. Je connais plus d'une jeune femme qui aurait rêvé d'épouser Milo.

– Elle a peut-être quitté une vie trop facile, murmura un soir le docteur Touta, à la fin d'une partie de whist.

Invité à s'expliquer, le vieux médecin se contenta de hocher la tête. Exprimait-il une simple intuition ? Ou tenait-il cela d'Isis, l'épouse de Maxime Touta, sa jeune consœur pour qui il avait beaucoup d'amitié ?

# 69

*Khartoum, le 25 mai 1900*

Chère Isis,

Pardonnez-moi de n'avoir pas répondu plus tôt à votre lettre si chaleureuse, et à vos questions. Mais je n'avais ni le goût d'écrire ni sans doute celui de formuler les réponses que vous souhaitiez. Les trouverez-vous dans ces lignes, qui vous paraîtront peut-être un peu énigmatiques ?

J'ai beaucoup réfléchi ces dernières semaines, beaucoup pleuré aussi. Je ne savais pas que l'on pouvait porter en soi tant de larmes.

Les faits qui m'ont meurtrie, vous les connaissez pour l'essentiel, ou vous les devinez. J'avais besoin de me retrouver seule et, pour cela, de partir loin. D'ailleurs, ma présence devenait trop encombrante. Je commençais moi-même à ne plus me supporter. Sans doute fallait-il aussi que j'aille jusqu'au bout de mes tentations.

Vous souvenez-vous de notre longue conversation un dimanche après-midi dans l'atelier de pose ? Nous disions que, dans la vie, il faut savoir rester soi-même mais changer régulièrement de palier. Eh bien, je crois que depuis quelque temps j'étais lasse de mes succès. Je ne pouvais plus me contenter d'être « la portraitiste la plus recherchée du Caire » comme vous l'écrivez si gentiment. Il me fallait tenter autre chose, de plus difficile sans doute.

Certains photographes s'intéressent aux paysages. Moi, je suis plutôt attirée par les gens. Et, à force de les observer dans mon objectif, j'ai fini par un peu les connaître. Mais de quels gens s'agissait-il ? D'une toute petite frange de la population du Caire ! C'est Seif, un jour, qui m'a alertée involontairement là-dessus, en manifestant un intérêt inattendu pour Bolbol, l'employé du magasin. Je me suis rendu compte que je ne connaissais rien des hommes et des femmes qui ont les pieds dans la boue tout le long de la vallée du Nil. Depuis l'enfance, je n'ai eu à faire qu'à des Bolbols, plus ou moins rieurs, en tenue de domestique ou de fournisseur. Vous savez de quoi je parle, vous qui sillonnez les villages depuis longtemps. Les gens, vous les connaissez. Moi, il a fallu que j'attende l'âge de 28 ans et que j'aille jusqu'à Khartoum pour les rencontrer.

Je ne dis pas que le public « des consulats » (et je pleure en écrivant ce mot, pour d'autres raisons...) ne m'intéresse plus. J'ai pris plaisir à photographier Slatin pacha devant la grande mosquée d'Omdurman et Sir Reginald, en tenue de golf, dans le jardin de sa résidence. Mais je ne pourrais plus me contenter de ce public-là. Et, de toute manière, je préfère les gens qui ne posent pas.

Vous me parlez de mes filles. Elles me manquent terriblement, comme vous pouvez l'imaginer. De leur côté, elles doivent trouver bien long le « grand voyage » annoncé par leur mère. Mais je crois que c'est surtout leur père qui leur manque.

Vous me parlez de celui dont je ne saurais écrire le nom sans pleurer et vous me faites sur votre propre situation des confidences qui me bouleversent. Que vous dire, chère Isis ? Je n'ai eu, moi, qu'un seul amour, et il a été brisé. A cause de moi. Aurais-je dû réagir plus tôt ? Sans doute, mais comment ? Abandonner la photographie m'aurait semblé aussi inconcevable que si l'on vous demandait, à vous, d'arrêter de soigner les gens. Et je ne suis même pas sûre que cela aurait suffi. Photographe, je le suis et le resterai toujours. Mais si j'avais encore la possibilité de reprendre ma place, je me comporterais sans doute différemment. Je veux dire en accordant autant d'attention aux personnes qu'à mes modèles. Mais tout cela doit vous sembler bien confus.

Depuis quelques jours, je n'en peux plus. Tout me manque.

Le hall du magasin, la maison de Hélouan, les matins de Fleming. J'ai besoin du bruit de la mer, de l'odeur des algues, des lumières de San Stefano à sept heures du soir. J'ai surtout besoin de l'homme avec qui je ne m'ennuie jamais et que je n'ai sans doute pas bien su aimer…

Je sais où est ma place. Je rêve de la retrouver, mais je crains qu'il ne soit trop tard.

Je vous embrasse.

*Doris.*

# 70

Naturellement, personne ne savait que Milo avait voulu acheter un pistolet. Si la moindre rumeur avait couru à ce propos, le docteur Touta en personne se serait rendu à la villa pour sommer son neveu de s'expliquer.

On apprendrait par la suite qu'il était allé chez un armurier d'Alexandrie, un certain Dimitriou, rue Sésostris. Il avait accepté le premier article qu'on lui proposait, sans discuter le prix. C'était un revolver dit « Bull-Dog » à percussion centrale, avec une crosse quadrillée en imitation d'ébène. Six balles pouvaient se loger dans le barillet. Mais il n'avait besoin que d'une seule pour mettre fin à sa tristesse... Le nommé Dimitriou, ayant noté l'air hagard de ce client et le tremblement qui agitait sa main, hésita à lui vendre l'arme.

Il était à peine huit heures du matin, le 6 juillet, quand Maguy se mit à crier.

– Milo ! Milo ! hurlait la fillette, qui venait de dévaler toute la plage.

Jamais Maguy, pourtant connue pour son excitation, n'avait poussé de tels cris. Il y avait quelque chose d'inhabituel dans cette voix aiguë, essoufflée, suppliante.

Arrivée à la villa, la fillette tambourina à la porte. Sans succès. Elle s'y reprit à trois fois, en tapant de toutes ses forces, avec une sorte de violence impuissante. En désespoir de cause, elle ramassa de petits cailloux pour les lancer sur la fenêtre du premier étage. Elle visait juste, mais personne ne répondait.

Découragée, elle se mit alors à sangloter, avec le pressentiment d'un drame.

– Si on ne fait pas la photo cette année, je ne reviens plus jamais à Fleming, avait-elle dit la veille à sa sœur Yolande, avec des larmes dans la voix. Plus jamais, tu entends !

Au premier étage, le volet de la porte-fenêtre s'ouvrit en crissant, et Milo apparut au balcon, les cheveux ébouriffés.

– Viens vite, la Mamelouka est là ! lui cria Maguy sans reprendre son souffle.

Il resta quelques instants accoudé à la balustrade, comme pétrifié. Puis il descendit, après avoir enfilé une chemise et un pantalon, sans même se chausser. La fillette lui prit la main et ils se dirigèrent vers la mer.

Il n'y avait encore personne sur la plage. Seule une femme était assise au loin, près de l'eau.

Milo avançait comme dans un rêve. Il voyait des ombres. Une phrase lancinante lui revenait en mémoire, bourdonnant à ses oreilles : « Vous peignez la mer, mademoiselle ? Moi, je la reproduis exactement. » Il s'y accrochait, comme à une bouée, la répétait. Par moments, il n'y croyait plus, ne voyait plus devant lui que la mer, bleue, immense, et sentait ses pieds s'enfoncer dans le sable. Puis, soudain, c'était comme s'il s'envolait. La silhouette blanche était plus proche, moins floue. « Vous peignez la mer, mademoiselle ? » Il avançait, avançait, de plus en plus en plus vite, serrant très fort la main de Maguy. « Moi, je la reproduis exactement. »

Doris était assise sur l'une de ses malles, au bord de l'eau, un peu à l'écart. Elle portait une robe de mousseline claire et un grand chapeau en paille de riz. Ses bottines étaient posées près d'elle. Le silence de la mer, lisse comme un lac, n'était brisé que par quelques clapotis.

Milo, qui avait lâché la main de Maguy, s'approcha du rivage. Doris se tourna vers lui, les yeux embués de larmes. Ils étaient à quelques mètres l'un de l'autre. La fillette vit le visage de Milo s'illuminer malgré sa barbe de trois jours. Pudiquement, elle détourna le regard et repartit vers les villas.

RÉALISATION : CHARENTE-PHOTOGRAVURE À L'ISLE-D'ESPAGNAC
IMPRESSION : BUSSIÈRE CAMEDAN IMPRIMERIES À SAINT-AMAND (CHER)
DÉPÔT LÉGAL : SEPTEMBRE 1996. N° 23901 (4/504)